「我ながらの喜び」武者小路實篤*

私はいつまで生きるか
その事を知らない
しかし私はそのうちに
死ぬ事は
まちがいがない
私はそれを知るが
それで
あまり悲観しない
死ぬ事は死ぬ
死ぬ事は面白くない
だが悲観する事もない
それは運命だと思う
その時がくれば
それもあたりまえと思うだろう
死ぬのはあたりまえの運命と思う
あんまり苦しみたくないと思うが
その事を今考えても
あまりやくに立たない

今から心配しても
仕方がない
自分はそれより
のん気にその事を
忘れている
人間は人間だ
生きている内に
少しでもいゝ仕事をしたい
いゝ仕事をしても
何にもならないとは思うが
しかし何にもならないと思っても
いゝ仕事はしたい
この世は美しい
そう思っている事が
実に美しい
何にもならないと思うが
それが楽しみだ
そう思っている　我ながらの喜び

出典：武者小路實篤『武者小路實篤全集 第11巻』小学館，640～641頁，1989年

　武者小路の詩には「少しでもいゝ仕事をしたい」とありますが，このことは二つの意味を含んでいます。
　一つ目は，人間は常に理念（目指すもの）をもっているということです。これは，人間一人ひとりが大切なものとしてもっている価値です。
　二つ目は，「少しでも」とあるように，日々の小さな歩みを大切にしているということです。毎日画を描いている姿は尊いものです。人々が幸せを求めることは，理念的かつ抽象的である一方で，生活は現実的であり具体的です。理念と現実の生活という二つは，決して別個のものではありません。理念は日々の暮らしのなかに，そして実現しようとする人間の努力の姿のなかにこそ，見出されるのです。

*むしゃのこうじさねあつ，1885-1976，小説家・詩人として知られている。

尊厳や人権にかかわる出来事

- **1601** | エリザベス救貧法制定（イギリス）
- **1776** | アメリカ独立宣言（自由・平等の原理を宣言）
- **1789** | フランス革命，フランス人権宣言（自由・平等の原理を宣言）
- **1863** | リンカーン　奴隷解放宣言（アメリカ）
- **1874** | 恤救規則制定（日本最初の救貧制度）
- **1919** | ワイマール憲法制定（生存権を規定）（ドイツ）
- **1942** | ベヴァリッジ報告（イギリス）
- **1946** | 日本国憲法公布（第25条において生存権を規定）
- **1948** | 世界人権宣言を採択（人間の尊厳と自立の思想を掲げる）
- **1949** | 人身売買禁止条約を採択
- **1952** | 婦人参政権条約を採択
- **1956** | 売春防止法制定
- **1959** | 児童の権利宣言を採択
  1959年法制定（ノーマライゼーションの明文化）（デンマーク）
- **1965** | 人種差別撤廃条約を採択
- **1966** | 国際人権規約を採択
- **1973** | アパルトヘイト犯罪の抑圧及び処罰に関する国際条約を採択
- **1975** | 障害者権利宣言を採択
- **1979** | 女子差別撤廃条約を採択

1981	国際障害者年（「完全参加と平等」をテーマに）
1989	子どもの権利条約を採択
1990	障害をもつアメリカ人法（ADA）制定
1991	高齢者のための国連原則を採択
1994	全人種参加選挙の実施によりマンデラが大統領就任（アパルトヘイトの撤廃）（南アフリカ）
1996	らい予防法廃止，優生保護法を母体保護法に改正・改題
1997	介護保険法制定
1999	国際高齢者年（「すべての世代のための社会を目指して」をテーマに）
2000	児童虐待防止法制定
2001	DV防止法制定
2003	支援費制度施行 報告書「2015年の高齢者介護——高齢者の尊厳を支えるケアの確立に向けて」
2005	高齢者虐待防止法制定 障害者自立支援法制定（2012年に障害者総合支援法へ改正・改称）
2006	障害者権利条約を採択 モントリオール宣言を議決（LGBTならびにインターセックスの人権の確保）
2011	障害者虐待防止法制定
2013	障害者差別解消法制定

▼ 海外　▼ 日本

尊厳や人権にかかわった人たち

ジョン・ロック
(1632-1704)
「生命・自由・財産」の権利を主張。アメリカの独立宣言やフランスの人権宣言に大きな影響を与えた。

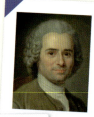
ジャン-ジャック・ルソー
(1712-1778)
人民主権論はフランス革命に大きな影響を与えた。著書に『社会契約論』

フローレンス・ナイチンゲール
(1820-1910)
クリミア戦争で敵味方を問わず、傷病兵を看護。「クリミアの天使」と呼ばれる。

メアリー・リッチモンド
(1861-1928)
慈善活動を専門化・科学化することに尽力し、現在のソーシャルワークの礎を築いた。「ケースワークの母」と呼ばれる。

マハトマ・ガンジー
(1869-1948)
インド独立の父。公民権運動、非暴力を貫く。

糸賀一雄
(1914-1968)
「びわこ学園」を創設。「この子らに世の光を」ではなく、「この子らを世の光に」と唱える。

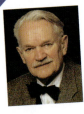
バンク-ミケルセン
(1919-1990)
ノーマライゼーションの父。知的障害者の大型施設を廃止し、地域生活を実現した。

ネルソン・マンデラ
(1918-2013)
南アフリカをアパルトヘイト（人種隔離政策）撤廃に導く。

一番ヶ瀬康子
(1927-2012)
日本の社会福祉学者。「社会福祉」概念の問い直しをしたこと、介護福祉学の確立に大きく貢献したことで知られる。晩年には、日本介護福祉学会を立ち上げ初代会長をつとめた。

マーティン・ルーサー・キング・ジュニア
(1929-1968)
キング牧師の名で知られる、アフリカ系アメリカ人の公民権運動指導者。1963年の演説（"I have a dream"）は世界的に有名。

アマルティア・セン
(1933-)
インドの経済学者、哲学者。貧困のメカニズムを研究したことや「潜在能力」（ケイパビリティ）の概念を提唱したことなどで知られる。アジア初のノーベル経済学賞受賞者。

写真提供：株式会社 アマナイメージズ／N.E. バンク・ミケルセン記念財団／財団法人 糸賀一雄記念財団

▼海外　▼日本

最新
介護福祉士養成講座 1
編集 介護福祉士養成講座編集委員会

人間の理解

第2版

中央法規

『最新 介護福祉士養成講座』初版刊行にあたって

　1987（昭和62）年に「社会福祉士及び介護福祉士法」が制定され、介護福祉職の国家資格である介護福祉士が誕生してから30年以上が経ちました。2018（平成30）年11月末現在、資格取得者（登録者）は162万3974人に達し、施設・在宅を問わず地域における介護の中核をになう存在として厚い信頼をえています。

　近年では、世界に類を見ないスピードで進む高齢化に対応する日本の介護サービスは国際的にも注目を集めており、アジアをはじめとする海外諸国から知識と技術を学びに来る学生が増えています。

　もともと介護福祉士が生まれた背景には、戦後の高度経済成長にともなう日本社会の構造的な変化がありました。資格誕生から今日にいたるまでのあいだも社会は絶えず変化を続けており、介護福祉士に求められる役割と期待はますます大きくなっています。そのような背景のもと、今後さらに複雑化・多様化・高度化していく介護ニーズに対応できる介護福祉士を育成するために、2018（平成30）年に10年ぶりに養成カリキュラムの見直しが行われました。

　当編集委員会は、資格制度が誕生した当初から、介護福祉士養成のためのテキスト『介護福祉士養成講座』を刊行してきました。福祉関係八法の改正、社会福祉法や介護保険法の施行など、時代の動きに対応して、適宜記述内容の見直しや全面改訂を行ってきました。そして今般、本講座を新たなカリキュラムに対応した内容に刷新するべく『最新 介護福祉士養成講座』として刊行することになりました。

　『最新 介護福祉士養成講座』の特徴としては、次の事項があげられます。
① 介護福祉士養成のための標準的なテキストとして国の示したカリキュラムに対応
② 現場に出たあとでも立ち返ることができ、専門性の向上に役立つ
③ 講座全体として科目同士の関連性も見える
④ 平易な表現や読みがなにより、日本人学生と外国人留学生がともに学べる
⑤ オールカラー（11巻、15巻）、ＡＲ（拡張現実：6巻、7巻、15巻）の採用などビジュアル面への配慮

　本講座が新しい時代にふさわしい介護福祉士の養成に役立ち、さらには本講座を学んだ方々が広く介護福祉の世界をリードする人材へと成長されることを願ってやみません。

2019（平成31）年3月
介護福祉士養成講座編集委員会

はじめに

　「人間の理解」は、人間の多面的な理解を基礎に、介護福祉士としての倫理基盤、コミュニケーションの基礎、チームで働く能力の基礎を養うことを目的としています。
　本書では、人間の尊厳の保持や自立の考え方を学び、対人援助関係形成の基礎となる人間関係とコミュニケーション、さらに、介護実践に必要となるチームマネジメントの考え方と取り組みを学ぶことができるよう、3章構成で内容を整理しています。
　第1章では、まず第1節で、人権思想の歴史的展開や福祉理念の変遷とともに、人間の尊厳や人権・権利擁護について学びます。そして、第2節で自立の考え方について学ぶとともに、尊厳を守る介護と自立支援の関係性を理解することをめざします。
　第2章では、まず第1節で、自分と他者を理解するということ、また自分と他者が影響し合っていることを学び、第2節では、対人関係を形成するためのコミュニケーションの基礎として、コミュニケーションの概念と言語的・非言語的コミュニケーションの特徴・機能について学びます。そして第3節では、対人援助関係を形成するためのコミュニケーションの基礎として、受容・共感・傾聴といった基本的態度や援助関係のための原則について学びます。さらに第4節では、チームで働くにあたって必要となる組織におけるコミュニケーションの特徴や組織内で求められているコミュニケーションについて学びます。
　第3章では、まず第1節で、介護サービスがヒューマンサービスであることとともに、介護福祉士にチームマネジメントが求められる背景とチームマネジメントの全体像について学びます。第2節では、チームでのケアの展開が日々求められていることを確認したうえで、協働のあり方やチームの力を最大限に発揮するための取り組みについて学びます。第3節では、チームの実践力の向上につながる人材育成・自己研鑽について、OJT、Off-JTやスーパービジョンなどを取り上げながら学びます。そして第4節では、組織の構造と機能や役割について学び、自分がその一員としてかかわること、さらには、質の高い介護サービスを組織が支えていることを学びます。
　このたびの第2版の編集にあたっては、自立の概念をより明確にすることをはじめとして、全体を通じて理解しやすさを追求しました。本書の学びが、介護実践の基礎となる考え方を身につける一助となることを願っています。
　なお、内容面に関しては最善を尽くしていますが、ご活用いただくなかでお気づきになった点は、ぜひご意見をお寄せください。いただいた声を参考にして、改訂を重ねていきたいと考えています。

編集委員一同

最新 介護福祉士養成講座1 人間の理解 第2版

目次

『最新 介護福祉士養成講座』初版刊行にあたって

はじめに

第1章 人間の尊厳と自立

第1節 人間の尊厳と人権・福祉理念 … 2
1. 人間の尊厳と利用者主体 … 2
2. 人権思想の潮流とその具現化 … 7
3. 人権や尊厳に関する日本の諸規定 … 11
4. 社会福祉領域での人権・福祉理念の変遷――人は人をどう援助しようとしてきたか … 16
5. 社会福祉領域での人権・福祉理念の変遷――戦後の新たな福祉のあり方への模索 … 24
6. 人権尊重と権利擁護 … 37

演習1-1 人権思想から人間の尊厳について学ぶ … 51
演習1-2 介護保険法における尊厳と自立を考える … 51

第2節 自立のあり方 … 52
1. 自立の概念の多様性 … 52
2. 自立とは … 57
3. 介護を必要とする人の自立と自立支援 … 61
4. 介護を必要とする人の尊厳の保持と自立、自立支援の関係性 … 71

演習1-3 利用者の主体性を大切にした声かけを考える … 76
演習1-4 利用者の自立支援について考える … 77

第2章 人間関係とコミュニケーション

第1節 人間と人間関係 … 80
1. 人間の誕生と介護の関係 … 80
2. 自分と他者の理解 … 84
3. 発達心理学からみた人間関係 … 95
4. 社会心理学からみた人間関係 … 102
5. 人間関係とストレス … 113

演習2-1 自分と他者の認識のずれについて考える … 121

| 演習2-2 | 少数派が集団を変えるために必要なことを考える … 121 |

第2節 対人関係におけるコミュニケーション … 122

1. コミュニケーションの概念 … 122
2. コミュニケーションの基本構造 … 124
3. コミュニケーションの手段 … 128

| 演習2-3 | 関係性によるあいさつの違いと、含まれるメッセージについて考える … 141 |
| 演習2-4 | 非言語の種類とメッセージについて考える … 141 |

第3節 対人援助関係とコミュニケーション … 142

1. 対人援助の基本となる人間関係とコミュニケーション … 142
2. 対人援助における基本的態度 … 150
3. 援助的人間関係の形成とバイステックの7つの原則 … 153

| 演習2-5 | 傾聴について考える … 162 |
| 演習2-6 | バイステックの7つの原則について考える … 162 |

第4節 組織におけるコミュニケーション … 163

1. 組織の条件とコミュニケーションの特徴 … 163
2. 組織における情報の流れ … 167
3. 組織において求められるコミュニケーション … 170

| 演習2-7 | 組織のコミュニケーションについて考える … 176 |
| 演習2-8 | ブレーンストーミングをやってみる … 176 |

第3章 介護実践におけるチームマネジメント

第1節 介護実践におけるチームマネジメントの意義 … 178

1. ヒューマンサービスとしての介護サービス … 178
2. 介護現場で求められるチームマネジメント … 187
3. 介護実践におけるチームマネジメントへの取り組み … 192

| 演習3-1 | 介護サービスとほかの仕事との違いについて考える … 202 |
| 演習3-2 | ケアを展開するさまざまなチームについて考える … 202 |

第2節 ケアを展開するためのチームマネジメント … 203

1. ケアを展開するために必要なチームとその取り組み … 203
2. チームでケアを展開するためのマネジメント … 207
3. チームの力を最大化するためのマネジメント … 212

| 演習3-3 | 情報共有の場について考える … 220 |
| 演習3-4 | リーダーシップ・フォロワーシップについて考える … 220 |

第3節 人材育成・自己研鑽のためのチームマネジメント ………… 221
1 介護福祉職のキャリアと求められる実践力 … 221
2 介護福祉職としてのキャリアデザイン … 228
3 介護福祉職のキャリア支援・開発 … 233
4 自己研鑽に必要な姿勢 … 243
演習3-5 介護福祉士としてのキャリアをイメージする … 251
演習3-6 スーパービジョンの機能について理解する … 251

第4節 組織の目標達成のためのチームマネジメント ………………… 252
1 介護サービスを支える組織の構造 … 252
2 介護サービスを支える組織の機能と役割 … 261
3 介護サービスを支える組織の管理 … 266
演習3-7 組織の理念について考える … 276
演習3-8 委員会について考える … 276

索引 …………………………………………………………………………… 277

執筆者一覧

本書では学習の便宜をはかることを目的として、以下のような項目を設けました。
- 学習のポイント … 各節で学ぶべきポイントを明示
- 関連項目 ………… 各節の冒頭で、『最新 介護福祉士養成講座』において内容が関連する他巻の章や節を明示
- 重要語句 ………… 学習上、とくに重要と思われる語句について色文字のゴシック体で明示
- 補足説明 ………… 専門用語や難解な用語・語句をゴシック体で明示するとともに、側注でその用語解説や補足的な説明を掲載
- 演　　習 ………… 節末や章末に、学習内容を整理するふり返りや、理解を深めるためのグループワークなどの演習課題を掲載

第 1 章

人間の尊厳と自立

第 1 節　**人間の尊厳と人権・福祉理念**

第 2 節　**自立のあり方**

第 1 節

人間の尊厳と人権・福祉理念

学習のポイント
- 人間の尊厳の意義と利用者主体について学ぶ
- 人権思想がどのようにはぐくまれ具現化されてきたかを学ぶ
- 社会福祉領域で人権・福祉理念がどのようにはぐくまれ具現化されてきたかを学ぶ
- 利用者の人権や権利侵害について理解し、権利擁護について学ぶ

関連項目
③『介護の基本Ⅰ』▶ 第1章「介護福祉の基本となる理念」
③『介護の基本Ⅰ』▶ 第3章「介護福祉士の倫理」
⑭『障害の理解』▶ 第1章「障害の概念と障害者福祉の基本理念」

1 人間の尊厳と利用者主体

　ここでは、人間を理解するとはどういうことなのかを手がかりとして、人間の尊厳とはどのような理念であり、その実現のために利用者主体がなぜ必要なのかについて学びましょう。

人間を理解するということ

　人間の理解は、まず生活の営みの姿を知ることから始まります。
　人は、だれしも日々の生活を平穏で幸せに過ごしたいと思っています。しかしその生活は、現実のなかだけにとどまるものではありません。「よりよく生きる」という明日への希望を含んでいるのです。
　「人間を理解する」とは、現実の生活状況における人間と、その人のこれまでの生活から未来への志向性を含めた、**生活の営みの歴史**を理解することなのです。
　いつの時代にあっても、生きていくうえで、人は老い、病や障害をかかえることもあります。それらのさまざまな困難な状況を乗り越える過

程で、介護福祉職の支援を受けることがあります。そして、その介護は「人間関係」を基盤に行われます。

人間関係の構築は、現在の生活状況を理解することはもとより、人間としての尊厳を保持すること、社会の人々との人間的なコミュニケーションのもとに自立した豊かな生活を営みたいという人間の真の姿を理解することから始まります。

2 人間の尊厳という理念

人間の尊厳は、人間が個人として尊重されることを意味します。そして、社会のなかで「個人の幸せにとって大切な考え方」、つまり理念として共有されています。

理念は、人々の生活の営みにおいてめざすべきものということもできます。「すべての人が共通のものとして理解し尊重する」という意味で、理念は普遍的なものですが、いささか抽象的です。

たとえば、「障害者基本法」をみてみましょう。

障害者基本法
（目的）
第1条　この法律は、<u>全ての国民が、障害の有無にかかわらず、等しく基本的人権を享有するかけがえのない個人として尊重されるものであるとの理念にのっとり</u>、全ての国民が、障害の有無によって分け隔てられることなく、相互に人格と個性を尊重し合いながら共生する社会を実現するため、障害者の自立及び社会参加の支援等のための施策に関し、基本原則を定め、及び国、地方公共団体等の責務を明らかにするとともに、障害者の自立及び社会参加の支援等のための施策の基本となる事項を定めること等により、障害者の自立及び社会参加の支援等のための施策を総合的かつ計画的に推進することを目的とする。

（下線は筆者）

この法律では、「全ての国民が、障害の有無にかかわらず、等しく基本的人権を享有するかけがえのない個人として尊重されるものである」という理念をかかげています。

理念自体は個人の生活を具体的・個別的に具現化してはいません。しかし、理念は「個人の幸せにとって大切な考え方」、つまり「人間の幸せな生活への願い」ですから、個々の生活と密接な関係になければなりません。つまり、現実の生活の彩りのなかにこそ、理念が含まれていな

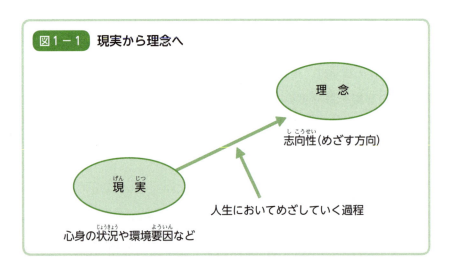

図1-1 現実から理念へ

ければならないのです。言い換えれば、毎日の生活のなかでこそ、よりよい生活という理念をめざす意味があります。

障害者基本法では、その理念を「全ての国民が、障害の有無によって分け隔てられることなく、相互に人格と個性を尊重し合いながら共生する社会」として実現するために、「障害者の自立及び社会参加の支援等」を行うための施策を推進することを目的としています。つまり、日々の暮らしのなかから理念を実現していこうとする人間の努力の姿が、そこにあります（図1-1）。

つまり、理念は社会のめざすもの、現実の生活の指標となるものです。生活支援における「生活支援技術」は、この理念をもって行われなければなりません。

3 人間の尊厳と利用者主体

人間の尊厳とは、個人の生き方の尊重であり、その人自身の個性を大切にしていくことだとすると、その生活設計を利用者とともに立てていくときに、しっかりとふまえておかねばならないこと、それが**利用者主体**という考え方です。

バイステックの7原則[1]の個別化にもあるように、人は1人ひとりみんな違う、かけがえのない存在であり、唯一無二の人生を生きています。たとえその人がどんな状況にあったとしても、その人の人生はその人のものであり、主役はその人自身です。

[1] バイステックの7原則
p.153参照

第1節　人間の尊厳と人権・福祉理念

（1）社会福祉・介護福祉分野における障害のとらえ方

　そのことが世界に向けてはっきり示されたのが、2006年に国連で採択された**障害者の権利に関する条約**でした。この条約は、21世紀に入って最初につくられた人権条約であり、国際人権法にもとづいて、障害者の法の下の平等をうたいました。そして、WHO（世界保健機関）のICIDH❷（International Classification of Impairments, Disabilities and Handicaps：国際障害分類（1980年））で示された社会的不利という考え方を根拠に、障害は個人でなく社会によってもたらされるという点に着目し、それゆえの合理的配慮の必要性が示されました。

　ICIDHでは図1－2のように、障害を機能障害・能力障害・社会的不利という3つのレベルでとらえました。

　たとえば、何らかの事故や病気で脊髄損傷による下半身麻痺となり、車いす生活を余儀なくされたコンピュータープログラマーとプロの野球選手がいたとします。脊髄損傷、すなわち機能障害への対応は、おもに医療分野が担当します。脊髄損傷による下半身麻痺、すなわち能力低下には、おもにリハビリテーション分野が対応します。両者の能力低下の程度や筋力の違いはあるものの、2人の歩く能力の低下をおぎなうためには、車いすをうまく乗りこなすための訓練が共通して必ず行われるでしょう。

　ところが2人が社会復帰をめざそうとした場合、両者とも車いすで生活できる環境の整備が必要となりますが、どこにだれと住んでいて、どのような生活スタイルを選ぶのかによって、支援の課題は変わってきます。そして何より職場復帰の段階で、2人のぶつかる壁＝社会的不利の大きさがまったく違ったものになることは明白です。

　ICIDHでは、このように、障害を「その人自身の障害」としてとらえる2つのレベル（機能障害・能力障害）に加えて、「その障害のある人が社会のなかでどう生きていきたいかによってぶつかる壁」（社会的

❷ICIDH（国際障害分類）
WHOによって1980年に採択された。その約20年後の2001年には、ICFがICIDHの改訂版として採択されている。なお、ICFは、International Classification of Functioning, Disability and Healthの略で、国際生活機能分類と訳される。

図1－2　ICIDHの障害構造モデル

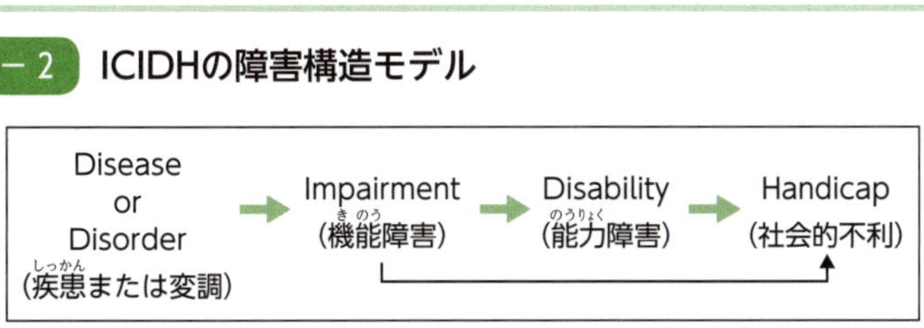

Disease or Disorder（疾患または変調） → Impairment（機能障害） → Disability（能力障害） → Handicap（社会的不利）

不利）という3つ目の障害のとらえ方が示されました。

障害は、その人自身にではなく、その人が生きにくい世の中、「社会」の側にあるとするこの考え方が、私たち社会福祉・介護福祉分野が担当する「障害」のとらえ方ではないでしょうか。そして、その人が暮らしやすいように生活場面での環境を整え、必要な支援を行い、その人がその人らしく生きるための社会の側の条件を改善していくことが私たちの役割です。

そして、この生活場面での支援のあり方を考えていくとき、2001年5月にWHOから新たに示されたICF（国際生活機能分類）[3]が、生活や人生をどういう枠組みでとらえるかについての羅針盤ともいえる問題提起となりました。ICFは、障害をかかえる人にとどまらず、「人が生きること」を総合的にとらえようとする考え方で、いわば「生きることの全体像」をみるための「共通言語」であるともいわれています。この考え方に立てば、すべての関連職種や当事者たちと連携しやすいはずです。そして、これをどの職種よりも理解しておかなければならないのが介護福祉職であり、そのときに大切にしなければならないのが利用者主体であり、それをふまえた生活支援を展開することが強く求められています。

[3] ICF（国際生活機能分類）
p.70参照

（2）利用者主体の実現のために

また、「障害者の権利に関する条約」の策定には、はじめて当事者である障害者団体が加わったことも画期的でした。この団体の「私たち抜きに私たちのことを決めないで（Nothing About Us Without Us）」という活動スローガンは、社会に大きなインパクトを与えました。私たちはこのスローガンを胸にきざみ、利用者とともにあろうとする努力が必要です。

利用者主体の実現のためには、まずは、①その人の今の思いをきちんと聞くこと、②今の状況をきちんと把握すること、さらに、今にいたる状況を生活史も含めて的確につかむこと、③今、立てられている支援計画に本人が納得していること、もしくは、これから支援計画を新しく立てたり見直したりする必要があれば、本人や家族の参加も含めて、どのような職種と連携して支援計画をつくっていくかが想定できて協力が求められること、④支援計画にもとづく支援をしつつも、常に本人に確認し、思いや状況に合わせて支援の内容を柔軟に考え、チームとしての合

意をえることなどに留意することが大切です。

2 人権思想の潮流とその具現化

　ここでは、人権思想の潮流を確認し、その具現化が一朝一夕に行われたのではなく、人類の苦難の歴史のなかで一歩ずつ積み重ねられてきたものであり、今もまだその途上にあるため、私たちがそれを守り、さらに発展させていく責任があることを学びましょう。

1 人権思想の潮流

　人間の尊厳は、現代社会において急速に生まれた思想ではありません。とくに、国家の基本法である憲法の理念として人間の尊厳がかかげられるまでには、人類の苦難の歴史があります。

　人々が、貧困、飢餓、戦乱、専制政治等による生活の苦しみを乗り越えていくなかで鮮明にかかげた人権思想は、まず人々の自由権であり、ついで人間らしい生活を保障する生存権でした。

　アメリカの独立宣言（1776年）、フランスの「人および市民の権利宣言（人権宣言）」（1789年）は、いずれも国民主権による自由・平等の原理を宣言したものです。そして20世紀に入り、第1次世界大戦を経て、新たな人権思想が登場しました。それが生存権的基本権ともいわれる社会権です。社会権（生存権）は、自由・平等の人権を単なるスローガンとして終わらせるのではなく、実質的に人々の人間らしい生活を保障しようとするものです。世界史のうえで、典型的にこの社会権（生存権）を憲法にかかげたのは、ドイツのワイマール憲法（1919年）が最初であるといわれています。

　日本では、第2次世界大戦後の1946（昭和21）年に制定された日本国憲法において、戦争の惨禍をふまえて、平和と安全、そして幸せを希求した国民の総意にもとづいた自由権、そして生存権思想にもとづく人権の条項がかかげられました。

　人間の尊厳は、このように人権思想の歴史的な流れのなかに位置づけられるのです。

2 人権思想の具現化

人が老い、病、障害等によって生活に支障をきたし、人間の尊厳が保持されにくくなる際に、その維持・回復を支援するのは国家の責務です。国家は**ヒューマニズム**❹を源流とした**基本的人権**を、国家の最高規範としての憲法にかかげました。そして、憲法の人権保障の理念を具体的に実現するために、生活支援のための法制度を制定しました。

ここでは、人権が世界史のうえでどのようにして生まれたのかを概観しておきます。

> ❹ ヒューマニズム
> ヒューマニズムは、一般には人間主義と呼ばれている。それは人間性の尊重と人間の解放を意味する思想である。ルネサンス期にイタリアから始まった。

（1）意識変革と人権の明文化

人権発祥の地であるヨーロッパでは、中世は宗教の教義によって支配されていた時代でした。しかし、人間復興をめざしたルネサンスによって、しだいに神から人間中心へという思想的潮流の変化が生じました。一部の人だけではなく市民全体の意識の変化が、新たな時代の変革をもたらしたのです。人々は、人権に関するスローガンをかかげ、それが憲法制定の動きとなりました。

今日の人権思想の源流の1つとして、1776年のアメリカの**独立宣言**があります。独立宣言のなかで、とくに重要なのは次の言葉です。

> 「われわれは、自明の真理として、すべての人は平等に造られ、造物主によって、一定の奪いがたい天賦の権利を付与され、そのなかに生命、自由および幸福の追求が含まれていると信じる。またこれらの権利を確保するために、人類の間に政府が組織されたこと、そしてその正当な権力は被治者の同意に由来することを信じる」

また、ヨーロッパにおいて人権思想が明文化されたのは、1789年のフランス革命における**人権宣言**が最初です。とくに次の条項が重要です。

> **人権宣言**
> **第1条** 人は自由かつ権利において平等なものとして出生し、かつ生存する。社会的差別は共同の利益のうえにのみ設けることができる。
> **第4条** 自由は、他人の権利を侵害しないすべてをなし得ることに存する。その結果各人の自然権の行使は、社会の他の構成員にこれを同種の権利の享有を確保する以外の限界をもたない。それらの限界は、法によってのみ、規定することができる。

これらの人権に関する宣言は、今日の人権思想の原型になっているも

のであり、歳月の流れのなかで、なお学ぶべきものをもっています。

（2）人権のとらえ方

さて、人権のとらえ方について、前述のアメリカの独立宣言は、人権は天賦の（本来備わっている、天から与えられている）権利であるといい、フランスの人権宣言は、自然権の行使であるといっています。このことは、これまで人間の尊厳を理念として述べてきたことと深いかかわりがありますので、少し説明します。

法学者の宮沢俊義は、次のように述べています。

> 「今日広く人権または基本的人権というとき、われわれは多かれ少なかれ『人間性』からいわば論理必然的に生じる権利というようなものを頭に浮かべている。人間がただ人間であることにのみ基づいて、当然にもっている権利が人権だ、と考えている。人間がただ人間であることにのみ基づいて当然もっている権利はほかの言葉でいえば、人間が生まれながらにもっている権利、すなわち生来の権利である。生来の権利であるということは、奪うことのできない権利または他人にゆずりわたすことのできない権利を意味する」1)

この「人間がただ人間であることにのみ基づいて当然もっている権利」は、昔は「神から由来する」とか、「人間の自然状態における国家の成立以前の権利」「国家によって制約を受けない自然法に基づいたもの」などと考えられていました。しかし今日は、そのような操作的な考えにはよらず、人権を根拠づけるものは「人間として存在する、それだけで十分である」と考えられるようになりました。

さらに宮沢俊義は、次のように論じています。

> 「人権の概念は、人間の社会においては、すべて生物学的な意味における人間は、当然社会学的な意味における人間でなくてはならず、しかも社会的な意味における人間は人間社会の最高価値だという考え方に基づく。この考え方は通常人間主義（ヒューマニズム）と呼ばれるものである。それがほぼ確立したといえるのは、ルネサンスおよび宗教改革にはじまる近世のことである」2)

人間の尊厳を理解するためには、アメリカの独立宣言およびフランスの人権宣言に示された、生命、自由、平等、幸福追求の人権思想をみておく必要があります。

（3）自由権と生存権

束縛からの解放を求めた中世の人々の願いは、まず自由になることで

❺自由権

人はだれでも、自分の個性や能力をいかして生活を設計し人生をつくっていく自由をもっている。この自由に生きる権利、すなわち自由権は、国家が個人の生活に権力をもって介入しないよう国民の自由な意思決定と活動を保障する人権である。

した。人間の尊厳における人間性の尊重は、この**自由権**❺から始まったのです。自由権は、今日の生活支援における自立への思想へとつながります。そして、人権の歴史は、自由権から実質的な人間らしい生活の権利の保障、すなわち生存権へと移ってきたのです。

自由権的人権は人間の幸福追求のために、自由・平等の権利をかかげました。このことは、人間の自由な精神にもとづく人間解放の意義があったのですが、必ずしも実質的な意味での人間らしい生活を保障するものではありませんでした。当時の人権は、社会的に力のある人々や、経済力のある人々だけが享受する権利だったといえるでしょう。

そのため、ここに自由権と並んで社会権（生存権）が生まれました。生存権がその姿を鮮明にあらわしたのは、20世紀に入ってからです。1919年のドイツの**ワイマール憲法**がその典型といわれています。その生存権の規定をみると、重要なものでは、婚姻および母性は国の保護を受ける（第119条）、貧しい者の進学は国の保護を受ける（第146条第3項）、経済生活の秩序は、すべての者に人間たるに値する生活を保障することを目的とする正義の原則に適合しなくてはならず、個人の経済活動は、この限界内で保障される（第151条第1項）等が示されています。

ワイマール憲法は、生存権は自由・平等の権利であるということとともに、人間らしい生存・生活を実質的に保障するということをうたっています。

日本では、**日本国憲法第25条**において生存権がうたわれています。

（4）世界人権宣言

次に、1948年の**世界人権宣言**をみてみましょう。

> **世界人権宣言**
> **第22条** すべて人は、社会の一員として、社会保障を受ける権利を有し、かつ、国家的努力及び国際的協力により、また、各国の組織及び資源に応じて、<u>自己の尊厳と自己の人格の自由な発展</u>とに欠くことのできない経済的、社会的及び文化的権利を実現する権利を有する。
>
> （下線は筆者）

この世界人権宣言は、第2次世界大戦の悲惨な経験から生まれたものです。そこに平和を迎えた新たな時代の息吹を感じます。生命への畏敬の念が根底にあり、そして思想的源流には人類全体の幸福の追求を目的とするヒューマニズムがあります。もちろんヒューマニズムのみが思想

的源流ではありませんが、ここでは人間の尊厳に深くかかわる思想として取り上げます。

このような人間の思想（ヒューマニズム）にもとづいて、人権に関する条項が各国の憲法にかかげられるようになりました。

「自己の尊厳と自己の人格の自由な発展」を実現する権利を有するという世界人権宣言第22条の内容は、社会生活において人間の尊厳が保持されるためには、1人ひとりの人間が社会的に自己の能力を十分にいかす機会とそのための環境が用意されるべきであるということを意味しています。つまり、第22条で宣言された権利は、機能訓練のような身体の部分的な維持・回復ではなく、全人的な成長・発達をともなう社会的な活動・参加を実現する権利の意味で用いられています。

3 人権や尊厳に関する日本の諸規定

それでは、人権思想や人間の尊厳が日本の諸規定のなかにどのように反映されているのかについて、さらに具体的にみていきましょう。

日本国憲法における人権の条項としては、とくに第13条の幸福追求権と、第25条の生存権があげられます。また、すでに述べてきたように、これらの基本的人権の条項は理念としてかかげられるものですから、憲法の理念は、下位の社会福祉関係法による施策によって具体的な実現をはかることになります。

1 日本国憲法第13条――幸福追求権

> **日本国憲法**
> 第13条　すべて国民は、個人として尊重される。生命、自由及び幸福追求に対する国民の権利については、公共の福祉に反しない限り、立法その他の国政の上で、最大の尊重を必要とする。

（1）個人の尊重

日本国憲法第13条前段の「個人の尊重」は、個人の尊厳という意味です。人権の基本権ともいわれます。すなわち、ほかの人権の基礎となる基本的条項といえるでしょう。

日本国憲法は、個人として尊重されるという権利は、何ものにも代えることのできない最高の価値を有するものとうたっています。したがって、全体の都合によって個人の権利が抑圧されること、不当な人権の侵害が行われることを否定しています。そのような状況があれば、すみやかに人権の回復と、その原因となる社会的あるいは環境的状況の改善をはかるという趣旨です。

　たとえば、高齢者虐待の防止、高齢者の養護者に対する支援等に関する法律（以下、高齢者虐待防止法）は、高齢者の尊厳保持のために高齢者虐待を防止するものであり、養護者に対する支援を定めています。このように、憲法に理念として示された人権が、社会福祉関係法である高齢者虐待防止法で具現化されています。

（2）公共の福祉

　また、第13条後段は、アメリカの独立宣言の「すべての人は平等に造られ、造物主によって奪うことのできない権利を与えられ、そのなかに生命、自由、幸福の追求が含まれている」という部分に由来しています。ここで特筆すべきことは、「公共の福祉に反しない限り」という言葉が加わっていることです。これは、すべての人が人権を享有しているわけであり、人権が特定の人のものでないことから、当然のことと考えられます。

　公共の福祉[6]が意味するところについては、さまざまな考え方がありますが、基本的な理解として、人権は、内在する制約がある、他者の権利または利益との調和である、そして社会的条件のもとにおかれるということです。

　尾高朝雄は、「国民のすべてが、その置かれた具体的条件のなかで、できるだけ人間らしい生活を営み、勤労と平安の毎日を送り、しかも仰いで文化の蒼空から心の糧を得るということは、一言でいうならば、『公共の福祉』である。それが国内法の究極の理念である」[3]と述べています。この尾高朝雄の言葉からは、人間の尊厳（尊重）の理解について、有益な示唆をえることができます。すなわち、①国民1人ひとりが人間らしい生活を大切にすること、②日々の活動のなかでの精神的安定・充実をえること、③文化的な生活からの心の糧をえることが人間の尊厳につながるということです。これらを実現するための方向性を考えるときに、個人の自由権は、生存権の保障のために制約されると考えら

---

[6] 公共の福祉
個人の基本的人権が、ほかの個人の基本的人権と衝突する場合がある。そこで、これらの人権相互の関係を調整する際の考え方が公共の福祉である。日本国憲法第12条は「この憲法が国民に保障する自由及び権利は、国民の不断の努力によって、これを保持しなければならない。又、国民は、これを濫用してはならないのであって、常に公共の福祉のためにこれを利用する責任を負ふ」と示している。

れます。

　また、前出の宮沢俊義は、「これを交通整理にたとえていえば、自由国家的公共の福祉は、すべての人を平等に進行させるために、あるいは青、あるいは赤の信号で整理する原理であるのに対して、社会国家的公共の福祉は、特に婦人、子供、老人を優先的にすすませるために、他の人間の車をストップさせる原理であるともいえようか」[4]と述べています。つまり、公共の福祉は、1人ひとりの生活状況を直視する、実質的公平の原則といえるのです。なお、ここでいう「自由国家的公共の福祉」は、社会生活における個人の自由な行動をできるだけ尊重する立場です。この場合には、社会的に力の強い者が優位な地位を占めることにもなります。一方、「社会国家的公共の福祉」は、すべての人々の尊厳が保障される範囲で、1人ひとりの自由が認められるとする立場です。

　公共の福祉は、自由権と生存権とによって人間らしい生活が保持され、生き生きとした活動が行われるために、社会の調和が求められることを意味しています。

2 日本国憲法第25条──生存権

> **日本国憲法**
> **第25条**　すべて国民は、健康で文化的な最低限度の生活を営む権利を有する。
> ②　国は、すべての生活部面について、社会福祉、社会保障及び公衆衛生の向上及び増進に努めなければならない。

　日本国憲法第25条にいう「健康で文化的な最低限度の生活」とは、人間の尊厳が保持される生活状況を意味します。いわゆる**生存権**[7]を示しています。前述のとおり、本条項は国家がかかげる理念であるため、具体的には個別の法律によって国民1人ひとりの生存権が実質的に保障されることになります。

　このことは、本巻や他巻（『社会の理解』（第2巻）など）で学ぶ、福祉関係の法律の目的や理念によって明らかにされています。

[7] **生存権**
生存権は、すべての人間に人間らしい生活が保障されるという人権である。日本国憲法は「すべて国民は、健康で文化的な最低限度の生活を営む権利を有する」（第25条）と定めている。そして国はこの生存権保障のために社会福祉や社会保障を推進している。

3 社会福祉法

　社会福祉の基本的事項を定めた法律である**社会福祉法**では、以下のよ

うに、「個人の尊厳の保持」が社会福祉（福祉サービス）の基本理念として示されており、「利用者の意向を十分に尊重」することが、福祉サービスの提供の原則として示されています。

社会福祉法

（福祉サービスの基本的理念）
第3条　福祉サービスは、個人の尊厳の保持を旨とし、その内容は、福祉サービスの利用者が心身ともに健やかに育成され、又はその有する能力に応じ自立した日常生活を営むことができるように支援するものとして、良質かつ適切なものでなければならない。

（下線は筆者）

（福祉サービスの提供の原則）
第5条　社会福祉を目的とする事業を経営する者は、その提供する多様な福祉サービスについて、利用者の意向を十分に尊重し、地域福祉の推進に係る取組を行う他の地域住民等との連携を図り、かつ、保健医療サービスその他の関連するサービスとの有機的な連携を図るよう創意工夫を行いつつ、これを総合的に提供することができるようにその事業の実施に努めなければならない。

（下線は筆者）

　これらの考え方は1998（平成10）年の「社会福祉基礎構造改革について（中間まとめ）」にもとづいています。『厚生白書　平成11年版』によれば、「これからの社会福祉の目的は個人が人としての尊厳をもって、家庭や地域の中で、その人らしい安心のある生活が送れるよう自立を支援することにあると指摘した」5）と解説されています。

　ここで示されている社会福祉の理念と原則の重要な視点は2つあります。

　1つ目は、自立と生活支援を結びつけていることです。すなわち、その人の能力に応じて、利用者が自立した生活が送れるよう支援するということです。なお、「能力に応じて」とは、主体的に福祉サービスを利用する意思を意味しています。

　2つ目は、「福祉サービスを利用する」という概念をはじめて用いたことです。それまでのように、保護、援護、更生の対象としてとらえるのではなく、みずからの意思による選択と責任によって福祉サービスを利用する主体ととらえることを示したのです。このことが、人格的自律❽と具体的な生活自立への生活設計における基盤となります。また、このことは、行政が福祉施設に要入所者を入所させるというこれまでの

❽自律
p.57参照

「措置」の制度を基本的に変えるものでした。

この理念と方針は、介護保険法ならびに障害者の日常生活及び社会生活を総合的に支援するための法律（以下、障害者総合支援法）においても同様の趣旨の規定があります。

 4 介護保険法および障害者総合支援法

以下にあげる2つの法律の目的規定では、人間の尊厳と自立についての理念と、高齢者および障害者（児）福祉のこれからの方向性が示されています。

介護保険法
（目的）
第1条　この法律は、加齢に伴って生ずる心身の変化に起因する疾病等により要介護状態となり、入浴、排せつ、食事等の介護、機能訓練並びに看護及び療養上の管理その他の医療を要する者等について、これらの者が尊厳を保持し、その有する能力に応じ自立した日常生活を営むことができるよう、必要な保健医療サービス及び福祉サービスに係る給付を行うため、国民の共同連帯の理念に基づき介護保険制度を設け、その行う保険給付等に関して必要な事項を定め、もって国民の保健医療の向上及び福祉の増進を図ることを目的とする。

（下線は筆者）

障害者総合支援法
（目的）
第1条　（略）障害者及び障害児が基本的人権を享有する個人としての尊厳にふさわしい日常生活又は社会生活を営むことができるよう、必要な障害福祉サービスに係る給付、地域生活支援事業その他の支援を総合的に行い、もって障害者及び障害児の福祉の増進を図るとともに、障害の有無にかかわらず国民が相互に人格と個性を尊重し安心して暮らすことのできる地域社会の実現に寄与することを目的とする。

（下線は筆者）

（1）介護保険法

介護保険法にいう、日常生活の介護、機能訓練、看護、療養上の管理は、要介護者の「尊厳を保持し、その有する能力に応じ自立した日常生活を営むこと」に集約されます。それは、自立にかかわる介護福祉職の

業務の広がりを示しています。

たとえば、機能訓練は医学的専門領域ですが、介護福祉職は機能訓練に生活支援の立場から参加し、生活の場で訓練の効果がいかされるような自立支援を行います。また、看護職との連携において、慢性疾患をもった利用者の健康管理、疾病上の留意点などに配慮した介護を行います。

(2) 障害者総合支援法

障害者総合支援法においては、2つの基本的な概念が示されています。1つは障害者（児）が「基本的人権を享有する個人としての尊厳にふさわしい日常生活又は社会生活を営む」ための支援がはかられるという点です。もう1つは、すべての障害者（児）の福祉の増進は「国民が相互に人格と個性を尊重し安心して暮らすこと」、つまり、すべての人々の生活の安心、安定に寄与するという点です。これらは、生活支援としての介護の基本理念となるものです。

人間の尊厳は、その人らしい個性の尊重です。したがって、生活支援技術の提供にあたっては、利用者の尊厳にふさわしい生活を支援するということになります。

そこで、高齢者や障害者（児）の尊厳にふさわしい生活とは何かが問題となりますが、その基本的な考え方は、利用者が「何ができるか」ではなく、「いかに生きるか」です。それはつまり、老い、病、障害等を受容して、自分らしい生活をつくっていくことです。そのためには、国民が個性と人格を尊重し合う社会の構築が必要となります。

4 社会福祉領域での人権・福祉理念の変遷
――人は人をどう援助しようとしてきたか

それでは、社会福祉領域において、人権・福祉理念がどのようにはぐくまれ、実践されてきたのかについて、もう少し具体的に学んでいきましょう。

第 1 節　人間の尊厳と人権・福祉理念

1　罪人として罰することから労働力としての活用へ——エリザベス救貧法

　世界の社会政策・社会保障・社会福祉の出発点は、1601年にイギリスで制定された**エリザベス救貧法**だといわれています。
　この時代、イギリス資本主義発展の原動力となった毛織物工業では、原料の羊毛を求める地主によって、牧羊のための農地の囲いこみが各地で行われました。それにより多くの農民がみずからの意に反して農地を追われ、大量の浮浪貧民が生み出され、大きな社会問題となりました。
　このような事態に対応し、**社会防衛**[9]のため、かつ資本主義社会での労働力確保対策として生まれたのがエリザベス救貧法です。それまで罪人として罰してきた浮浪貧民を、**労働能力**の有無によって分類し、労働能力をもつ人には就労を強制し、労働能力をもたない人は救貧院に収容して生活扶養を行い、将来の労働力である児童には徒弟奉公を義務づけました。労働能力の有無による分類は現在の日本の生活保護法にもひきつがれています。
　エリザベス救貧法は、資本主義社会の発展にともない発生する社会問題に対する世界初の国家的な救貧対策であり、現在の公的扶助につながるものでした。しかし、社会防衛的側面が強く、また、その運営は**教区**[10]ごとに集められる救貧税でまかなわれ、住民に救済を義務として強制するものでした。

[9] 社会防衛
社会を犯罪から防衛するという考え方。社会防衛は、犯罪の予防、犯罪者の改善的矯正といった視点で考えられる。

[10] 教区
宗門の布教の便宜上または監督上設けた区域。イギリスにおいては、カトリック教会（キリスト教）における教会行政上の基本単位であると同時に、国の最小行政単位となっている。

2　劣等処遇の原則と道徳的助言——新救貧法

　その後、産業革命のもとで、新たな社会問題・生活問題への対応がさらに求められ、1834年に**新救貧法**が制定されました。
　その背景には、蒸気機関を使った大規模な機械工場の出現により、熟練職人層を中心に大量の失業者が生み出されるとともに、人間の労働は機械に従属するものとなり、長時間労働が求められるようになったことがあります。また、機械では扱えない手作業部分については、婦人や子どもが駆り出され、過酷なものとなりました。24時間稼動する工場のまわりにはスラムが形成され、その劣悪な環境は労働者の健康をむしばみ、労働力確保の点でも見逃せなくなりました。公害の発生も、この時

17

代からだといわれています。

そして、失業者による仕事を求めるデモや、機械の打ちこわしが起こり、再び社会不安が増大し、その対応を迫られたのです。

しかし、新救貧法は、「救済の水準は実質・外見とも最下級の独立労働者の労働生活条件以下に置かねばならない」とする劣等処遇の原則をその基本的な考え方としていました。教区ごとに格差のあった救済の水準が国によって低い水準で全国統一され、それまで居宅保護が認められていた労働能力のある人も全員労役場に収容され、厳しい労働が課せられました。

（1）マルサスの人口論と慈善論

新救貧法の根拠は、経済学者であるマルサス（Malthus, T. R.）の人口論と慈善論でした。マルサスは、「貧困は、その時代の食糧生産高より人口が上回ることによって起こる自然現象である」と考え、「貧困者の見通しのない結婚や出産が人口増加の原因であり、この貧困者を安易に救済すれば、それはさらに人口を増やすことになり、貧困はもっと大きくなる」と主張しました。また、マルサスが考える慈善論は、「貧困者に安易に金や物を与える救済ではなく、まさにその心根をただすための道徳的な助言こそが最善の慈善である」というものでした。

貧困原因を、あくまでも貧困者個人の人格（パーソナリティ）の問題としてとらえ、救貧対策に財政的負担をともなわないこの主張は、当時の自由競争時代の資本主義にとっては都合のよいものであったとともに、宗教改革[11]のもとで、勤労、節約を最上の美徳とし、失敗や貧困を罪悪もしくは不道徳なものとして軽蔑する考え方にも支持されるものでした。

（2）「社会ダーウィニズム」と優生思想

さらに1859年には、自然淘汰と適者生存が進化の原動力であるとしたダーウィン（Darwin, Ch.）の『種の起源』が出版され、これを人間の社会にあてはめた「社会ダーウィニズム」という考え方が生まれました。この考え方によれば、社会の上層部で競争に打ち勝ち活躍する人が「適者」であり、障害をもって生まれたり、病弱であったり、貧困であったりする人は淘汰されるべき存在となります。むしろ、優秀な遺伝子を残すためには人為淘汰が必要であり、救済の必要はないということ

---

[11] **宗教改革**
16世紀のヨーロッパで起こった、キリスト教世界における、宗教的、政治的、社会的な変革運動をさす。宗教改革を通じて、信仰主義、聖書主義をとるプロテスタンティズムが成立していった。

になってしまいます。

その後、第1次・第2次両世界大戦下でこの考え方は強化され、人的資源確保（強い兵士の確保）のために優秀な遺伝子を残すことが重要課題となり、重度の知的障害者や精神障害者等に対する「断種法」が成立するなど、「優生思想」や「優生学」につながっていくことになりました。

3 貧困の社会性の認識と社会的対応の必要性
―― 社会福祉援助の出発点

1860年代後半以降、各地には**慈善組織協会**（Charity Organization Society：COS）がつくられ、マルサスの主張する安易な救済を防止するために、地域内の慈善団体の連絡調整と友愛訪問が開始されました。この活動が社会福祉援助の出発点だといわれています。

友愛訪問は、救済を求める貧困者の家庭訪問を行い、本当に慈善を受ける価値があるかどうかを調査し、ケース記録に残し、道徳的助言を与えることが目的でした。つまり当初は、貧困を人格の問題としてとらえるという枠組みはそのまま引き継がれていたということです。

しかし、この活動を通じて、社会福祉は本来の役割を自覚することになりました。貧困者の家庭に出向いて行ったからこそみえたもの、それは、失業や低賃金、過酷な労働条件下での病気や劣悪な生活環境など、個人の努力ではどうすることもできない社会的貧困の現実でした。そして、これらがケース記録として蓄積されていったことで、この現実は道徳的助言などでは解決できないこと、社会福祉にはもっと社会的な生活条件整備が必要であることが認識されることになりました。ここからが本来の社会福祉援助の始まりだといえるのかもしれません。

このことは、私たちが援助の方向に迷ったときは、常に利用者のかかえる現実に立ち戻って考えることが必要であるということを教えてくれています。介護問題も、現代の産業構造の変化のなかで、新たな様相をみせはじめています。私たちは、人類がはじめて経験する「人生80年時代」、さらに近年の日本では、「人生100年時代」といわれる現代の老後問題・介護問題をもっと深く分析して、新たな課題に立ち向かっていかなければなりません。

社会福祉・介護福祉の今日的課題は、常に現場（私たちが日々向き合っている利用者の生活のなか）に出てきています。

4 「ケースワークの母」リッチモンドの問題提起
──「個人」と「個人をめぐる環境」への注目

アメリカ、ボルチモアのCOSの専任職員として雇われ、友愛訪問にだれよりも熱心に取り組んだのが、「ケースワークの母」と呼ばれるリッチモンド（Richmond, M. E.）でした。1899年にまとめた『貧しい人々への友愛訪問』では、「友愛訪問とは、貧しい家庭の喜びと哀しみ、考え方、感じ方、そして生活に対する全体的な見通しについての身近で継続的な知識と共感を意味する」[6]と定義しています。この考え方は、現代でも通用する、人間の尊厳をベースにした問題提起であり、ケース（ケア）マネジメントや介護過程を展開するときの基本姿勢だといえるでしょう。

リッチモンドは、それまで、ともすれば個人の人格の問題にされがちだった貧困への対応について、「個人」と「個人をめぐる環境」の両方に注目し、救済計画立案のための徹底した調査・分析・診断の必要性を主張し、それを1917年に『社会診断』としてまとめています。利用者の生活の全体像とかかえる課題をより幅広くとらえ診断するという点では、これもまた現在のケース（ケア）マネジメントや介護過程の展開場面のアセスメントにつながるものだといえるでしょう。

また、常にその人の日常的な関係性にも目を向け、その関係の修復や新たな関係を広げることも視野に入れて援助をすべきだとする「拡大する自己」という考え方も、今につながる問題提起です。

そしてリッチモンドは、貧困調査や貧困地域での教育活動を通じて、貧困原因の社会性とその社会的解決を主張するソーシャルセツルメント活動[12]の影響も受けながら、社会福祉援助には個別の処遇と社会的施策の両方が必要で、それが相互に補完し合うことや、社会改良という視点が重要であることも指摘しています。

社会福祉は、貧困者の暮らしの現実に目を向けることによって、惰民[13]論を乗り越え、貧困原因の社会性に気づき、その社会的解決のための生活条件整備の必要性を自覚することになりました。

さらにリッチモンドは、この生活環境を整えるかかわりを通じて人格の発達をはかる方法を、「奇跡の人」といわれるヘレン・ケラー（Keller, H.）への家庭教師サリヴァン（Sullivan, A.）の教育実践にも触発されながら模索し、1922年には『ソーシャルケースワークとは何

---

[12] **ソーシャルセツルメント活動**
スラム街、工場街などの、失業・疾病・犯罪などと関連の深い貧困問題が集約された地域に住みこみ、住民の生活を援助する活動をいう。セツルメント運動ともいう。

[13] **惰民**
貧困の原因がその者自身の怠惰なこころにあるとした、貧困者をさす語。

> **コラム** 近代「看護の母」ナイチンゲール
>
> 　リッチモンドが生きた時代と重なるようにして、「近代看護の母」と呼ばれるナイチンゲール（Nightingale, F.）もまた、この時代に登場します。イギリスで貴族階級に生まれたナイチンゲールは、貧困者への慈善活動に参加し、とくに病人のおかれた過酷な環境に衝撃を受け、周囲の反対を押し切り、30代で看護の勉強を始めます。34歳から約2年半、クリミア戦争下での野戦病院に看護団をひきいて派遣されました。野戦病院の療養条件を整え、国に帰れるという希望を患者にもたせたことで死亡率を激減させたその看護活動は、兵士によって国に伝えられ、高く評価されました。
>
> 　1859年、ナイチンゲールが39歳のときに出版された『看護覚え書』では、「看護とはこれまで、せいぜい与薬とかパップを貼ること程度の意味に限られてきている。しかし、看護とは、新鮮な空気、陽光、暖かさ、清潔さ、静かさを適切に保ち、食事を適切に選択し管理すること――こういったことのすべてを、患者の生命力の消耗を最小にするように整えることを意味すべきである」[7]という有名な一文で、「診療の補助」とともに「療養上の世話」を看護の2本柱として示し、「療養上の世話」こそが看護独自の専門性であることを宣言しました。野戦病院でも慈善病院でも、もともとのけがや病気での死亡より、療養条件の悪さによる感染症などでの死亡率がはるかに高いことに気がついたからです。ナイチンゲールの看護の倫理のはじめに「害を及ぼさないこと」があげられるのも、このときの体験があるからです。
>
> 　白衣の天使とも呼ばれるナイチンゲールですが、直接看護活動にかかわっていたのは3年あまりという短い時間でした。しかも帰国後は働きすぎて40代で体調を壊し、その後の人生は看護をするというより、看護されるほうがはるかに長かったナイチンゲールですが、その両方の経験をふまえて、看護に関する1万通を超える提案書を書きつづけ、看護の人材育成にも大きく貢献しました。
>
> 　リッチモンドは貧困者の生活環境に、ナイチンゲールは病人の療養環境に目を向け、それを整えることを通じて社会福祉や看護のあり方を考え、問題提起を始めました。しかし、その後の2つの世界大戦下では、看護は殺菌技術や外科手術の飛躍的な発展のなか、「診療の補助」的役割が大きくなり、社会福祉もまた社会的環境を整えるという視点を失うこととなりました。

か』をまとめています。これもまた、現在の社会福祉・介護福祉分野での生活支援のあり方に大きな示唆を与えています。

5 戦争が社会福祉に及ぼした影響

(1) 社会適応のためのパーソナリティ強化

　1914年、第1次世界大戦が始まりました。資本主義の発展過程では、機械化で大量生産した品物を自国以外で広く売りさばくために、**帝国主義**[14]と呼ばれる新たな段階に入り、世界中に植民地獲得をめざす市場分割戦が広がっていきました。この戦争は1918年に終戦となりますが、後半のたった2年で現代の大量殺戮兵器のほとんどが登場したといわれています。まさに兵器の産業革命といえるのかもしれません。

　その結果、戦争の恐怖が増大し、兵士に**戦争神経症**といわれる精神疾患の症状があらわれ、国に帰された兵士が社会福祉援助の対象となりました。

　戦争神経症は、戦争という環境が引き起こしていることは明らかです。しかし、戦争中はそれを指摘することは許されません。戦争という環境が変えられないとすれば、残された対応は、戦争という厳しい環境でもひるまず戦える強い人格づくり、すなわち**社会適応のためのパーソナリティの強化**です。そのことが社会福祉援助の課題として求められました。

　やっと社会のあり方に目を向け、社会改良や社会的施策、生活環境を整えるかかわりを通じて、個人の人格の発達をはかる支援に取り組みはじめた社会福祉は、その後の2つの世界大戦によってその視点をうばわれ、再び人格のみに目を向けた対応に引き戻されることになりました。

　以前は「貧困者は惰民（道徳的に劣った人）であり道徳的助言が必要」とされていましたが、今度は「戦争神経症になる人は社会不適応者であり、パーソナリティの強化が必要」だということになりました。そして、「パーソナリティの強化とは何か」と考えたときに、フロイト（Freud, S.）の人格論（自我という現実適応力への注目）や精神医学、精神分析学にそのよりどころを求めていくこととなりました。

(2) 優生思想の政策化

　また、戦時下では、戦力として期待できない病者や障害者は、悲惨な扱いを受けることとなりました。ドイツ、日本などをはじめ、さまざまな国で**優生思想**が政策に適用され、強制断種が立法化されました。

　日本では1940（昭和15）年に国民優生法が公布され、とくにハンセン

---

[14] **帝国主義**
経済上・軍事上、他国または後進の民族を征服して大国家を建設しようとする傾向。狭義には、19世紀末に始まった資本主義の独占段階。

第1節　人間の尊厳と人権・福祉理念

> **コラム**　優生保護法による優生手術、人工妊娠中絶と優生思想
>
> 　優生保護法は、1948（昭和23）年に制定されました。明治以来、日本においては、刑法で堕胎が禁じられていましたが、優生保護法によって、不妊のための「優生手術」と「人工妊娠中絶」が例外的に認められるようになりました。
>
> 　優生保護法は、その目的に「優生上の見地から不良な子孫の出生を防止するとともに、母性の生命健康を保護することを目的とする」とかかげていました。「優生上の見地から不良な子孫の出生を防止する」とは、優れたものこそが生きることをよしとされるのであって、劣った遺伝子をもった人間は、その出生を防止することによって排除されるべきという考え方といえます。このような考え方を優生思想ということもあります。
>
> 　そして、不良な子孫の出生を防ぐ手段として、本人や配偶者などに遺伝性疾患やハンセン病などがある場合に、「生殖腺を除去することなしに、生殖を不能にする手術（優生手術）」と、「胎児が、母体外において、生命を保続することのできない時期に、人工的に、胎児及びその附属物を母体外に排出すること（人工妊娠中絶）」が認められました。基本的には、本人や配偶者の同意が求められましたが、精神障害者や知的障害者はその限りではないとされていました。
>
> 　2018（平成30）年、「優生保護法に基づいて、15歳で不妊手術を強制された」として、60代の女性が仙台地方裁判所に訴えたことがきっかけとなり、優生保護法とこの法律にもとづく強制的な優生手術や人工妊娠中絶の実態が大きく取り上げられるようになり、国も実態の解明へ向けて動き出しました。
>
> 　多くの障害者や障害を疑われた人々が、この法律によって子どもを産むことのできない状況に追いこまれていった事実があるとされています。
>
> 　また、2016（平成28）年、相模原市の障害者支援施設において、元職員が、入所者19人を刺殺し、入所者・職員計26人に重軽傷を負わせるという事件が起こりました。この犯人は、「重度の障害のある人間は社会に役に立たないものであり、生きる価値がない」という主旨の発言をしていたとされています。優生保護法の目的に近い考え方であるといえます。

病患者への徹底的な収容・隔離・撲滅政策が実施され、治療が可能となった戦後も、1948（昭和23）年の優生保護法にひきつがれることとなりました。その後の「全国ハンセン氏病療養所患者協議会」（全患協）等によるたびかさなる法改正運動と、WHOによる勧告で、やっと1996（平成8）年にらい予防法[15]が廃止され、優生保護法も母体保護法に改正され、第1条の「優生上の見地から不良な子孫の出生を防止するとともに」という条文が「不妊手術及び人工妊娠中絶に関する事項を定めるこ

[15] **らい予防法**
ハンセン病の発生予防とともに、患者の隔離、医療、福祉をはかることによって公共の福祉の増進に資することを目的とした法律。1907（明治40）年制定の「癩予防法」が改正され、1953（昭和28）年に、「らい予防法」として公布された。

と等により」と改められ、それ以降の条文から「優生」という言葉が削除されました。

　ただ、約50年間の療養所での強制隔離生活は、ハンセン病患者からその人生と故郷をうばいました。法改正されたからといって、それが取り戻せるわけでもありません。これから療養所や地域の施設・事業所で、私たちはこの人たちに出会うかもしれません。そのときに、ハンセン病について正確に理解をしていることと、そのたどってきた過酷な歴史をきちんと学んでいることが、その人と向き合い、ともにあゆみを進めるための基本的な条件となるはずです。

　優生思想の表面化・政策化は決して過去のことではなく、2013（平成25）年4月からは**新出生前診断**❻が開始され、異常と確定されたケースの9割以上が中絶にいたるなど、現在も続いています。いずれにせよ、社会福祉・介護福祉の対象者には、まさにこの優生思想により淘汰の対象とされてきた人々が含まれます。私たちは、この歴史と現実から目をそらすことなく、介護福祉士としてのあり方を考えつづけていかねばなりません。

❻ **新出生前診断**
アメリカのシーケノム社によって開発された検査で、妊婦の採血で胎児の染色体異常が診断可能となっている。従来の出生前診断と比較して、妊婦や胎児の負担やリスクが少ない。正式には「無侵襲的出生前遺伝学的検査（NIPT）」であるが、日本では「新型出生前診断」とも呼ばれ、2013（平成25）年4月から日本医学会の認定・登録委員会による認定施設での検査が始まっている。

5 社会福祉領域での人権・福祉理念の変遷
―― 戦後の新たな福祉のあり方への模索

　2つの世界大戦下では、「**大砲とバター**❼」は両立せず、本格的な社会保障、社会福祉の展開は、戦後を待つこととなりました。ここからは、戦後の人権・福祉理念の変遷を概観していきます。

1 「生存権保障」と「より人間らしく生きること」
―― 世界人権宣言のもとで

（1）2つの世界大戦の反省から

　世界大戦後（戦後）の社会政策・社会保障・社会福祉の出発点となったのは、1948年に国際連合で採択された**世界人権宣言**❽です。2つの世界大戦への深い反省にもとづいて、国家責任としての「生存権保障」や「より人間らしく生きること」の具体的内容が幅広く明記され、世界各国に発信されました。さらに、「より人間らしく生きること」が「より

❼ **大砲とバター**
大砲は政策における軍備を、バターは国民の生活を意味する。軍備と国民生活のどちらを優先させるかという文脈では、「大砲かバターか」と表現されることもある。

❽ **世界人権宣言**
p.10参照

その人らしく生きること」へとつながっていくのは1980年代に入ってからでした。

世界人権宣言には、第1次世界大戦で大きな痛手を受けたドイツで1919年に制定され、はじめて「生存権」が規定されたといわれる**ワイマール憲法**や、第2次世界大戦の戦禍をふまえて「5つの巨人悪——貧困・疾病・無知・不潔・無為」の国家的対応が明記されたイギリスの**ベバリッジ報告**（1942年）などが影響を及ぼしていたことはいうまでもありません。

（2）より人間らしく、よりその人らしく生きる ——人権の広がり

戦後は、障害のある人の人権保障に大きな比重がおかれることになりますが、それについてはのちにふれることとし、ここでは、まず世界人権宣言を入り口に、子どもの人権や女性の人権、そして近年話題に上ることの多いLGBTの人権、さらに、高齢者の人権についての動向を概観します。

■1 子どもの人権

世界人権宣言は、人類社会のすべての構成員に向けられた宣言ですが、とくに「母と子」は「特別の保護並びに援助を受ける権利を有する」ことが宣言されています。

子どもは次世代のにない手として保護されてきましたが、ともすれば大人の従属物であるかのように扱われ、1人の人格を有する存在としてはみなされないという歴史があり、それは今も続いています。1924年の「ジュネーブ宣言」以降、子どものための、子どもだけの権利については別の条約をつくる必要があるといわれながら、1989年に**児童の権利に関する条約（子どもの権利条約）**が国際連合で採択されるまでには長い時間がかかりました。

子どもの権利条約の内容をみると、世界には、戦争で傷ついている子ども、病気で苦しんでいる子ども、飢えや貧しさのなかにある子ども、教育が受けられない子どもが、まだたくさんいることがわかります。日本でも**子どもの貧困**が今、あらためて注目され、「子ども食堂」などの取り組みが広がっています。

子どもにも自由にのびのびと自分らしく生きる権利があること、子どもも1人の人間として尊重されること、子どもはどのような差別からも

守られることが、この条約で述べられています。この条約を受け入れた国は、これをきちんと守っていくことを約束した国です。日本も1994（平成6）年、世界で158番目にこの条約を批准しています。

2 女性の人権、ジェンダー

子どもを産み育てる女性は、やはり子どもと同様に、長い間、男性の従属物として扱われ、一人前の「人」とはみなされず、したがって**公民権**[19]も相続権もなく、「人権」が保障されなかったという歴史をたどっています。

この延長線上で、社会的、文化的に形成された男女の違い、性別に応じた役割特性が、**ジェンダー**と呼ばれています。社会のなかでつくり上げられた女性像や男性像、「女だから」といういわれなき差別や役割の押しつけは、今もまだ存在し、女性が社会で活動しにくい状況があります。女性が行う仕事とされてきた家事や保育、介護などの領域は、社会的労働としての位置づけが不十分で、賃金も低くおさえられています。

性別による不平等、差別撤廃は大きな課題とされ、1979年に**女子に対するあらゆる形態の差別の撤廃に関する条約（女子差別撤廃条約）**が国連で採択されています。

日本でも多様な女性運動が展開されてきましたが、1980年代に入って女性の労働力が注目されはじめ、ようやく労働場面での男女の差別を禁止する**雇用の分野における男女の均等な機会及び待遇の確保等に関する法律（男女雇用機会均等法）**が施行され、1990年代には「男女共同参画社会の構築」が政策目標としてかかげられました。また、ジェンダーの違いを乗り越えて男女の対等な関係をめざす**ジェンダー・フリー**教育が始まり、社会福祉の分野ではジェンダーエンパワメントという視点が提起されていますが、一方で、「男女の平等が日本の伝統を壊し、社会秩序を乱す」という考え方もまだ根強く残っています。

3 LGBTの人権

さらに、生物学的な性差としての男と女だけでは分けられない人間の多様性が明らかになってきました。

1990年代なかばからアメリカやヨーロッパで、多数派とは異なる性的指向をもつ人たちからの訴えを受けとめるなか、とくに人権にかかわる場面で、それぞれの性的な特徴を肯定的にとらえた、同じ人間として同等、かつ尊厳ある呼称として**LGBT**[20]が用いられてきており、それが浸透しつつあります。LGBT以外の性的指向をもつ少数者が存在すること

---

[19] **公民権**
公民としての権利。選挙権・被選挙権を通じて政治に参加する地位・資格などをさす。

[20] **LGBT**
Lesbian（レズビアン、女性同性愛者）、Gay（ゲイ、男性同性愛者）、Bisexual（バイセクシュアル、両性愛者）、Transgender（トランスジェンダー、こころとからだの性の不一致）の頭文字の組み合わせ。多数派とは異なる性的指向をもつ人々のことを意味する。なお、LGBT以外のカテゴリーの性的少数者を示す単語の頭文字をLGBTに加えることもある。

も明らかになっていますが、「LGBT」が「性的マイノリティ（性的少数者）」全体をさす用語として使われています。

日本では、少数派を意味する「マイノリティ」が用いられてきましたが、「少数派」とすること自体が差別的だととらえられる側面もあり、「LGBT」が使われるようになっています。

2006年には、LGBTならびにインターセックスの人権の確保を求めた「レスビアン、ゲイ、バイセクシャル、トランスジェンダーの人権についてのモントリオール宣言」が、カナダのモントリオールの国際会議（第1回ワールドアウトゲームズ）で議決されています。

ジェンダーやLGBTを理解するということは、その人を多様な存在として認識し、「これまでの自分の常識」にこだわらず、自分の立ち位置を見直しながら、その人の生活や人生を共感をもって柔軟にかかわることにつながるはずです。

4 高齢者の人権

高齢者については、世界的な視野でみると、1990年代に入ってやっと、その存在意義や、尊厳を支える支援のあり方、最後まで人間らしく生き抜くための支援のあり方が問われることとなりました。

1991年に国連で採択された「高齢者のための国連原則―人生を刻む年月に活力を加えるために―」では、独立（自立）・参加・ケア・自己実現・尊敬の5領域について、高齢者の地位について普遍的な基準が設定されました。さらに、その原則の普及・促進等のために、1999年が国際高齢者年と設定され、「すべての世代のための社会を目指して」というテーマのもと、さまざまな事業、イベント等が展開されました。なお、高齢者自身による問題提起としては、1999年にIFA（International Federation on Ageing：国際高齢者団体連盟）が、世界の高齢者の諸問題とふまえるべき原則、さらに、国連に対する要望を示しました。

また、高齢社会の最先端を行く日本では、1988（昭和63）年に、第2回日本高齢者大会で「高齢者憲章」が提唱されています。

2 新たな貧困問題・人権問題のなかで

「豊かな国」といわれたアメリカでも、1960年代から1970年代にかけて行われたベトナム戦争の影響で社会保障費が削減され、新たな貧困問題が顕在化し（ハリントン『もう一つのアメリカ――合衆国の貧困』

1962年、反貧困市民十字軍による全州調査報告書『飢餓のアメリカ』1968年）、はじめて受給者自身による公的扶助の充実を求める**福祉権運動**が起こりました。

また、それと重なるように、キング牧師を指導者とする、人種差別への抗議と選挙権を求める**公民権運動**が広がっていきました。

これらは、南アフリカでの弁護士活動で**アパルトヘイト**[21]による強烈な人種差別を経験したあと、イギリスの植民地だったインドで非暴力・不服従運動をつらぬき、インド独立の父となったガンジー（Gandhi, M.）や、南アフリカで反アパルトヘイト運動をつらぬいたマンデラ（Mandela, N.）らの運動の流れをくむものでした。

そして、深刻な貧困問題や人権問題に対応しきれない社会福祉のあり方について、「ケースワークは死んだ」「昨日の社会改良家はどこへ行ったのか」「リッチモンドに帰れ」など、はじめて研究者や当事者からの厳しい批判や要望が突きつけられ、その変革がせまられたのでした。

戦後の社会福祉援助のあり方に一石を投じたのは、1957年に提唱された**バイステックの7原則**[22]でした。**バイステック**（Biestek, F. P.）は、世界人権宣言から10年が経とうとしているのにもかかわらず、社会福祉現場での利用者への対応は少しも変わっていないことに怒りをこめて、だれもがこう対応してほしいと思うであろう7つの原則を示しました。福祉現場で人間の尊厳を守ることは、原理・原則をとなえることではなく、まさに利用者と向き合う援助場面や援助関係のなかで具体的に実践することだというバイステックの問題提起は、60年以上経った今でもなお、現場で語りつがれています。

そして、戦後の社会福祉は、再び新たな貧困問題への取り組みを進めるなかで、問題をかかえる本人のみならず、家族全体（多問題家族）を視野に入れての援助（ファミリーケースワーク）の必要性や、相談に来るのを待つのではなく、こちらから出向いて行って利用者を発見する必要性と、そのかかえる問題の深刻さへの積極的かかわり（介入）の必要性が認識されました。また、経済的援助をはじめとする環境の整備を求める利用者の多さと、そこでの援助課題や対応方法を明らかにしたうえでの短期解決（課題中心ケースワーク・課題中心アプローチ）の必要性などがあらためて確認されました。

援助の原則も**医学モデル**[23]から**生活モデル**へと変わり、利用者の生活環境や社会生活を全体として把握し、利用者の主体性や選択性を尊重す

---

[21] **アパルトヘイト**
「分離、隔離」を意味する言葉で、とくに南アフリカ共和国における有色人種隔離政策のことをさす。

[22] **バイステックの7原則**
p.153参照

[23] **医学モデル**
医師が患者を診断・治療するように、利用者を社会適応上問題のある人ととらえ、援助者が社会診断にもとづき、長期間の面接で利用者に社会治療的個別援助を行うといった、人格的・治療的側面を重視する伝統的な考え方。

第1節　人間の尊厳と人権・福祉理念

るかかわりが求められ、人と環境が相互に関係し合うことを重視したソーシャルワークや**ソーシャルサポートネットワーク**㉔、そして、ケアマネジメントなど、システム論や生態学理論をベースにした新たな方法論が導入されました。

　また、当事者自身による福祉権運動や公民権運動などのソーシャルアクションへの参加経験は、**IL運動**㉕（Independent Living Movement：自立生活運動）や**ピアサポート**㉖運動へと広がり、また多くのセルフヘルプグループが誕生するなど、ハンディをもつ人自身の力が注目されることになりました。

　現在の**エンパワメント**という考え方も、まさにこの延長線上に生まれており、「無力な状態にさせられた人たちの潜在的可能性や能力を信じて、人間としての尊厳を引き出し取り戻すこと」の重要性、さらに、「弱い力」でもそれが集まれば1つの「強い力」になり、事態を変える力にできるという可能性を示唆しています。この経験により、当事者だけではなく、支援者もまたエンパワメントされていくと考えられるようになっています。

　当然、これらの動きに呼応するように、社会福祉分野における障害のとらえ方や自立の概念も大きく変化していきました（『障害の理解』（第14巻）参照）。

3　ノーマライゼーション、ソーシャルインクルージョン

(1) ノーマライゼーションの思想

　戦後の福祉サービスやケアのあり方に大きな影響を与えたのは、ノーマライゼーションの「生みの父」と呼ばれている、デンマークの**バンク-ミケルセン**（Bank-Mikkelsen, N. E.）です。

　バンク-ミケルセンは、第2次世界大戦中に反**ナチズム**㉗の**レジスタンス運動**㉘に参加してとらえられ、強制収容所生活を余儀なくされました。戦後、デンマークの社会省に入り、知的障害者の施設行政を担当しますが、巨大施設への隔離収容が一般的で、断種が無差別に行われるような実態に、「本当に悲惨で、ナチスの強制収容所とすこしも変わりない」と胸を痛めました。

　「知的障害者の親の会」（親の会）も、こうした実態の改革を強く政

㉔**ソーシャルサポートネットワーク**
家族、近隣、ボランティア等、身近な人間関係における複数の個人・集団による支援のネットワーク、もしくは連携による支援体制のことをいう。

㉕**IL運動**
1960年代にアメリカで起こった障害者による社会運動。「重度の障害があっても自分の人生を自立して生きる」ことを主張した。

㉖**ピアサポート**
障害者が、みずからの体験にもとづいて、同じ仲間であるほかの障害者の相談に応じ、問題の解決をはかること。

㉗**ナチズム**
ナチ党の政治思想・政治運動・政治体制の総称。通称ナチス。ヒトラーを党首としたドイツの政党であるナチ党は、ドイツの民族および国土に最高の価値をおくものとした。

㉘**レジスタンス運動**
外国や国家権力による侵略や専制に対する抵抗運動のことで、とくに第2次世界大戦中のドイツ・イタリアの占領地における国民的な抵抗運動をさす。フランスにおける反ドイツ運動が典型。レジスタンスは、フランス語の「抵抗」を意味する言葉である。

府に求めており、バンク-ミケルセンも協力して作成した要請書に「ノーマライゼーション」というタイトルをつけて社会大臣に提出したのが1953年のことでした。

その後、社会省にも「知的障害者の福祉と施設の改革のための委員会」がおかれ、バンク-ミケルセンと親の会のメンバーもこれに参加し、1959年、「知的障害者法」のなかに、「知的障害者が可能なかぎり、障害の無い人の生活に近付くことができるように条件を整える」というノーマライゼーションの思想が、世界ではじめて盛りこまれることとなりました。

（2）ノーマライゼーションの定義と8つの具体的目標

ノーマライゼーションの定義は、バンク-ミケルセンの推進する改革の協力者となったスウェーデンのニィリエ（Nirje, B.）によって、1980年、「社会の主流となっている規範や形態にできるだけ近い、日常生活の条件を知的障害者が得られるようにすること」とされ、どの国の文化にも通用する8つの具体的目標が提示されました。このことからニィリエは、ノーマライゼーションの「育ての父」と呼ばれています。

それは、どんなに重い障害のある人も、以下の8つの生活条件のなかで暮らす「権利」があり、行政や社会にはそれを実現する「責任」があるという考え方です。

> ① 1日のノーマルなリズム
> ② 1週間のノーマルなリズム
> ③ 1年間のノーマルなリズム
> ④ 人生のノーマルな経験
> 　　（ライフサイクルにおけるノーマルな発達的経験）
> ⑤ 個人の尊厳と自己決定
> 　　（ノーマルな個人の尊厳と自己決定権）
> ⑥ 男女両性の世界での生活
> 　　（その文化におけるノーマルな性的関係）
> ⑦ その社会でのノーマルな経済的水準
> 　　（その社会におけるノーマルな経済的水準とそれを得る権利）
> ⑧ その地域でのノーマルな生活環境
> 　　（その地域におけるノーマルな環境形態と水準）

これらは当初、知的障害者のために考えられたものですが、しだいにほかの障害にも応用され、1975年、国連「障害者権利宣言」の土台となり、1981年の国際障害者年をきっかけに、「障害者に対する世界行動計画」として世界中に広がっていきました。

どんなに重い障害をもつことになっても、どんなに年齢を重ねても、私たちは同じ人間として、これまでと変わらない生活を送りたい、自分らしい人生を生きたいと願うはずです。そのことを援助の原点にすえて、私たちは、これからの生活支援を当事者とともに考えていくことが大切です。

(3) ソーシャルインクルージョン

さらに、ノーマライゼーションの発展形ともいわれる**ソーシャルインクルージョン**（社会的包摂・社会的包容力）という考え方がヨーロッパで生まれました。

ヨーロッパでは、移民の増加や失業率の上昇によって社会的・経済的格差が広がり、多くの人が**ソーシャルエクスクルージョン**（社会的排除）の状態におかれ、社会問題となっていました。その対応策として、すべての人を社会の一員として包み支え合おうというソーシャルインクルージョンが提唱され、政策課題となりました。

日本でも、2000（平成12）年の「社会的な援護を要する人々に対する社会福祉のあり方に関する検討会」報告書によって、ソーシャルインクルージョンの社会的必要性が認識されました。

この報告書で、厚生労働省はソーシャルインクルージョンを、「全ての人々を孤独や孤立、排除や摩擦から援護し、健康で文化的な生活の実現につなげるよう、社会の構成員として包み支え合う」と定義しています。障害者や貧困層にとどまらず、子どもや女性、高齢者、移民、また、ひきこもりやニート、LGBTなど、すべての人を包みこみ、1人ひとりの考えや価値観を尊重しながら支え合う社会がめざされています。

4 QOLという考え方

ノーマライゼーションとともに、社会福祉分野の支援に大きな影響を与えた考え方が**QOL**（Quality of Life：生命・生活・人生の質）です。

QOLという考え方は、1960年代、アメリカで国民生活の豊かさをあ

らわす概念として、社会学や経済学分野で使われはじめ、その後、1970年代後半には医療・リハビリテーションの分野へ、さらに1980年代に入って社会福祉分野へ導入され、新しい価値観をともなう指標として用いられるようになりました。

（1）医療分野でのQOL

医療分野では、ターミナルケアの場面で「生命の質」や「人生の質」が問われ、アメリカでは、1975年のカレン裁判を契機に、1976年に**リビング・ウィル**（終末期医療における事前指示書）が、さらに「医療のためのアドバンス・ディレクティブ」が法制化されました。**アドバンス・ディレクティブ**は「リビング・ウィル」に加えて、それが効果を発揮すべきときに自分の意思決定能力が失われている場合の、医師への医療指示です。

日本ではいずれも法制化はされていませんが、人生の最終段階に関する議論は行われています。厚生労働省は、2018（平成30）年3月に「人生の最終段階における医療の決定プロセスに関するガイドライン」を公表しました。2007（平成19）年に「終末期医療の決定プロセスに関するガイドライン」が作成されて以降、11年ぶりの大幅改訂となりましたが、最大の変更点は、その活用の場に「病院医療」だけでなく「在宅医療・介護」が加えられ、さらに医療ケアチームへの介護福祉職の参画を明確にしたことです。さらに、本人がどんな生き方を願い、どんな治療やケアを望むかについて、日ごろから話し合う「ACP（**アドバンス・ケア・プランニング**：意思決定支援計画）」が重視されることとなりました。ただ、この取り組みには、人生の最終段階を支える側の理解やその療養生活を支える社会的支援体制の整備が必要であることはいうまでもありません。介護福祉士の果たす役割も重要になるでしょう。最近では、QOLのなかでも、人生の最終段階における緩和ケアの質を問うQOD（Quality of Death：死の質）という言葉も登場しています。

そして、このような支援が必要なのは、人生の最終段階だけではありません。どのような段階でも、病気の状況や治療の内容、経過、結果、副作用などについて、医師から十分な説明を受け、納得したうえでその治療やケアに同意するという**インフォームド・コンセント**がきちんと行われていることが重要です。

最近では、たとえ患者が子どもであっても、「保護者への説明と同意」

第1節 人間の尊厳と人権・福祉理念

> **コラム　カレン裁判（カレン事件）**
>
> 　1975年、アメリカ・ニュージャージー州在住のカレン・アン・クインラン（Quinlan,K.A.）（当時21歳）は、友人のパーティーで酒を飲み精神安定剤を服用したあと昏睡状態となり、意識を消失し呼吸が停止した状態で見つかりました。
> 　カレンは脳が回復不能状態となっており、病院で人工呼吸器につながれ、経管栄養のチューブがつけられ、意識がないまま生命が維持されました。
> 　その数か月後、植物状態におちいりやせおとろえていく娘の姿を見かねた両親は「機械の力で惨めに生かされるより、厳かに死なせてやりたい」と人工呼吸器をはずすことを主張しましたが、病院側が反対したため、裁判を起こすにいたったのです。
> 　「植物人間の娘に自然な死を」と、美と尊厳をもって死ぬ権利を求めて高等裁判所に提訴しましたが、裁判所は「カレンに意思決定ができないのであれば、人工呼吸器をはずす判断は医師に委ねられる」と尊厳死を認めませんでした。
> 　そのため両親は最高裁判所に上告し、訴えを続けました。1976年、最高裁判所は「人命尊重の大原則よりも、死を選ぶ個人の権利が優先されるべき」とし、カレンの父親を後見人と認め、人工呼吸器をはずすことに同意できる主治医を選択する権利を与えました。
> 　アメリカで尊厳死をめぐって争われたこの裁判は、世界中でセンセーショナルに報道され、大きな話題となりました。世界で尊厳死、自然死の概念が形成されていくきっかけの1つとなった裁判です。
> 　判決後、別の病院でカレンの人工呼吸器ははずされましたが、彼女は自力で呼吸を続け、人工栄養によりさらに9年間生きながらえました。カレンは、植物状態のまま生きつづけ、1985年に肺炎で亡くなったのです。

に加えて、子どもにもその病気や治療に関することを説明し、子どもが病気を受け入れ、主体的に病気と向き合うことができるよう同意をえる**インフォームド・アセント**も求められるようになりました。子どもにもわかるようにどう伝えるか、子どもが感じている不安や恐れ、疑問をきちんと口に出せる雰囲気がつくれるか、かかわる側の力量が問われています。

（2）ADLからQOLへ

　リハビリテーション分野では、「**ADL**（Activities of Daily Living：日常生活動作）**からQOLへ**」という新たな価値観での援助の展開がめ

ざされることとなりました。

　社会福祉分野でも、これによって援助場面での自立の考え方や援助目標が大きく変わりました。社会福祉分野では、初期は経済的自立（自分で稼がねば自立とは認めない）をめざし、それに該当しない重度の障害者は援助対象からもはずされるという時代もありました。また、ADLの自立ができてこそ職業上や社会生活面での自立が可能になると考えて、訓練を重視した時代もありました。

　しかし、「ADLからQOLへ」という考え方により、経済的な自立が困難でも年金で生活し、ADLの自立が困難でも他人の手助けや福祉機器を利用し、そして自分らしい人生を取り戻していくという、人間本来の尊厳を重視した自立への道が示されました。

　ただ、残念ながら、スローガンとしては定着してきているQOLも、実際の制度運用場面、とくに補装具や福祉機器の申請にかかわる場面では、たとえば杖歩行ができる人には車いすは支給しないなど、まだADLのレベルで自立が判断されるのが日本の現状です。QOLというレベルで考えると、杖歩行できる距離が限られている場合は、車いすも支給されなければ行動範囲は広がらず、自分らしい生活は実現できないかもしれません。

　また、介護保険制度の創設時に厚生労働省が設置した高齢者介護・自立支援システム研究会の報告書（「新たな高齢者介護システムの構築を目指して」1994（平成6）年12月）では、「介護が必要となった場合には、高齢者がみずからの意思にもとづいて、利用するサービスや生活する環境を選択し、決定することを基本にすえたシステムを構築すべきである」ことを盛りこみ、介護保険法でも「高齢者の自己選択による尊厳を重視する」ことが強調されました。

　2018（平成30）年度の介護報酬改定でも「自立支援」が強調されていますが、その内容は、地域ケア会議での自立支援・重度化防止の視点からのケアプランのチェックや、通所介護（デイサービス）での「ADL維持等加算」新設など、「自己選択による尊厳の保持」というよりは、ADLレベルの自立、「介護予防」に重点がおかれたものとなっています。

　さらに、2021（令和3）年度の介護報酬改定では、介護サービスの質の評価と科学的介護の取り組みの推進として、科学的介護情報システム（Long-term care Information system For Evidence：LIFE）への

データ提出とフィードバックを要件とする「科学的介護推進体制加算」が新設されました。

「QOLからADLへ」と逆戻りをしないように、「自立支援」の考え方の歴史的変遷と現在の到達点をしっかりとおさえつつ、集められたデータを適切に読み解き、利用者1人ひとりの生き方や希望を反映させたケアにつなげていけるよう、よりいっそうの努力が求められています。

5 生命倫理

（1）生命倫理の誕生とあるべき姿を求めて

医療分野でのQOLの追求や、社会福祉分野でのADLからQOLへという流れは、1950年代以降の「臨床医療の技術革新」やそれにともなう「医学実験の規制」、そして患者の意向を尊重しない医療のあり方に対する「患者の権利運動」などの影響を受けながら、1970年代のアメリカで、生命倫理という新たな学問領域を誕生させました。

1950年代以降の麻酔医療の進歩は、蘇生学を発達させました。人工呼吸器をはじめとするさまざまな生命維持装置が開発され、脳死状態を維持できるようになり、心臓移植をも可能にしました。このような「臨床医療の技術革新」により、生命のコントロールが可能となり、人間の生命観や死生観は多様化していくことになりました。

第2次世界大戦下のナチス・ドイツの戦争犯罪（人体実験）を裁いたニュルンベルク裁判を経て、1947年には「ニュルンベルク綱領」（研究目的での医療行為を行うにあたって必ず守るべき10項目の原則）が、1964年には「人間を対象とする医学研究の倫理的原則」（ヘルシンキ宣言）が出されるなど、「医学実験の規制」が加えられていきました。

さらに1960年代以降、ベトナム戦争に反対する平和運動や人種差別撤廃運動などの流れのなかで、患者の権利運動が起こり、インフォームド・コンセント（正しい情報をえたうえでの合意）という概念の形成につながっていきました。

生命倫理は、このような社会背景のなかで1970年代のアメリカで生まれた新しい学問領域です。その後、ヒトゲノム・遺伝子解析研究などに取り組む生命科学・生命工学の進展により、今だけでなく、まだだれもわかっていない、これからの生命のあり方をも議論し、検討しつづける

ことが求められています。

　生命倫理というと、死や人生の最終段階の倫理というイメージが強くなりますが、生命倫理は、人の誕生から死にいたるまで、そのライフサイクルすべてにかかわる学問であり、より多くの人たちが身近な問題として、「その人らしく生きること」や「どのような社会をつくっていきたいか」ということなどとかかわらせて考えていくことが必要だといわれています。

（2）生命倫理と福祉労働（介護福祉労働を含む）

　ただ、最近の生命倫理に関する動向をみていると、終末期（人生の最終段階）に限らず、むしろ不妊治療や代理母、遺伝子診断などの生殖補助医療の領域に重点がおかれているように思います。少子化対策の一環なのでしょうが、新出生前診断なども行われるようになり、再び生命の質が問われるようになっています。

　福祉の分野では、医療からも福祉からも対象とされず、公的施策もなかった時代に重度心身障害児を受け入れた**びわこ学園**の創設者である**糸賀一雄**は、1968（昭和43）年にその著書『福祉の思想』で、「ちょっと見れば生ける屍のようだとも思える重症心身障害児のこの子が、ただ無為に生きているのではなく、生き抜こうとする必死の意欲を持ち、自分なりの精一ぱいの努力を注いで生活しているという事実を知るに及んで、私たちは、いままでその子の生活の奥底を見ることのできなかった自分たちを恥ずかしく思うのであった」「この子らはどんな重い障害をもっていても、だれととりかえることのできない個性的な自己実現をしている」と述べ、「その自己実現こそが創造であり、生産である」「この子が自ら輝く素材そのものであるから、いよいよみがきをかけて輝かせようというのである」、すなわち「この子らに世の光を」ではなく**「この子らを世の光に」**なのだと問題提起をして、世界から注目されました[8]。

　糸賀はまた、重度心身障害児も「普通児と同じ発達のみちを通る」ことを示し、「この子らが、生まれながらにしてもっている人格発達の権利を徹底的に保障せねばならぬということなのである」「私たちのねがいは、重度な障害をもったこの子たちも、立派な生産者であるということを、認めあえる社会をつくろうということである」と述べています[9]。

　さらに、1998年にノーベル経済学賞を受賞した福祉経済学者の**アマル**

ティア・セン（Sen, A.）は、「福祉(well-being)とは何か」という問いに対して、「潜在能力（capability）の全面発達」だと答えています。

利用者のいちばん身近で生活支援を行う私たちの仕事は、利用者の潜在能力を引き出し、その発達を保障する労働であることが求められています。

生命倫理が、人の誕生から死にいたるまで、その人がどんな状況であっても、その人らしく生き生きと生命を全うし、本人や周囲が納得して終わりを迎えるために、それを支える条件を幅広くつくり出し、実践する学問であってほしいと願っています。

生きることを社会的側面から支える仕事にたずさわる私たちは、生命倫理の4つの視点（自律尊重・善行・無害性・正義）を意識した実践を通して（『介護の基本Ⅰ』（第3巻）参照）、これからの生命倫理のあり方に一石を投じることができるのではないでしょうか。

6 人権尊重と権利擁護

ここからは、介護を必要とする人（利用者）を中心として、その人権を尊重するということ、権利を擁護するということについて考えていきます。

1 利用者の人権と生活

あなたが介護福祉士として利用者と出会うとき、その人は介護が必要な状態にあります。そして、その人のそれまでの生活や人生をほとんど知らずに出会うことが多いでしょう。そういったときに、あなたは、その人が介護を必要とすることがあたりまえであり、介護サービスを利用することを、当然のことと感じていないでしょうか。

もしそうであるとしたら、それはその利用者を1人の人間としてとらえる前に、「介護の必要な人」「要介護者」「利用者」というレッテルを貼ってとらえることにならないでしょうか。

そのことは、利用者の「人間としての権利」（人権）を、どこかにおき忘れることにつながるのではないか、そんな疑問を皮切りに、利用者の人権と生活について考えてみたいと思います。

（1）1人の人間としての利用者の権利

1 利用者を1人の人間としてとらえる

　利用者は、人間として、自分やほかの人たちと、何ら異なるところのない存在です。これまでも現在も、人間としてあたりまえに生活を営んできています。これからも、そのことは変わることはありません。

　介護を必要とする人のなかには、生まれてからの人生のほぼすべてが介護を必要とする状態だったという人もいます。その人にとっては、介護を受けながら生活することは日常であり、あたりまえかもしれません。しかし同時に、さまざまな不自由さや不便さと向き合い、格闘しながら生きてきたのかもしれません。

　また、人生のある時期に疾病や障害をかかえることによって、介護が必要な状態になる人も多くいます。その人たちのなかには、とまどいや悩み、葛藤をかかえて生きている人も多くいるでしょう。

　利用者は、さまざまな環境や背景によって、介護を必要とする状況にあります。しかし、どのような状況にあっても、介護を必要としている人は、1人の人間として、この社会のなかで日々生活し、人生を全うしようとしているのです。

　そこにある人間としての本質（権利の主体としての存在）は、介護を必要としていてもしていなくても、何ら変わるものではないということを理解することがとても重要です。

2 個人として尊重する

㉙日本国憲法第13条
p.11参照

　前に示したように、**日本国憲法第13条**㉙では、「すべて国民は、個人として尊重される。生命、自由及び幸福追求に対する国民の権利については、公共の福祉に反しない限り、立法その他の国政の上で、最大の尊重を必要とする」とかかげられています。

　つまり、1人ひとりが個別の人格をもつ存在と認められ、**個人として尊重される**ということが、憲法で保障されているのです。そして、生命の保持や自由、幸福追求についての権利を前提としているといえます。これらは、すべての国民に保障されているものであり、介護の必要性のある・なしを問うものではありません。

3 利用者の人権を問いつづける

　介護福祉士は、介護を必要とする人たちの生活と人生を支える専門職です。そのため、まずは、利用者を、人間としてかけがえのない存在としてとらえることが求められます。そして、個別の人格をもった個人と

して尊重することが求められます。さらには、利用者1人ひとりは、社会とかかわりを保ちながら、過去も、現在も、将来も、現在進行形で人生をあゆみつづけている存在であると、はっきり認識することが求められます。

私たちには、利用者の自己選択・自己決定や判断を最大限に尊重する姿勢が求められます。しかし、利用者の自己選択・自己決定を前提としつつ、その過程で、利用者の最大の幸福の実現とは何か、またそのために支援者として何ができるのか、何をなすべきかを、利用者とともに考え、支援することが、専門職である介護福祉士には求められるのです。

個人の権利の尊重は、利用者主体の支援の大前提であり、また、その権利を保障していくことが、介護福祉士の介護福祉実践そのものであるといえます。

（2）生活者としての利用者の権利

1 人間らしい生活を送る権利の保障

前に示したように、日本国憲法第25条[30]第1項では、「すべて国民は、健康で文化的な最低限度の生活を営む権利を有する」とかかげられています。また、同じく第25条第2項には、「国は、すべての生活部面について、社会福祉、社会保障及び公衆衛生の向上及び増進に努めなければならない」とあります。日本国憲法は、すべての国民に健康で文化的な最低限度の生活を権利として保障し、国の責任を明確にしているのです。

当然のことながら、利用者1人ひとりにも健康で文化的な生活が、権利として保障されているということです。さらにいえば、介護をはじめとする、保健、医療、福祉などの社会サービスやそれを支えるさまざまな制度は、国や地方自治体などの公的責任において保障され、それが利用者1人ひとりの生存権を保障するものでなければならないということです。

2 社会制度・サービスを選択・利用する権利の保障

利用者には、まず、日常的に安定した人間らしい生活を送ることが保障されなければなりません。そして、その生活は、利用者1人ひとりの「その人らしさ」を実現するものでなければなりません。そのために、家族や近隣などによるインフォーマルな社会資源から支援をえるほかに、社会サービスを選択して利用することが、権利として保障されなけ

[30] 日本国憲法第25条
p.13参照

ればなりません。

　言い換えれば、私たち1人ひとりには、社会制度・サービスを選択する権利、そして、利用する権利があるといえます。

　さらに、社会制度・サービスを利用することは、その人らしい自立した尊厳ある生活を実現し、営むことが目的となるため、社会制度・サービスは、利用者の幸福の追求に寄与するものでなければなりません。つまり、社会制度・サービスを利用した結果、その人が望む豊かな生活を営むことができるということが、権利として保障されなければならないということです。

　また、介護福祉士として、介護サービスに注目するばかりではなく、生活を支えるさまざまな社会制度・サービスを選択・利用することが、利用者の権利であることを理解することが求められます。

① 社会制度・サービスへのアクセス権

　日本の**介護保険制度**[31]では、「要介護認定の申請をする」「介護サービスを利用する」ということが、被保険者としての、また、国民としての権利として保障されています。

　しかし、状況によっては、本人や家族だけでは、これらの社会制度・サービスの利用に結びつくことが困難なことがあります。社会サービスの選択・利用は、利用する当事者や関係者の主体的なかかわりが求められていますが、それらに近づくための手だて、システムが必要となるのです。

　社会制度・サービスを選択・利用するためには、利用者本人や家族・関係者が必要な社会制度・サービスに接近することが不可欠です。そのために、社会制度・サービスへのアクセス権を保障することが必要となってきます。地域社会における相談支援体制づくりや、ニーズを早期に的確に把握する体制づくりが急がれるでしょう。

② 利用者の選択や契約の権利

　現在の日本の介護サービスを提供するしくみ、たとえば、介護保険制度や障害者総合支援制度は、利用者が介護サービス内容を選び、サービス提供者と利用契約をする「選択と契約」という概念で成り立っています。利用者が「選択」「契約」する際には、利用者の希望の実現や利益の最大化が求められますが、そのためには、選択や契約を権利として保障するための支援や姿勢が求められます。

　選択の権利を保障するためには、選択に必要な介護サービスそのも

---

[31] **介護保険制度**
65歳以上の高齢者や40歳以上の加齢にともなう疾病等により、日常生活に支障のある人たちへ介護サービスを提供する社会保険制度。

のの情報や、選択にともなうリスクや責任に関する情報の提供が必要となります。そして、その情報をもとに利用者が望ましい判断ができる状況をつくり出す配慮が必要となります。そのうえで、契約においては対等な関係性を保たなければなりません。

　介護保険制度や障害者総合支援制度においては、ケアマネジメントシステムが導入され、利用者の自己選択と自己決定を支援することとされています。介護支援専門員や相談支援専門員には、利用者がサービスを選択・決定する権利を十分に行使することができるように支援することが求められています。

　なお、現実には、利用者が選択や契約に関する十分な判断能力をもち合わせていないこともあります。そのため、成年後見制度や日常生活自立支援事業などの、利用者の権利擁護に関する諸施策を有効に機能させることも重要になってきます。

3 幸福追求の権利の保障

　利用者が介護サービスを利用するにあたっては、そのサービス提供が、生活課題の解決と自立生活の実現や充実に向けたものとなっていなければなりません。つまり、介護サービスの提供を通じて、利用者自身による幸福の追求がなされていくことが、利用者の権利を保障することになるのです。

　しかし、残念ながら、現実には、介護サービスの選択・利用が、生活の充実や幸福の追求のさまたげになることもあります。サービス提供者が利用者に対して不利益を生じさせること、さらにいえば、虐待行為を行うことも発生しています。その場合には、利用者の権利を擁護するためのしくみや手だてが必要です。このことは、介護サービスだけでなく、社会サービス全般にもいえることです。

　社会サービスを利用しても生活上の課題が解決しないことや、サービス利用によって新たな課題が生じること、また、生活上の権利が侵害されることがあってはならないことを理解することが重要です。

2 利用者の権利侵害が起こる状況

　次に、どのような場面で**権利侵害**が起こりうるかについて考えてみましょう。

（1）日常生活場面における権利侵害

利用者の権利侵害が起こりやすい場面としては、まず、日常生活場面があげられます。「生活環境によって生じる権利侵害」と「対人関係によって生じる権利侵害」に分けて考えてみましょう。

1 生活環境によって生じる権利侵害

まず、生活環境の不十分さや不適切さによって、利用者の生活の安全や快適性がおびやかされることがあります。

たとえば、住居・住宅の物理的状態や周囲の地域環境によって、利用者が極端に孤立して安否確認が困難になることや、災害などの危険の回避が困難になることなど、日常生活における安全上の課題が生じることが考えられます。

また、ネグレクト（介護や養護の放棄、放任）や経済的搾取などが日常的に行われていることによって、利用者の生活環境が心理的苦痛や健康上の支障をともなうものになることもあります。

2 対人関係によって生じる権利侵害

次に、対人関係によって利用者の権利が侵害される場合があります。

具体的には、身体的虐待、心理的虐待、性的虐待、経済的虐待、ネグレクトなどの虐待行為があげられます。利用者には日常生活を支援する人間が不可欠ですが、そのような人々から虐待を受けること、つまり、権利を侵害されることが、日常的に起こりうるのです。

このような虐待行為は、家族や近親者などによってだけでなく、介護サービス提供者によって行われることもあることに留意する必要があります。

3 気づかないままに行われる権利侵害

権利侵害は、意図的なものばかりでないことにも注目すべきです。だれも気づかずに権利侵害が行われている場合も多くあります。

介護サービスの提供者の態度（非言語的コミュニケーション）のなかに、利用者に対する拒否的・差別的な反応が含まれているかもしれません。また、何気ない言葉が利用者のプライドを傷つけているかもしれません。1つひとつは大したことがないように思えるものであっても、利用者の権利をないがしろにすることへとつながっていく危険性があることを常にこころに留めて支援に取り組むことが必要です。

また、家族が、専門的知識がないために、結果として利用者の権利を侵害している場合もあります。

介護福祉士として、利用者の権利についての鋭敏な感覚をもち、みずからが利用者の権利を侵害することを避けるのはもちろんですが、家族やほかの介護福祉職によって利用者の権利が侵害されることがないように、意識を高めなければなりません。

（2）社会生活場面における権利侵害

では、社会生活場面において生じる権利の侵害についても考えてみましょう。

1 人々の意識や認識による権利侵害

権利侵害は、人々の意識や認識によって生じることが多くあります。社会一般のステレオタイプな考え方や認識によって、特定の人々に対する差別や偏見が助長され、社会参加がさまたげられ、実質的に社会から排除されることもあります。

過去の歴史においては、特定の疾患や障害の情報が正しく社会に伝わっていないために、その疾患や障害のある人々に対して多くの人々が誤った認識をし、その認識が広がることによって、社会からの排除が起こったということについて、私たちは学んでおくべきです（コラム「日本におけるハンセン病患者・回復者への対応」(p.44)参照）。

また、人間の意識のなかにある差別や偏見は、前述したように、不適切な法制度が継続していたり、それらにもとづいて施策が展開されることによって助長されることがあることにも留意すべきです。

2 法制度や施策による権利侵害

人は本来、介護を必要とすることで、社会生活上の能力や役割を失うものではありません。ましてや、地域社会のなかでその人らしく生きていく権利を制限するものではありません。

しかし、利用者のなかには、法制度や施策を利用した結果として社会的活動、経済的活動から遠ざけられてしまう人もいます。

日本において、法制度や施策と人々の意識や認識が関連して生じた権利侵害の例として、ハンセン病患者・回復者への対応や、優生保護法による障害者への強制不妊手術などをあげることができます。このような歴史的事実を認識したうえで、権利侵害について理解を深めていくことが求められます。

障害者との共生社会の実現をめざす現代の日本社会において、過去に、優生保護法のような法律があったこと、人々のこころのなかに残る

> **コラム** 日本におけるハンセン病患者・回復者への対応
>
> 　明治時代以降、ハンセン病患者や回復者は、法律や施策によって強制的に療養所に隔離されてきたという歴史があります。
> 　ハンセン病は、1940年代にアメリカで治療法が発見され、少なくとも1960年代までには、薬物療法が確立し、治療・治癒が可能になったにもかかわらず、日本においては、1996（平成8）年に「らい予防法」が廃止されるまで、患者の強制隔離をうたう法律が存在していました。そのことによって、ハンセン病回復者は人間としての尊厳をうばわれ、多大な権利侵害を受けてきたといえます。また、優生保護法の優生手術、人工妊娠中絶の対象に、遺伝性の疾患患者とならんで、ハンセン病の患者やその関係者も含まれていました。感染症であるハンセン病の患者やその回復者に対しても、子孫を残すことを許さなかった優生保護法は、ハンセン病患者・回復者の権利を二重に侵害していたといえるでしょう。
> 　2001（平成13）年の熊本地方裁判所は、これまでの隔離政策や国会が法律を是正してこなかったことに対して違法性を認める判決を下しました。
> 　この間、ハンセン病やその患者・回復者らの状況について正しい情報が社会に広く提供されず、「治らない病気」「遺伝病」といった誤った認識が修正されなかったために、ハンセン病患者・回復者は社会から大きな差別、偏見を受けつづけてきたともいえるのです。
> 　熊本地裁の判決後にも、2003（平成15）年には、ハンセン病回復者に対するホテルの宿泊拒否をめぐり、回復者がホテル側の形式的な謝罪を拒否したとの報道によって抗議の手紙やファックスが殺到して、回復者たちが非難の的となるといった出来事も起こっています。この出来事について、「ハンセン病問題検証会議最終報告書」（2005年）は、「回復者たちが同情されるべき存在としてうつむいてひかえめに暮らす限りにおいては、この社会は同情し、理解を示す。しかし、この人たちが強いられている忍従に対して立ち上がろうとすると、社会はそれに理解を示さない。それが差別・偏見であることに気づいていない。差別意識のない差別・偏見といえようか」と指摘しています[10]。

優生思想的な考え方について、より深く考察していくことが求められているといえます。

3 社会制度・サービスを利用する際の権利侵害

　利用者が本来利用することができる社会制度・サービス、その他の多様な社会資源について、利用者が理解できるように情報提供が行われていなかったり、相談や支援の体制が十分でなかったりし、適切にそれらを利用・活用することができずに、生活上の支障をきたしていることがあります。これも利用者の社会生活上の権利を侵害している状況といえ

るでしょう。

　どのようにしたら社会資源をスムーズに利用・活用できるのか、社会制度・サービスが本来の目的を果たすことができるのかについて、利用者の立場から検討することが必要です。利用者は社会制度・サービスに近づき、活用するための手だてを必要としているのです。今後は、この手だてについての十分な検討が必要とされています。

４ 悪質商法などによる権利侵害

　社会生活のなかで、利用者やその周囲の人々が、悪質商法などによって不当な売買契約を結んでしまうことがあります。また、巧妙な詐欺などの犯罪被害にあっていることも社会問題化しています。このような、個人の財産がうばわれるといった問題に対しては、犯罪防止の観点からも、早急な対策が必要となっているといえるでしょう。

　こういった権利侵害についても、必要な知識をえて理解しておくことで、利用者の権利を守ることが求められています。

　介護福祉士は、人々の意識や認識、また、法制度や施策によって、利用者やその周辺の人々が地域社会から隔離されたり、社会的活動から排除されたりする危険性があることを十分に認識する必要があります。そして、介護福祉士として、権利侵害につながる差別や偏見の背景、人々の精神構造について理解し、その解消に努めるとともに、利用者の１人ひとりの状況に応じて、権利擁護に向けた社会的な活動を、専門職の自覚をもって展開していくことが求められています。

3 権利侵害の背景

　利用者が被る権利侵害の背景についても考えてみましょう。

（１）他者への依存を否定する傾向

　私たちの生活は、他者との関係や他者への依存なしに成立するものではありません。そもそも私たちは、生まれたときは絶対的に他者に依存する存在です。

　現代社会における生活は、自分１人ではなく、多くの人々の存在や社会による分業によって成り立っているという事実があります。しかし、同時に、私たちは、他者に依存せずに、独立して存在したいという願望

ももち合わせており、それが、「他者に依存せずに生きることが、人間として望ましい姿である」という意識に通じていくことにもなります。

そのため、日常生活における動作や行為について、「自分ですることが望ましい」「自分でできることが、他者に助けを借りることより望ましい」という価値観が生じてきます。この価値観は、他者による介入や他者への依存、さらには他者から支援を受けることを「望ましくないこと」ととらえることにつながっていきます。介護福祉職は、このような価値観におちいることがないようにしなければなりません。

また、このようなことから、利用者が、支援を受ける自分を「役に立たない存在」「他者に迷惑をかける存在」と否定的にとらえる傾向が生み出されてきます。この傾向は、みずからの希望や願いをがまんすること、隠すことにつながります。そして、利用者がみずからの権利を主張しなくなることが、権利侵害が起こりやすい状況を生じさせていると考えることができます。

（2）利用者と介護者の関係性

介護を通じて生じる権利侵害は、利用者と介護者の両者の思いと**関係性**が背景にあって生じるということを理解することが重要です。

1 利用者の心情

利用者自身のもつさまざまな心情が権利侵害を生じさせることもあります。

利用者の多くは、他者から支援を受ける必要がある自分の状況を理解しながらも、こころのなかではそのことを受け入れきれずにいます。

そのような場合、自分を「他者に依存しなければならない弱く貧しい存在」ととらえて、わざと自分を低い立場におくことで、自分のふがいなさや他者に対する負い目・遠慮を感じつつ、葛藤に折り合いをつけていこうとすることがあります。そうすると、支援関係のなかで、利用者自身の希望がかなわなかったり、不快な思いを感じたりしても、それを、仕方のないこと、自分の責任ととらえてがまんしたり、あきらめたりすることも生じてきます。

2 介護者の存在

介護にかかわる権利侵害は、介護福祉職や家族などの介護者に起因するものであることが多くあります。つまり、利用者の生活上の権利について十分に認識せず、鋭敏な感覚をもたず、配慮をおこたることによっ

て、権利侵害が生じることが多いといえます。また、同時に、介護者の支援に対する知識や技術の未熟さによって起こる場合もあります。

なかには、悪意や敵意をもって意図的に相手を傷つけ、権利を侵害することもありますが、決してそればかりではないことに留意が必要です。

高齢者や障害者に対する虐待防止法においては、家族などの養護者とともに、介護福祉職などの養介護施設従事者や就職先の使用者なども、虐待加害者の範囲に含めてその防止と支援策を定めています。

また、虐待事例のなかには、虐待の加害者が、その行為について望ましくないことを十分に理解しながらも、行為を抑制することができず、自分を責めて余計に苦しみ、結果的に行為がエスカレートしていくこともみられることがあります。このような場合には、その介護者（加害者）に対する支援も重要となります。

日常的な援助関係のなかでは、利用者の権利を侵害していたとしても、介護者としてそれに気づくことができず、それがあたりまえの状態になってしまう危険性もあります。また、高齢者などにみられる遠慮やつつしみ深い性格が、権利の侵害をみえなくしてしまうこともあることに留意しておくことが必要です。

利用者と介護者の関係は、決して一定の固定化されたものではなく、シーソーのように、絶えず上下動をくり返すものであるといえます。介護福祉士として、このバランス関係を視野に入れながら、利用者との対等な関係を築いていくことが求められるのです。

4 権利擁護の視点

では、専門職としての介護福祉士は、利用者に対して、どのような権利擁護の視点をもつべきでしょうか。以下に、いくつかあげてみたいと思います。

（1）利用者主体を徹底的につらぬく

徹底的に**利用者主体**・利用者中心の支援の姿勢をつらぬくことが、もっとも重要な権利擁護の視点だということができます。

つまり、利用者を1人の人間として、生活者として、権利の主体とし

てとらえること、その人らしい生活の実現に向けて、その人の権利と意思を最大限に尊重し、その権利を行使できるようはたらきかけていくことが権利擁護につながるのです。

介護福祉士は、利用者の状況を的確に把握し、利用者が被る他者からの権利侵害に対して敏感であることが求められます。さらには、権利侵害から利用者を守るために適切に対応することが求められます。「権利の代弁、擁護」という意味で使われる「**アドボカシー（advocacy）**[32]」を実践していかなければならないのです。

また、同時に、みずからが利用者の権利を侵害しないために細心の注意を払い、そのための努力を積み重ねていかなければなりません。絶えず、みずからの支援と考え方、具体的行為をふり返り、みずからを律することが求められるのです。

> [32] **アドボカシー**
> 社会福祉の分野では、自己の権利や援助のニーズを表明することの困難な障害者等に代わって、援助者が代理としてその権利やニーズ獲得を行うことをいう。

（2）家族・関係者の権利擁護も視野に入れる

介護福祉士は、利用者の権利擁護とともに、利用者の家族など、**周囲の人々の権利擁護**をになうことも必要とされています。

利用者の生活をどのように支えていくのかをめぐって、利用者本人とその家族の意向や見解が食い違うこともあります。本人の自己実現と権利擁護を中心にすえながらも、家族も含めた幸福の実現に寄与することが求められています。

なお、虐待の行為者となっている家族や関係者に対しては、虐待予防や防止のために、「家族や関係者」を、利用者を含む1つの単位（家族システム）としてとらえて支援する視点が必要となることもあります。

（3）エンパワメントの視点をもつ

利用者自身やその家族が、権利を侵害されていることに気がついていなかったり、認識していなかったりすることもあります。さらには、虐待などの権利侵害が常態化してしまうことや、利用者や家族があきらめてしまい、みずからを抑制してしまうことで、権利侵害が顕在化していないこともあります。

このようなことから、介護福祉士には、権利侵害を現に受けている利用者、受けやすい状況にある利用者や家族を権利侵害から守るだけでなく、その抑圧された意識を解放し、利用者や家族みずからが権利侵害を認識できるようにすること、権利侵害に立ち向かう力量を獲得するため

に支援すること、いわば**エンパワメント**[33]の視点をもって支援していくことが重要となってきます。

（4）多職種連携による支援で権利擁護を進める

　利用者の権利侵害の状況の解決や権利擁護へ向けた支援は、介護福祉士だけで実現できることばかりではありません。介護福祉の領域における権利擁護の実践は、同職種はもちろん、介護支援専門員や社会福祉士、法律の専門家などの他職種と**連携**して行うことが求められています。

　なお、連携にあたって介護福祉士は、利用者の一番身近にいる生活支援の専門職として、利用者の生活状況とニーズを的確に把握し、利用者の代弁をすることが求められています。また、介護という日常的で利用者と直接ふれあう具体的な実践を通じて、利用者の自立的な生活を実現すべく役割を果たしていくことが求められています。

　以上のように、介護福祉士には、利用者の生活支援を通じて、利用者やその家族・関係者の権利擁護のにない手としての意識と実践力を高めていくことが求められているのです。

> [33] **エンパワメント**
> 権利の侵害や抑圧された状況にある利用者がみずからその状況を克服していく力（パワー）を獲得していくこと。また、そのための支援。

◆引用文献
1）宮沢俊義『最新法律学全集4　憲法2』有斐閣、p.77、1971年
2）同上、p.78
3）尾高朝雄『法学選書　法の窮極に在るもの』有斐閣、pp.227-228、1947年
4）前出1）、p.236
5）厚生省監『厚生白書　平成11年版』ぎょうせい、p.229、1999年
6）M.E.リッチモンド、門永朋子・鵜浦直子・髙地優里訳『貧しい人々への友愛訪問――現代ソーシャルワークの原点』中央法規出版、p.138、2017年
7）F.ナイチンゲール、湯槇ます・薄井坦子・小玉香津子・田村眞・小南吉彦訳『看護覚え書――看護であること看護でないこと　第4版』現代社、pp.2-3、1983年
8）糸賀一雄『福祉の思想』日本放送出版協会、pp.175-177、1968年
9）同上、pp.172-177
10）ハンセン病問題に関する検証会議編「ハンセン病問題に関する検証会議最終報告書」日弁連法務研究財団、p.754、2005年

◆ 参考文献

- 吉田久一・高島進『社会福祉事業シリーズ；5 社会事業の歴史』誠信書房、1967年
- 吉田久一、岡田英己子『社会福祉思想史入門』勁草書房、2000年
- 朴光駿『社会福祉の思想と歴史――魔女裁判から福祉国家の選択まで』ミネルヴァ書房、2004年
- 金子光一『有斐閣アルマ；basic 社会福祉のあゆみ――社会福祉思想の軌跡』有斐閣、2005年
- 福祉士養成講座編集委員会編『新版介護福祉士養成講座5 社会福祉援助技術 第3版』中央法規出版、2006年
- アムネスティ・インターナショナル日本支部編飯沢耕太郎写真監修『はじめてよむ世界人権宣言』小学館、1998年
- 大野智也『障害者は、いま』岩波書店、1988年
- 大熊由紀子『「寝たきり老人」のいる国いない国――真の豊かさへの挑戦』ぶどう社、1990年
- 花村春樹訳・著『「福祉BOOKS；11 ノーマリゼーションの父」N.E. バンク-ミケルセン――その生涯と思想』ミネルヴァ書房、1994年
- B.ニィリエ、河東田博・橋本由紀子・杉田穏子訳編『ノーマライゼーションの原理――普遍化と社会変革を求めて』現代書館、1998年
- 鈴木勉『ノーマライゼーションの理論と政策』萌文社、1999年
- 吉田宏岳監『介護福祉学習事典』医歯薬出版、2003年
- 伊藤智佳子『障害者福祉シリーズ；3 障害をもつ人たちのエンパワメント――支援・援助者も視野に入れて』一橋出版、2002年
- 広井良典『ケア学――越境するケアへ』医学書院、2000年
- 小谷直道『精いっぱいの「自立」、さりげない「支援」――人口減社会を生き抜く知恵』中央法規出版、2006年
- 高島進『社会福祉の歴史――慈善事業・救貧法から現代まで』ミネルヴァ書房、1995年
- M.J.サンデル、林芳紀・伊吹友秀訳『完全な人間を目指さなくてもよい理由――遺伝子操作とエンハンスメントの倫理』ナカニシヤ出版、2010年
- 小林亜津子『はじめて学ぶ生命倫理――「いのち」は誰が決めるのか』筑摩書房、2011年
- 杉本貴代栄『福祉社会の行方とジェンダー』勁草書房、2012年
- 堀正嗣編著『共生の障害学――排除と隔離を超えて』明石書店、2012年
- 鈴木勉編著『社会福祉――暮らし・平和・人権 第2版（シードブック）』建帛社、2013年
- 更科功『絶滅の人類史――なぜ「私たち」が生き延びたのか』NHK出版、2018年
- 浅島誠『生物の「安定」と「不安定」――生命のダイナミクスを探る』NHK出版、2016年
- 近藤克則編著『講座ケア 新たな人間－社会像に向けて4 ケアと健康――社会・地域・病い』ミネルヴァ書房、2016年
- 結城俊哉編『共に生きるための障害福祉学入門』大月書店、2018年
- 糸賀一雄『福祉の思想』日本放送出版協会、1968年
- A.セン、鈴村興太郎訳『福祉の経済学――財と潜在能力』岩波書店、1988年

第 1 節　人間の尊厳と人権・福祉理念

演習1-1　人権思想から人間の尊厳について学ぶ

　人権思想に関する次の記述のうち、正しいものに〇、誤っているものに×をつけてみよう。また、誤っているものについては、正しい内容になるように考えてみよう。

❶ アメリカの独立宣言において、国民主権による自由・平等の原理が宣言された。

【　　】

❷ 世界人権宣言では、すべての人が「自己の尊厳と自己の人格の自由な発展」に欠くことのできない経済的、社会的および文化的権利を実現する権利をもっていることがうたわれている。

【　　】

❸ 人間性の尊重と人間の解放を意味するヒューマニズム（人間主義）は、第2次世界大戦後に生まれた思想である。

【　　】

演習1-2　介護保険法における尊厳と自立を考える

　介護保険法第1条にある「尊厳を保持し、その有する能力に応じ自立した日常生活を営むこと」の意味について考えてみよう。また、グループで、具体的な例をあげて話し合ってみよう。

第 2 節

自立のあり方

学習のポイント
- ■「自立」とはどのような状態をいうのかを考える
- ■介護を必要とする人の自立を理解し、必要とされる自立支援のあり方を学ぶ
- ■尊厳を守る介護と自立支援の関係を学ぶ

関連項目
- ③『介護の基本Ⅰ』 ▶第4章「自立に向けた介護」
- ④『介護の基本Ⅱ』 ▶第1章「介護福祉を必要とする人の理解」
- ⑪『こころとからだのしくみ』 ▶第1章「こころのしくみを理解する」

1 自立の概念の多様性

　「自立」と聞いて、みなさんはどのようなイメージをもつでしょうか。だれの手助けもなく自分だけで生活することでしょうか。親元から離れて一人暮らしをすることでしょうか。それとも、文字どおり自分で立って歩くことでしょうか。

　多くの人は、「自立」とは、他人の力を借りず自分の力だけで物事を行うことだと考えているかもしれません。もしかしたら、「自立」という言葉について、はじめて考えるという人もいるかもしれません。

　ここでは、自立とはどのような状態をさすのかについて、その概念の多様性を確認しながら考えていきます。

1 画一的でない「自立」の定義

　「自立」の意味を辞書でみると、「他の援助や支配を受けず、自分の力で判断したり身を立てたりすること。ひとりだち」(『広辞苑 第7版』)とあります。

　しかし、人は、だれからの助力もえず、自力だけで生きられるでしょうか。仕事をする場面1つをとっても、多くの場合、ほかのだれかと

チームを組んだり連携したりして1つの仕事をしていますし、自分だけで働いているようにみえても、そこには多かれ少なかれ、だれかの助力が介在しています。あるいは、移動をする場面をとってみても、自分の身体機能で行動できる方法を選択しながら、自分で行動可能な範囲で移動しているにすぎません。たとえば空を飛びたいと望んでも、人の身体には鳥の羽のような機能はなく、自力で空を飛ぶことなど最初から選択肢としてありません。また、デパートの2階に上がるとき、階段やエレベーター、エスカレーターがなかったとしたら、身体機能だけで2階に上がることができるでしょうか。人は、2階に上がるためにだれかが用意した階段、エレベーター、エスカレーターという道具（環境）のなかから自分の身体機能で利用可能な方法を選択し、可能な範囲内でみずから行動しているのです。

自立できているかどうかは、だれかによって決められた画一的なものさしではかるものではなく、その人のもつ「現実的な可能性」をものさしとしてはかることが必要です。

2 いろいろな視点からみた自立

時代の変化や、「生活」に主眼をおいた考え方の浸透により、ほかの助力に頼らず自力で行うことだけでなく、何らかの支援や協力が必要なときには、それをみずからが求めて主体的に生活することも自立ととらえるなど、「自立」の定義も変わりつつあります。

「自立」という言葉を単独で使うこともありますが、何についての自立なのかをいろいろな視点からみることで、「自立」のもつ意味や、「自立」とはどのような状態をいうのかがわかりやすく整理できます。

では、現代の社会で「自立」がどうとらえられているのかについて、いくつかの視点からみていきましょう。

（1）経済的自立

長きにわたって、働くことにより自分で収入をえて、だれからも金銭的な援助を受けることなく生活を営むことが経済的自立だとされてきました。そのため、それがたとえ親からのものであっても、金銭的援助によって生活していれば、「親のスネをかじっている」と言われ、経済的に自立していない人とされていました。

❶重厚長大型産業
鉄鋼業・セメント・非鉄金属・造船・化学工業が産業の中核を占め、「重い・厚い・長い・大きい」物を扱うことが多いことからこう呼ばれた。

❷ICT（アイ・シー・ティー）
Information and Communication Technologyの略。とくにコンピューターなどによる情報通信技術のこと。

❸ワーキングプア
職につき働いていても、生活を維持するだけの収入がえられない人々のこと。「働く貧困層」ともいわれる。

❹日常生活動作
日常生活に必要な最低限の動作のことで、ADL（Activities of Daily Living）ともいわれる。

　「親のスネをかじる」という言葉は、本来は、働く意志があれば働けるにもかかわらず、親に頼った生活をしている状態をさす言葉ですが、とくに高度成長期のいわゆる**重厚長大型産業**❶が経済の中心だった時代には、働く意志があるにもかかわらず、働く機会や環境がえられずに働くことがかなわなかった障害者までもが、「親のスネをかじっている」「経済的に自立していない」とされ、社会のなかで低く評価されてきました。

　しかし、最近では、ICT❷の進歩や在宅ワークの広がりなど、**働き方の多様化**がみられ、障害者の働く機会も増えるとともに、障害者の就労を支援する福祉サービスなども整備され、障害者の経済的自立の考え方も変化してきたといえます。

　その一方で、働いてもその収入だけでは生活が困難な人もおり、なかでも**ワーキングプア**❸は大きな社会課題になっています。

　働いていても、生活を維持することが困難な収入しかえられない人と、働くことができるにもかかわらず働いていない人を、「経済的自立ができていない人」と同義にくくるのは適切ではなく、収入の多い・少ないにかかわらず、「働くことができているかどうか」を基準とした経済的自立の考え方が必要だと思われます。

　また、収入をえることだけでなく、その金銭をどのように使うかを決め、計画的に消費をコントロールすることも、経済的に自立しているかどうかをはかる大切な要素だといえます。

（2）身体的自立

　生活を維持、継続していくために必要となる身体的動作を自分で行うことが、身体的に自立している状態とされています。

　障害者や介護を必要とする高齢者が、食事、排泄、入浴、就寝、起床、着替えなど、基本的な生活に欠かせない動作（**日常生活動作**❹）がどの程度できるかを評価するときも、動作ごとに「介助の必要がなく1人でできる」「時間をかければ1人でできる」「一部介助があればできる」「全面的に介助が必要」などの基準にそって点数をつけ、その点数の合計によって自立度（自立の度合い）を評価します。動作を1人でできるほど点数が高く、「自立度が高い」「自立している」と評価されます。

　このように、**身体的自立**の評価は、自力で動作ができるかどうかがおもな基準になります。ただし、注意しなければならないのは、この自立

度が、必ずしも他人の助けを借りずに生活できるかどうかの評価には結びつかないということです。生活場面では、今、何が必要で、何をしなければならないかという認識と判断がともないます。身体的自立の評価が高いことと、他人の助けなくして生活ができるということは、同じではないということを理解しておく必要があります。

（3）精神的自立

人が生きていくうえでは、さまざまな出来事があり、悩みや生活課題にぶつかることが多くあります。また、人は、実に多くの場面で大きな選択と小さな選択をくり返しながら自分の生活を営んでいます。

精神的自立とは、自分の生活や人生をどう生きるかの目標をもち、みずからが主体となって、その目標のためにどのように行動するか、あるいは行動しないかを選択し、向き合うべき課題に「こころの力」によって対応しながら物事を進めていくことです。たとえ自分が決めた方針にそって行動した結果が期待どおりでなかったときでも、その結果を受けとめながら次の課題に自分で取り組めることが、精神的に自立している状態だといえます。

しかし、精神的な負担を1人でかかえこむことは、決してよいこととはいえません。何もかも人に頼らず自分だけでがんばろうとすると、強いストレスの蓄積によってこころの病を引き起こすことにもなりかねません。弱音も吐かず、精神的に自立しているように見える人が、ある日突然、想像もできないような問題を引き起こすこともあります。

必要なときにはまわりの人に相談したり、アドバイスを求めたりしながら、自分の精神をコントロールすることができるということも、精神的自立の要素だととらえることが必要です。

（4）社会的自立

社会の法令やルールなどに従い、まわりの人たちと良好な関係を保ちながら、経済活動や社会活動などに参加し、社会の構成員としてその役割をになうこと、つまり、**社会参加**している状態を「社会的に自立している」といいます。

社会とは、複数の人によって構成される1つの共同体であり、社会参加とは、社会を構成している複数の人との人間関係への参加ということができます。

❺価値観
ある物事を評価するときの判断基準。何に価値があるかという考え方。たとえば魚釣りが趣味の人にとっては数万円出してもほしいと思う釣り竿も、釣りをしない人にとっては単なる棒としての価値しかない。このような場合、「価値観が異なる」という。

❻向こう三軒両隣
自分の家の向かい側3軒と、自分の家の両隣をさす。近隣のなかでもとくに親しく交際する関係をあらわす言葉。

　多くの人が集まれば、それぞれがもつ価値観❺や考え方に違いがみられ、意見が合わないことも当然あります。そのとき、自分の意見を押し通すのではなく、ほかの人の意見を聞き入れながら、社会の構成員である自分の役割も果たして社会とかかわることが、社会的自立だといえます。

　また、一言で「社会」といっても、その規模や構成、内容もさまざまです。まず、最小の社会であり、人が生まれて最初にかかわりをもつ社会が「家庭」です。家庭のなかで自分の役割を果たし、家族との良好な関係を保って家庭を築くことが、社会的自立の第一歩になります。

　家庭の次に身近な社会としては、「近隣」の存在があります。日本には、とくにかかわりの深い身近な社会を意味する「向こう三軒両隣❻」という言葉がありますが、近年は核家族化が進み、お隣さんの顔もわからないという人が多くなって、身近であるはずの近隣社会との関係がもちづらくなってきています。場合によっては、家庭のなかで孤立する人もいる現代において、社会的自立をどのようにとらえて支援していくのかが課題の1つでもあります。

　このほかにも、「生活的自立」や「心理的自立」などの言葉が使われることもあり、自立はさまざまな視点からみることができます。
　これらのいろいろな視点からみた自立は、相互に関係し合い、総体としての自立をつくり上げています。

3　ライフサイクルからみた自立

　「自立」が一定の年齢以上の人だけを対象にした概念かというと、そうではありません。

　たとえば、子どもの身体的自立を考えたとき、その子どもの身体機能によってやりたいことを自力で行うことができれば、その子どもは身体的に自立しているといえるでしょう。大人と子どもの身体機能を比較すると、体格も力も異なり、大人ができることであっても子どもにはできないということがたくさんあります。しかし、だからといって、それで子どもが身体的自立ができていないということにはなりません。

　また、働くことによって生活費を自力でえて生活することが大人にとっての経済的自立だとするなら、子どもにとっての経済的自立は、親

や家族からもらうおこづかいを自分のほしい物と照らし合わせ、お金をためて買ったり、別の物に切り替えて買ったりと、うまくお金を使うことのできる力をもっている状態ということになるのかもしれません。

自分の将来の夢をもち、親に言われることなくみずから勉強をがんばり、だれに対しても元気よくあいさつするような子どもに対する「あの子、自立しているね」という声を聞くことがありますが、それは「その子の年齢にしては」という評価であって、大人に対していう「自立」とは内容も評価基準も異なっているのです。

人の一生は「誕生」から始まり、成長にともなって乳児期、幼児期、児童期、青年期から成人期、老年期を経て一生を終えるというライフサイクルをたどります。「自立」もその時々で変わっていきます。青年期には、学校ではともに学ぶ仲間や教職員との関係を良好に保つなど、その責任が増していくといえます。成人期には、仕事につき、社会における役割も責任も増し、経済的な自立がより求められる立場になります。人それぞれではありますが、いずれは結婚し、子どもを育てる立場になるなど、求められる「自立」の状態も変化していきます。

人の自立の姿は、その人の年代や身体機能、生活目標、まわりの環境等の多くの要素によって変わるものであり、その意味でも画一化された「自立」はないといえます。

2 自立とは

ここまでは、自立の概念の多様性をみていくことによって、自立の定義が画一的ではないことを確認しました。ここからは、自立に欠かせないものをみていくことを通じて、生きていくうえでの「自立」の意味や重要性を考えていきます。

1 自立に欠かせないもの①──意志、意欲

そもそも、自立をするのはだれでしょうか。自立をするのは、その人本人です。ですから、他人から言われたり、強要されたりして行動している状態は、自立しているとはいえません。

では、人が自立するために必要なことは何かを考えてみましょう。

❼動機
人が行動を起こしたり、決意したりするときの、直接の心理的な原因やきっかけ。

　人が何かしらの行動を起こすときには、まずその行動のもととなる「動機❼」があります。「おなかがすいたから食事をしたい」「尿意があるからトイレに行きたい」「疲れたから横になりたい」などの「おなかがすいた」「尿意がある」「疲れた」は、行動の前提となる動機であり、この動機がなければ、「食事をしたい」「トイレに行きたい」「横になりたい」などの欲求は起こりません。そして、欲求が起こらなければ、行動することもないのです。

　自立に欠かせない要素の1つとして意欲があります。欲求から行動へは、だれかからのうながしや手引きがあればつながるかもしれません。しかし、それはただ行動したにすぎず、必ずしも自分の意志による行動とはいえません。自立は、自分の意志によって行動することが基本です。自分の意志による行動には、「自分から積極的に動こう」という意欲が欠かせません。

　つまり、自立のためには、身体機能と意志と意欲が結びつくことが重要なのです。

自立に欠かせないもの②
——自己選択・自己決定、自律

　「自立」と聞くと、何かを行うこと（行動）のように思われがちです。しかし、まわりの人から行動という形で客観的に見えるのは、その人の内面の「行おう」という意志が表面化した結果にすぎません。

　人の内面には、その時々の行動を選択するこころの動きがあります。そこには、行動そのものをするかしないかという選択も含まれており、自力でできることでも行動しないという選択をすることもあるのです。「しない」と決めた行動は、まわりの人からは見えません。しかし、その行動しないという選択をしたことも「自立」を考えるうえでは重要な要素の1つです。

（1）自己選択・自己決定

　自分がしたくないことを他人から強制されたり、逆に自分がしたいことを他人に制限されたりするのは、だれにとってもいやなことです。強制や制限は、決して意欲には結びつきません。意欲を衰退させてしまう可能性すらあります。

自分がどのような生活がしたいかという目標をもち、そのためにどのように行動するか、あるいは行動しないかを決定し、数ある方法のなかからどの方法を採用するかを選択するということが、自立の基礎となります。逆にいうと、自己選択・自己決定なしで「自立」は成り立たないということになります。

（2）自律の考え方

　ここで、自己選択・自己決定についてより深く考えてみましょう。自己選択・自己決定に大きくかかわるのが自律❽です。

　社会には、「してはいけない行為」があります。「人の持ち物を盗む」「人をなぐってけがをさせる」といった行為は、法律で犯罪行為として規定され、そのような行為をした人には罰則が科せられます。

　また、法律に規定されていなくても、社会には互いがよりよい生活を営むためのルールやマナーなどが存在しています。「人前では衣服を身につける」「排泄はトイレで行う」「食事はこぼさないようにする」といった行為は、社会の慣習から形成された人としての理性のあらわれです。

　これらは社会規範❾と呼ばれ、社会規範に反する行為は、社会のなかでのその人の評価を悪化させるばかりでなく、場合によっては社会のなかでのその人の存在をもおびやかすことになります。

　こういった、みずからの理性や価値観、社会規範等に照らし、行動するかしないかを自己決定することを、「自律」といいます。ここには、できることであっても、その人の価値観やおかれた環境によっては、「しないことの選択」も含まれていることを認識しておくことが大切です。

3　自立に欠かせないもの③──依存

　自立の反対は「依存」であるという説明をよく耳にします。それは、自立が「他の助力をえず自力で行うこと」であるのに対して、依存が「他に頼って存在、生活すること」と、相反する概念であるかのようにいわれるからでしょう。また、自立をめざすときに依存から脱却するという構図で説明されるからでしょう。こうした構図は、自立は善で依存は悪という両極端な評価につながっています。

---

❽**自律**
ほかからの支配や助力を受けず、自分の行動を自分の立てた規律に従って正しく規制すること。

❾**社会規範**
社会や集団において個人が同調することを期待される行動や判断の基準。また、人と人との関係にかかわる行為を規律する規範。習俗や法など。

「依存」がマイナスのイメージでとらえられるのは、薬物依存症、アルコール依存症、ニコチン依存症のように、健康や生活に悪影響を及ぼしているにもかかわらず、自分の力だけではコントロール困難な医学的見地からの「依存」のイメージが背景にあるからかもしれません。

　しかし、ここまで説明してきたように、ほかの人の助力をえず、自力だけで生活のすべてを営むことは、現実的には不可能です。もし、ほかの人の助力をえることが「依存」で、その状態から脱却しなければならないのであれば、依存から脱却すればするほど自立から遠ざかるという皮肉な結果にしかなりません。必要なところはみずから支援を求め、ほかの人の助力をえることは、自立を否定するものではありません。つまり、「自立には、適切で適度な依存が欠かせない」ということです。

4 自立とは

（1）自立の考え方

　自立は、単に「自力でできたかどうか」という結果だけで判断されるものではありません。

　「自立」の考え方についてまとめると、次のとおりです。

① 　自立した姿は、画一化されたもの、すなわちだれもが同じ状態になるということではなく、その人の身体機能やまわりの環境、人との関係性などにより異なります。つまり、その人なりの自立の姿があるということになります。

② 　自立は、いろいろな視点からみたそれぞれの自立（経済的自立、身体的自立、精神的自立、社会的自立など）が相互に関係性をもって作用し、総体としての自立を形成していきます。なかでも精神的自立は、その人の生活目標や、生活行動の基礎となるため、ほかの自立と常に関係性をもっているといえます。

③ 　自立は、たとえば身体機能によって何メートル歩いたかということが評価の基準となるのではなく、何のために歩いたかという自分なりの意味や目標が行動のもとになっていることが重要で、それが達成できたかどうかを評価の基準にすることが大切です。

④ 　自立は、必ずしも「自分の力だけ」で成り立つものではなく、生活に必要で自分の力だけで行うのが困難なことについては、他者の助力をえることもさまたげません。「他者に助力を求める力」も含めて

「自力」ととらえることが必要です。

（2）生きていくうえでの自立の意味

　ここまでみてきたように、「自立」とは、自分の生活目標を立て、そのために何が必要で、何をしなければならないのかをみずから判断し、同時に自分のおかれた社会環境のなかで他人にも配慮してまわりの人たちとの良好な関係を保ちながら行動していくことであり、今生きているこのとき、この場所で、最大限の自分の可能性を見いだしながら、かけがえのない「1人の人間としての自分」を確立しようとする営みです。

　このことからも、自立は、その人が主体となるものであり、だれかの指示や強制によって成り立つものではありません。

　また、「自立」は、一度達成したら将来もずっと自立した状態が続くかというと、そうではありません。一度自立したとしても、環境や人間関係の変化など、さまざまな要因によって自立できていない状況におちいることも少なくありません。「自立」は、一生を通じて、達成と未達成をくり返しながらめざす目標であるともいえます。

3　介護を必要とする人の自立と自立支援

　介護福祉士に求められる役割の1つに、**自立支援**があります。この自立支援は、介護サービスにおいて大変重要な位置を占めています。そのため、自立支援の役割をになう介護福祉士は「介護を必要とする人にとっての自立とは何か」「どのような視点をもって自立支援を行うのか」を、きちんと理解しておくことが重要です。

1　介護を必要とする人の自立

　人の能力は、年齢などによって差があります。また、同じ年代の人のあいだにも能力の差があり、だれひとりとして同じ能力の人はいません。それは当然のことで、通常であればその能力差は、基本的な生活をするうえで大きな問題とはなりません。

　しかし、高齢化や病気、けがなどが原因となって、**身体機能**❿や思考能力・判断能力が低下し、基本的な生活に必要となる動作が困難となっ

❿**身体機能**
身体を動かして動作を行う能力のこと。また、手足の動きや視覚、聴覚、内臓の動きなど身体的なはたらきのこと。

た人がいます。このような状態にある人は、だれかの手助けや協力がなければ、基本的な生活さえも営むことができません。介護や介助は、そのような状態にある人の身体機能の低下や思考能力・判断能力の低下をおぎないながら、生活を支える行為です。

先に、「自立」は、経済的、身体的、精神的、社会的に自分の力で行うことを要素とするものであることを学びました。その一方で、自分だけの力で生活している人はいないということと、他者との関係をもちながら、自分だけの力では困難なことに対して、みずからまわりの人に協力や助言を求めていくことも含めて「自立」ととらえることが必要であることを確認しました。

介護を必要とする人の自立も基本的には同様です。違いをあえてあげれば、心身の機能の低下により物事を自分だけの力で行うことが困難なことが多いため、まわりの人の協力がより多く必要になる存在であるということと、病気や障害の特性により、専門性をもった援助が必要な存在であるということだけなのです。

「自立」が、まわりの人に協力や助言を求めていくことも含めたものだと考えると、介護を必要とする人の自立も、自分のもっている能力を最大限に活用し、自分だけの力では困難なところは、介護・介助や協力を求めながら生活することだと考えることができます。

2 自立支援に必要な視点①
―― もっている能力をいかす

❶残存機能
病気やけがなどにより障害された機能以外の残された機能のこと。障害があり制約された機能でも機能的に活用できるものがあれば、それも含めて残存機能という。

自立支援に大切なのは、その人のもっている能力（**残存機能**❶）をいかしながら、困難な部分に対して適切な支援をして、その人の行動のもとになった欲求を満たすことを目的とした、二人三脚の支援です。

そのためには、①1つの目的に向けた行動を分解し、動作可能なところと困難なところを見極めること、②身体的にも精神的にも「疲れない範囲」で自力動作をうながすことの2つが欠かせません。この2つについて、食事の動作を例に考えてみましょう。

（1）1つの目的に向けた行動を分解し、介護を必要とする人の動作可能なところと困難なところを見極める

1 行動を分解する

人が目的をもって行動するとき、その行動には一連のプロセスがあります。

右利きの人が箸を使い、茶碗のご飯と汁椀のみそ汁を食べることを想定すると、行動の要素となる動作は、おおむね図1－3に示すような流れが考えられます。

ご飯を食べ、みそ汁を飲むだけの行動でも、これだけの動作をしているのです。これが食事全体となると、同じような動作を何度もくり返すことになりますし、ほかに焼き魚、煮物、漬け物といった副食などがあれば、動作の種類は増え、より複雑になります。これらの動作すべてが自力でできて、ようやく食事という行動が自力でできるということになります。逆にいうと、これらの動作のうちのどれか1つでもできなければ、食事が困難ということになります。

図1－3　食事の動作（右利き）

茶碗、汁椀、箸をテーブルの取りやすい位置に置く

茶碗を左手で持つ
箸を右手で持つ

茶碗の中のご飯を箸でつかむ
ご飯をつかんだ箸を口まで運ぶ
ご飯を口の中に入れる

ご飯をかむ
茶碗をテーブルに置く

汁椀を左手で持つ
汁椀を口まで持ってくる

汁椀からみそ汁をすする

2 困難なところを見極める

　身体機能の低下により、これらの動作のほとんどが困難な場合は、食事介助に頼ることになりますが、それ以前に、食事が困難な原因が、動作すべてができないからなのか、部分的にできないからなのかを見極めることが必要です。動作が部分的に困難なときは、その困難な部分に対して適切なケアを考えます。それは介助かもしれませんし、動作をおぎなう補助具の使用や動作をしやすくする体勢の工夫かもしれません。いずれにしても、困難な動作をおぎなうことで、自力でできるところをいかしながら食事を可能にするという視点が自立支援には欠かせません。

コラム　「自分で飲んでいる」という実感

　少しだけ筆者のことを紹介すると、進行性の筋疾患のため、生まれてから自力で歩行した経験がありません。それでも若いころは自走式車いすで自力で移動し、食事も自力でしていました。今では病気の進行による筋力低下により、自分の手を浮かすこともできない状態となっています。

　病気の進行の過程で食事も徐々に自力でできる部分が少なくなりましたが、まだコップを手でにぎることができていたころ、手を口まで持ち上げることができない私は、介助者に手首と肘を持ってもらい、口元まで上げてもらっていたことがあります。コップを持った手首は動かせたので、自分でコップの角度をコントロールして飲み物を飲んでいました。介助をしてもらいながらも「自分で飲んでいる」という実感があり、今の飲ませてもらったり、ストローで飲んだりするものと比べてもビールがおいしかったことをよく覚えています。

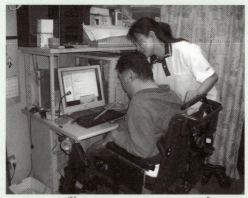

口にくわえた棒でパソコンのキーボードを押す筆者と、棒を口にくわえさせる支援者

（2）身体的にも精神的にも「疲れない範囲」で自力動作をうながす

　自分でできることでも、余裕をもって楽にできることと、精いっぱいの力をふりしぼってようやくできることがあります。通常なら余裕をもってできることも、身体機能が低下している人の場合は精いっぱいの力が必要になるということも多いのです。

　小さな子どもでも持ち上げることができる茶碗1つが、筋力の低下や麻痺などがある場合には、**相対的**[12]にとても重たいものになります。介護を必要とする人にとって、5kgにも感じられる茶碗を何度も上げ下げしなければならないとしたら、それはもはや食事ではありません。1口2口食べるだけで疲労するようであれば、食欲もなくなり、食べるという行動意欲もなくなっていくでしょう。

　自立支援では、その人の身体機能と行う動作を相対的に評価しながら、身体的にも精神的にも無理のないように支援を進めていくことが必要です。

[12] **相対的**
2つ以上の要素が互いの関係・比較のうえで成り立っていること。天秤のように片方が軽くなると、もう一方は重さは変わっていないのに軽くなった側との比較では重たくなるような関係性をいう。

3　自立支援に必要な視点② ── 意欲を高める

　自立支援は、単に介護を必要とする人の残存機能を最大限に活用してもらう支援ではありません。その人の意欲を高め、みずからが「自分の意志で行動できるようにする」ことが自立支援です。その人が意志も意欲ももたないのに、ただ身体機能的に「できる」ということのみを理由に自立をうながす支援は、「自立の強要」になりかねません。

　くり返しになりますが、自立支援の基本は、その人の「やろう」とする意志と意欲を引き出し、高めながらそれを積み重ねていくことです。

　介護を必要とする人が自立へ向かうための過程と、その過程で必要な介護のかかわりを、あらためて図1-4でみていきましょう。

（1）動機と欲求

　人が何らかの行動をするとき、多くの場合、その行動のもととなる**動機**が存在します。動機がなければ欲求も生じず、人は行動を起こしません。病気や障害などによってみずからの動機を感じづらい人もいますが、その場合でも、まずは動機づけの支援から始めることが基本です。少しでも動機づけができれば、それをもとにした**欲求**が生じてきます。

たとえば、「ベッドから離れて、たまには散歩でもしましょう」と誘ったとしても、その人にとって、ベッドから離れる意味や散歩をする目的がわからなかったり、コミュニケーションの過程において意味が伝わらなかったりすれば、簡単には行動に移せないでしょう。その人に「ベッドから離れて歩く」という行動を起こしてもらうためには、まず、動機と欲求の過程でベッドから離れる意味が認められること、すなわち、その人の生活に即したベッドから離れる意味や目的を考え、動機づけを試みることが重要です。もしその人が、ふだんの生活のなかで植物を育てることが好きだったり、以前に花屋で働いていた人であったりすれば、「散歩に行きましょう」という誘い方よりも、「庭に行って花を見ましょう」という誘い方のほうが動機づけになりやすいといえます。

（2）意欲と行動

人は、みずからの欲求に対して、それを満たすために必要な行為・行動が自力で可能なことが明らかであれば、欲求がそのまま「やろう」とする**意欲**としてひきつがれ、**行動**へとつながっていきます。

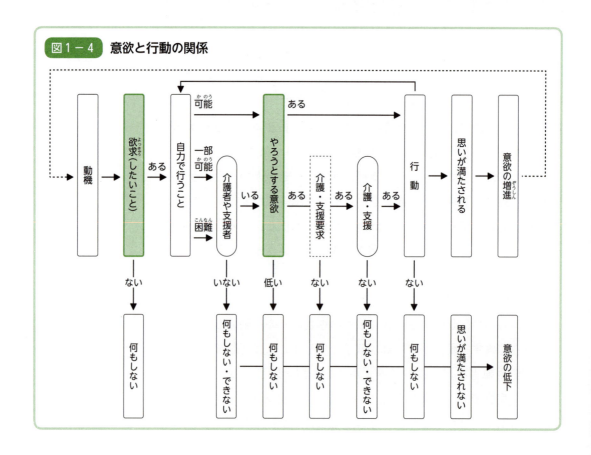

図1-4　意欲と行動の関係

また、自分の力だけで可能かどうかが明らかでない場合でも、意欲が高ければ行動を試みます。逆に、意欲が低ければ行動する前にあきらめる場合もあるでしょう。

やろうと思っても、自分の力だけでできることが一部しかないときや、ほとんどの部分が自分でできても、どこか一部が困難なために欲求どおりにならないと判断したときには、その困難な部分に対して協力・支援してもらえる環境があるかどうかが、その後の行動に大きく影響します。自分でできない部分について、周囲のだれかに協力を求めることができるかどうかが、結果（意欲が行動につながるか否か）を左右することになります。もし協力者や支援者がいなければ、行動する意欲は後退し、何もしない結果になり、「やりたいのにできない」という不満が残ることになります。

つまり、周囲に「協力できる」態勢が整えられているということ、求めれば協力がえられることがその人に理解できるよう提示されているということが、意欲を行動につなぐうえで重要になるのです。

（3）行動結果と意欲

行動の結果、期待どおりに欲求が満たされたときは、次に同じような行動を必要とする動機と欲求が起こったときに、行動を起こす自信となり、ほかの事柄への意欲も増進し、新たな動機と欲求を生み出します。

逆に、結果が期待どおりにならなかったときには自信が失われ、こうした不満足のくり返しは、ほかの事柄への意欲も低下させ、動機と欲求を衰退させていくことになります。

意欲を高めていくには時間がかかります。意欲を高めていくうえでは、1つひとつの成功の積み重ねが欠かせません。しかし、意欲を高めるのに必要な時間が長いのに対して、意欲の低下は一瞬で起こる場合があります。身体機能が制限されていれば、自分の力でやろうとしても、うまくいかないことが多く、そのことが意欲を一気に低下させるかもしれません。行動した結果が期待どおりでなかったときに、意欲が低下しないようケアし、意欲を下支えすることがとても重要です。

また、その人が自分で物事を成し遂げることができるかどうかは、まわりの環境に左右されることも多くあります。たとえば、車いすを利用している人であれば、自力で移動できるのは、車いすで通れる動線が確保されている場合です。途中に荷物が置いてあったり、いすが通路をふ

さいでいたりすると、その人は自分で移動できるにもかかわらず、目的の場所まで行くことができません。こうしたことが頻繁に起こると、意欲はしだいに低下していきます。介護者は、言われれば荷物やいすを動かして通れるように介助するかもしれませんが、それでは意欲を高める自立支援とはいえません。直接介護をしているとき以外でも、自分でできるところは自分でできるように、意識して環境を整えるという介護が自立支援では求められるのです。

4 自立支援に必要な視点③──選択肢を増やす

（1）依存にみえる選択

　さて、ここで、私たちがよく口にする「依存」について考えてみましょう。介護を必要とする人が依存しているようにみえる要求は、実は「選択」の結果である場合が少なくありません。

　「自力で行うか」「だれかに頼むか」も選択であり、だれかに頼むにしても、たとえば介護職員AさんとBさんがいた場合に、Aさんにばかり頼むというのはよくあることです。そのようなとき、まわりは「あの人はAさんにばかり声をかける」「Aさんに依存しすぎている」などと評価し、Aさんから遠ざけるために、その人の介護はAさん以外の職員に担当させるようにするかもしれません。しかし、Aさんに依存しているようにみえるこの行為は、複数いる介護職員のなかからAさんを選択しているととらえることもできます。なぜその人がAさんを選択するのかは、「Aさんが自分のことをよく理解してくれているから」、あるいは「Aさんの接し方がやさしいから」など、さまざま考えられますが、いずれにせよ、その人がAさんによる介護を選択しているとすると、Aさんをその人から遠ざけてしまうことは、その人にとっての最良の選択肢をうばうことであり、自立支援の視点からみても適切であるとはいえません。むしろ、Aさん以外の職員を選択してもらえるよう、その人への理解を深め、望まれる支援が行われるようにして、その人の選択肢を増やすことが重要です。

　このほかにも、依存しているようにみえることが実は選択した結果だということは多いのです。

　自立支援を進めていくために欠かせないのが、選択肢をどれだけ多く提供できるかということです。選択肢が多いほど、介護を必要とする人

は自分に適した方法や道具が見つけやすくなり、自分ですることが可能な範囲も広がっていきます。

（2）工夫的自立への支援

　身体機能の低下や欠損がある人は、自分の身体機能だけでは行動や動作が困難なことを、道具などを使うことによって自分でできるように工夫し、自立しようとしています。たとえば、歩行が困難な人は、杖や歩行器、車いすなどの道具を使用することによって、自力での移動を可能にしています。また、手の麻痺によって両手を使って包丁やナイフで食材を切ったり皮をむいたりすることが困難な人のなかには、食材が動かないように台に固定することで、片手で切ったり皮をむいたりして料理をする人もいます。このように、道具を使ったり、やり方を工夫したりすることによって、自分でできる範囲を広げている人も多くいます。

　道具には、製品化された福祉用具もありますが、簡単な材料でつくる**自助具**[13]を活用する人も多くいます。自分で行うのが困難なことをどのように工夫して行うのか、どの道具を使っておぎなうのかについて、自主的・自発的に考えて活用し、自分で行うことができる範囲を広げていくことも一種の「自立」ととらえ、これを「工夫的自立」と筆者は呼んでいます。

　トイレでの排泄を自力で行えるようにするための手すり、入浴を可能にするために高さや形状を工夫したいすなど、多くの道具がありますが、それらの活用や工夫を、介護福祉職が積極的に発案、提示していくことは、よりその人に適した道具に近づけることにつながり、自立した生活の可能性を広げていきます。こうした「工夫的自立」への支援も自立支援として重要だと考えます。

5　ICFの考え方

　自立支援では、介護を必要とする人の残存機能をいかして、可能な限りみずからの意志をもとに自分で行ってもらえるようにすることが必要です。

　しかし、身体機能や判断能力、思考能力が低下している人に対し、おかれている環境を変化させずに自立を求めることは、過度な負担を強いることになるかもしれませんし、自分で行うのが困難なことも多いかも

[13] **自助具**
運動機能に障害のある人のために、自力で日常生活動作を行えるように工夫してつくられた器具・道具などの補助具のこと。単に1本の棒でできたものもあれば、いくつかの木材や金具などを使ってつくられたものまでさまざまあるが、障害のある人の状態に合わせてつくられ、使いやすいのが特徴である。

しれません。逆に、今の環境では困難なことも、その人に適した環境を整えることで、残存機能をいかして自分で行える範囲が広がり、自立した生活に近づくことができるかもしれません。

ここからは、ICFの考え方を参照しながら、自立支援について考えていきます。

(1) ICIDHからICFへ

WHO（世界保健機関）[14]は2001年5月、それまで活用されてきたICIDH（国際障害分類）[15]を大幅に改定して、ICF（国際生活機能分類）[16]を採択、発表しました。ICIDHとの大きな違いは、①障害があるというマイナス面に着目した分類から、生活機能というプラス面に着目した分類に転換したこと、②構成要素の関係を、一方向的な因果関係を示すものから、双方向的に影響し合う関係を示すものとしたこと、③生活機能への影響を個人の身体機能だけでなく、環境（物的環境だけでなく人との関係性も含めたもの）との相互関係から分類したことにあります。

「国際生活機能分類」という名称からもわかるように、生活機能に影響すると考えられる要素を5つに分け、それぞれの要素を関連づけて今の生活機能がどのような状況にあるのかを分類したもので、その項目数は約1500にもなります。ICFそのものは分類でしかないため、何をすべきかを具体的に示すものではありませんが、その考え方は、自立支援にとても有効です。わかりやすく、ICFで用いられている5つの要素の相互関係を図で示します（図1－5）。

(2) ICFにおける相互関係

図1－5が示すとおり、「生活機能」の個人レベルである「活動」や、社会レベルである「参加」は、その時々の「健康状態」や、生命レベルである「心身機能・身体構造」（心身の障害など）、さらには「背景因子」の影響を受けています。たとえば、「心身機能・身体構造」が変わらないとしても、「背景因子」である「環境因子」（建物の構造や介助者の有無など）が変化することで、「活動」や「参加」に影響があります。

わかりやすくいうと、両足の機能に障害があり（心身機能・身体構造）、歩くことが困難な人の場合、そのままではどこかに移動（活動）することが困難で、地域のサークルに出かけること（参加）も困難かも

---

[14] **WHO（World Health Organization：世界保健機関）**
国際連合（国連）の機関の1つで、1948年に設立された、保健について指示を与え、調整する国際的な機関。

[15] **ICIDH（国際障害分類）**
p.5参照

[16] **ICF(International Classification of Functioning, Disability and Health：国際生活機能分類)**
国際障害分類がおもに障害に着目して分類したものであるのに対し、国際生活機能分類は障害に限らない「生活機能」に着目した分類。妊娠や一時的なけがによる心身機能や健康状態の変化、環境の変化等が及ぼす生活機能への影響と状態を把握、理解するために用いられる。

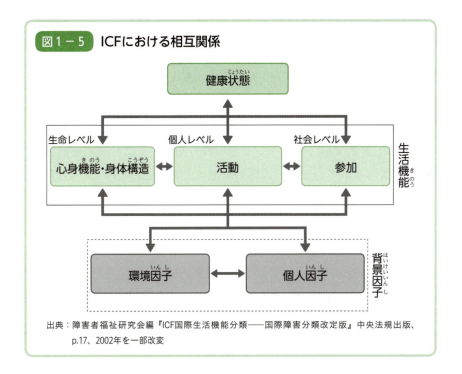

図1-5 ICFにおける相互関係

出典：障害者福祉研究会編『ICF国際生活機能分類——国際障害分類改定版』中央法規出版、p.17、2002年を一部改変

しれませんが、車いす（環境因子）を使うことで移動が可能となり、外出するときに介助者（環境因子）がいることで地域のサークルにも行けるようになるということを示しているのです。

つまり、介護を必要とする人の心身状態を把握し、その人の機能に応じて行動可能な方法（車いすや杖の使用など）や、環境を整えること（段差の解消や手すりの設置など）により、可能な限り自力で行動してもらいながら、必要なところには適切な介助をすることによって、その人の「活動」や「参加」を進めていく、言い換えれば、生活機能を高めていくことが、自立支援の大きな意義なのです。

4 介護を必要とする人の尊厳の保持と自立、自立支援の関係性

ここでは、尊厳を守る介護と自立支援の関係についてみていきます。

1 尊厳を傷つけ、損なう可能性

介護を必要とする人は、生活を営むときに自分で行うのが困難なとこ

ろは、他者の支援を必要とします。そして、他者の支援を受けて行動するとき、そこには自分の意思だけではなく、支援者の意思も介在します。つまり、動作や行動に自分の意思が直結しないため、介護を必要とする人の主体性や自由な意思が損なわれることにより、尊厳が侵されやすいのです。

尊厳は、辞書では「尊くおごそかで侵しがたいこと」（『広辞苑 第7版』）と説明されています。**人間の尊厳**は、おおむね次のように整理できます。

① 人間として生を享け、存在していること
② **人格**[17]が尊重され、ひとりの人間として認められること
③ 人間としての生活、人生は、自由な意思にもとづいていること
④ 他人の道具として存在するのではなく、主体として存在すること

介護福祉士が介護を行うときには、介護を必要とする人がよりよい生活を営めるよう、さまざまな角度から介護の方法を検討し、実践していきますが、それがいかに優れた知識や技術を用いて行われる介護であっても、ここにかかげた尊厳に反したものであれば、それは介護する側のひとりよがりの介護でしかありません。ひとりよがりの介護は、場合によっては尊厳を傷つけることになる可能性があります。

尊厳を守る介護の第一歩は、尊厳を損なう介護がどのようなものなのかを知ることから始まります。

2 尊厳を損なう介護とは

尊厳に結びつくものとして、**自尊心**[18]や**品格**[19]があります。自尊心や品格は、その人が属する社会や環境、また、育ち成長する過程のなかで築かれるもので、それを傷つけられることは、その人の尊厳を損なうことになります。

介護を必要とする人（ここでは便宜的に「**利用者**[20]」と呼びます）の尊厳を損なう状態とはどのようなものなのか、具体的な事例をあげながら考えてみましょう。

・人から見える状態で排泄させられる
・トイレではない場所で排泄させられる
・他人に見られる環境で全裸にされる
・どこに行くかも知らされず連れていかれる

---

[17] **人格**
独立した個人としての、その人の人間性。その人固有の、人間としてのあり方。

[18] **自尊心**
自分の人格を大切にする気持ち。また、自分の思想や言動などに自信をもち、ほかからの干渉を排除する態度。「プライド」ともいう。

[19] **品格**
その人やその物に感じられる気高さや上品さ。

[20] **利用者**
障害や高齢にともなう身体機能、思考・判断能力の低下により介護や福祉サービスを利用している人のこと。介護等が必要な人の総称として使われる傾向にあるが、介護や福祉サービスを利用していない人は正確には利用者とはいわない。

・何かを認識できないものを食べさせられる
・伝えたいことがあるのに聞いてもらえない
・一方的に言われたことに従わされる
・長時間同じ状態のままで放っておかれる
・同じ物しか見えない部屋で生活させられる
・常に人から見られる

　これらは一例ですが、利用者の意思が尊重されていない、主体になっていない、人格や品格が傷ついている状態であり、尊厳が損なわれている状態といえます。

　利用者をこのような状態におくような介護は、場合によっては虐待に結びつくことも考えられ、絶対にあってはならないことです。

　尊厳を守る介護とは、反面からみれば、このような状態にならないようにすることといえますが、もう少し具体的に考えてみましょう。

3 尊厳を守るための介護とは

(1) 利用者の主体性を尊重すること

　自分の意志と判断によって行動するということは、**主体性**[21]を有しているといえます。また、自分の意志と判断によって「行動しないこと」も主体性を有しているといえます。主体的に決めたことを否定したり、決めたことに反した行動を押しつけたりすることは、主体性を損ない、尊厳を傷つけます。

　一方で、思考能力や判断能力の低下等により、主体的な行動が困難な人がいます。しかし、意思決定や判断が困難な場合であっても、介護者の決定を押しつけることは不適切です。意思決定や判断が困難な人には「いくつかの選択肢を示して本人に決めてもらう」「みずから思考できるようわかりやすい言葉や道具などで思考をサポートする」などして、可能な限り利用者の意志を引き出す支援をしながら主体性を尊重することが必要です。

(2) 利用者の自由な意思を尊重すること

　人はだれでも、さまざまなことを考え、発想し、希望し、判断し、行動します。それは社会規範などの制限を受ける場合を除いて、基本的に

[21] **主体性**
主体的であること。自分の意志・判断によって、自分から責任をもって行動すること。

自由です。その自由な意思にもとづいて行動すること、あるいは行動しないことは、尊重されなければなりません。

自由な意思で行動しようとしていることを、他人から理由もなく制限されたり、考えそのものを否定されたりすることは、自由意思を否定されることであり、尊厳を傷つけられることだといえます。

もし、自由な意思や判断による行動が、社会規範に反することであったり、行動の結果が明らかに利用者にとってマイナスなことであったりすれば、制止が必要かもしれませんが、その場合でも、可能な限り利用者の意思を確認しながら、アドバイスや情報提供によって別の思考ができるように支援することが求められます。

（3）利用者の人格や品格を尊重すること

人それぞれに、育ってきた環境、生活してきた歴史があり、築いてきた家族や周囲の人との人間関係があります。その過程で確立してきた「自分」という存在は、何ものにも代えがたく、かけがえのないものです。その積み重ねてきた「自分」の人格や品格をないがしろにされることは、屈辱でもあり、尊厳が傷つくことなのです。

「排泄はトイレで行う」「全裸の姿を人に見せない」など、人として守られるべきプライバシー[22]を守ることは当然のことですが、さらに、利用者の生活してきた歴史を知り、大切にしていることや遠ざけていることなどを理解して、それを尊重したかかわりや介護をすることが重要です。

[22] プライバシー
個人の私生活や秘密。また、他人から干渉、侵害を受けない権利。

（4）利用者の存在そのものを価値あるものとして尊重すること

人は、どのような状態であっても、この世に生を享けて存在していることに価値があり、尊重されなければなりません。

自分の思いや希望を意思表示できる人であれば、それにこたえて介護することができますが、意思表示や意思疎通が困難な人の場合、介護者の都合や一方的な価値観による介護をしてしまいがちです。

思考能力が低下していたり、意思表示、意思疎通が困難だったりしても、利用者の尊厳を守るための声かけや介護が求められます。むしろ、意思表示や意思疎通が困難であればあるほど、利用者を大切にする姿勢が重要になってきます。

4 尊厳を守る介護の中心にある自立支援

　利用者の尊厳を守るためには、その人の自由意思による主体的な生活が営めるような介護を実践することが重要です。
　「自立」とは、みずから立てた生活目標や人生目標に向かって、自分が主体となり、自分らしい生活をすることです。つまり、「自立」は、みずからの尊厳を、みずからが守りながら生きる1つの形といえます。
　すなわち、「自立」を適切に支援することは、尊厳を守る介護の中心に位置づけられるものだといえます。「適切に」とは、先にも述べたように、「動けるから自力でしてもらう」といった、単に身体機能的な判断のみにもとづいて支援するということではなく、その人の意志と意欲、判断にもとづいた支援をするということです。
　たとえば、「トイレに自力で行けるのだからトイレに行くことをうながす」というのは、身体機能的な判断だけを根拠にした支援であり、適切な自立支援とはいえません。介護者は、「トイレで排泄すること」が人としての当然の行為であること、また、周囲の人に対するマナーであること、そして、その人の尊厳を守ることにつながるということについて、十分な理解と認識をもち、それにそうような言葉かけ、うながしを行うことが重要です。
　また、利用者の「したくない行為」にも注意を払う必要があります。利用者の周囲への気づかい、マナー、知られたくない自分の姿など、したくない、あるいは見せたくないという意思を大切にすることも、尊厳を守る介護です。
　適切な介護と自立支援によって利用者の尊厳を守り、人生の最期に「生きていてよかった、楽しかった」と思ってもらえるような介護を実践することが、介護福祉士の役割であり、やりがいでもあります。

◆ 参考文献
- 障害者福祉研究会編『ICF国際生活機能分類——国際障害分類改定版』中央法規出版、2002年

演習1−3　利用者の主体性を大切にした声かけを考える

　利用者の尊厳を守るために重要なことの1つに「利用者の主体性を大切にする」ことがあります。

　それぞれ、介助を必要とする人への次の声かけが、利用者主体の声かけになっているかを考えてみよう。また、利用者主体の声かけになっていないものは、その理由と適切な声かけを考えてみよう。

1　今から食事をしようとしている利用者に「これからお食事の介助をさせていただくので、お食事していただいてよろしいですか」と声をかけた。

2　トイレ誘導の時間となったので、利用者に「つきそいますので、トイレまで行ってもらえますか」と声をかけた。

3　ベッドから下りようとしている利用者に「お手伝いしますので、車いすに乗っていただけますか」と声をかけた。

4　就寝のために部屋に帰ろうとしている利用者に「お部屋にお帰りになりますか」と声をかけた。

5　食事のあと歯みがきをしようとしている利用者に「歯みがきのお手伝いをさせていただいてよろしいですか」と声をかけた。

演習1-4　利用者の自立支援について考える

次の入所施設での事例を読んで、自立支援について考えてみよう。

> 利用者のCさん（男性、87歳）は、手すりにつかまりながら自力で歩行することができる。トイレや食堂、洗面所まで、少し時間はかかるが毎回自力で行っている。ただ、それ以外のほとんどの時間を、ベッド上で横になってテレビを見たりラジオを聞いたりして過ごしている。
> 　介護福祉職は、運動量が少ないことで少しずつCさんの足腰の筋力が弱くなってきていることを心配し、毎日希望者で行っているレクリエーションに参加してもらおうとCさんを誘うが、「私はたくさんの人といっしょに何かをするのが苦手で、1人でこうしているのが落ち着くのです。私に気を使わなくていいですよ」などと言い、レクリエーションには参加しない。

Cさんが、自力で歩行しながらの生活をできるだけ長く続けられるようにするには、どのような支援をしたらよいだろうか。グループで話し合ってみよう。

第2章 人間関係とコミュニケーション

第1節　人間と人間関係
第2節　対人関係におけるコミュニケーション
第3節　対人援助関係とコミュニケーション
第4節　組織におけるコミュニケーション

第1節

人間と人間関係

> **学習のポイント**
> ■ 人間関係のなかで自分と他者を理解するということを学ぶ
> ■ 人間関係の形成に必要な自己覚知や自己開示について学ぶ
> ■ 人の発達にともなう、人間関係の広がりを学ぶ
> ■ 人はどのように他者や集団とかかわりながら成長するのかを学ぶ

関連項目

② 『社会の理解』	▶第1章「社会と生活のしくみ」
⑤ 『コミュニケーション技術』	▶第1章「介護におけるコミュニケーションの基本」
⑪ 『こころとからだのしくみ』	▶第1章「こころのしくみを理解する」
⑫ 『発達と老化の理解』	▶第1章「人間の成長と発達の基礎的知識」
⑫ 『発達と老化の理解』	▶第2章「人間の発達段階と発達課題」

1 人間の誕生と介護の関係

　私たち人間は、介護を行うことをあたりまえのように考えてしまいがちですが、動物の世界ではとても珍しいことです。ここでは、私たち人間が、人間らしさの象徴として介護を行うように進化した過程について考えてみたいと思います。

私たち人間は、なぜ介護するのか

　私たち人間＝現在生きている人類（ホモ・サピエンス）は、なぜ生活に不自由さをかかえる他者の身の回りの世話をし、その人の生活を支える行為、いわば介護をするようになったのでしょうか。また、人類は、いつから介護を行う動物となったのでしょうか。それははっきりとはわかっていません。
　多くの動物は、何らかの方法で子育てをして、子孫を残し、代々に繁栄をしていこうとするという生物共通の命題に取り組んでいます。

第1節 人間と人間関係

　私たち人間の場合には、子どもが乳離れをしたあとも、長い時間と手間をかけて、子どもの成長を助けるためのさまざまな支援をしていきます。そして、子どもが成人してからも、生きるため、生活するために、家族や共同体、社会のなかで協働した支援を提供し合っています。そして高齢期となり、老化や疾病などによって生じる生活の困難さに対しても、家族や周囲の人々は、さまざまな形で支えようとしています。

　そのように考えると、介護をするという行動は、私たち人間に特有のものといってもいいのかもしれません。そして、現代社会においては、この介護という支え合う行動は、個人・血縁といった単位ばかりではなく、社会という仕組みのなかで制度化され、行われているのです。

　なぜ私たち人間が、このような行動をとるようになったのかを考える1つのヒントは、人間がどのように進化してきたのか、その過程で何を獲得してきたのかについて考えることではないかと思います。

2 人類は、何を獲得してきたのか

　以下、「NHKスペシャル 人類誕生」（2018年放送）などを参照しながら、人類の進化の歴史をみていきます。

（1）家族の形成と思いやりのこころの獲得

　図2-1は、700万年前から現在にいたる人類の進化を示したものです。人類は、約700万年前ごろに、チンパンジーとの共通祖先から枝分かれして進化してきたといわれています。それ以降、動物界ではとても弱い存在でありながら、二足歩行を始め、一夫一婦制による夫婦や家族を形成し、複数の家族が集団をつくって狩りをしたり、石器をつくり出したりして、生き延びてきたといわれています。

　2003年に、**ジョージア**❶のドマニシで、30〜40歳代と思われる**ホモ・エレクトス**❷の歯のまったくない頭骨の化石（約180万年前のもの）が発見されました。30〜40歳代は当時としては老人にあたる年齢で、歯がないのは加齢によって抜け落ちたからだと考えられました。また、顎の特徴などから、この化石の人物は、歯がなくなったあとも数年間は生きていたことがわかりました。このことから、当時、歯がなくなりかたいものを食べることのできなくなった老人に、だれかがやわらかくした食べ物を与えつづけ、世話をしていたことがうかがえると化石人類学者は

❶ジョージア
大コーカサス山脈の南側に位置し、黒海に面し、トルコ、アルメニヤ、アゼルバイジャンやロシアなどに囲まれたヨーロッパの国。

❷ホモ・エレクトス
約180万年前から5万年前まで生息していたとされる。手足が長い、体毛がほとんどないなど、現代の私たちの体型やからだの特徴にとても近く、道具を使い、狩りをしていたとされる。

81

指摘しています。つまり、ホモ・エレクトスは、年老いた仲間を介護していたといえるというのです。

このことから、この当時の人類は、すでに「他人を思いやる」という人間らしいこころをもつ存在であったのではないかといわれています。

また、ホモ・エレクトスから進化したとされているホモ・ハイデルベルゲンシス（約70万〜20万年前に生息したとされている）が埋葬を行っていたことの痕跡が、スペインの遺跡で確認されています。このことからは、認知能力や知性が発達して、「死」や「時間」という抽象的な思考が可能になってきたことや、言語を使えるようになっていた可能性が指摘されています。

（2）言語と想像力の獲得

20万年ほど前に、アフリカにとどまっていたホモ・ハイデルベルゲンシスから、私たち現代の人類（ホモ・サピエンス）が誕生したとされています。

ホモ・サピエンスは、複雑な石器や道具など、必要なものを考えてつくり出す能力を獲得し、他者とコミュニケーションをはかるために、情報を絵や行動で示したり、言語で伝えたりすることができるようになってきました。

7万年ほど前になると、ホモ・サピエンスは、現代につながる新しい種類の言語を使って意思疎通をはかることができるようになったと考えられています。

私たちが使うようになった「言語」が特別な点は、限られた数の音声や記号をつなげて、異なった意味をもつ文章をいくらでも生み出すことができるという柔軟性をもっていることだとされています。言語を使うことによって、より大きな集団において情報を伝達し合うことができるようになったと考えられているのです。

また、言語によって、まったく存在しないものや想像上の事柄についての情報も伝達することができるようになりました。そして、現実とは異なる世界があると想像することによって「物語」をつくり、語り、共有することができるようになり、それが、私たちが絆を感じること、家族や共同体への帰属意識をもつことにつながったと考えられています。さらにはそれらが、同じものを信じること、つまり宗教を生み出し、多くの人々の思いをつなぎあわせて大きな共同体をつくり出すことを可能

第 1 節　人間と人間関係

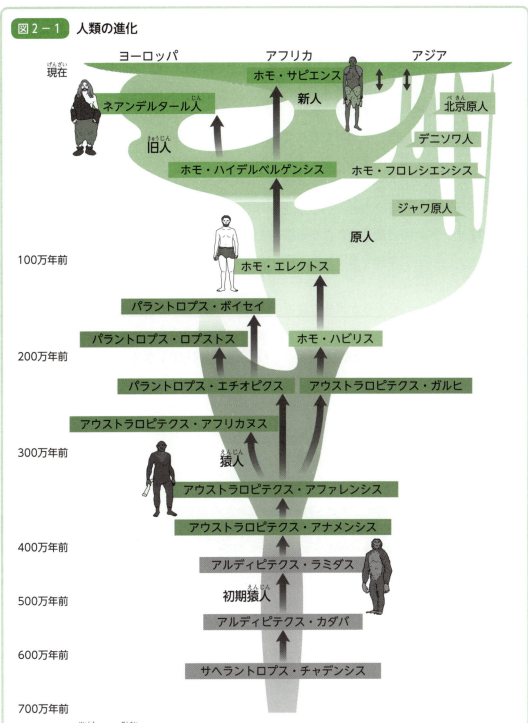

図 2 - 1　人類の進化

注：主な人類の系統関係と段階的進化および分布域のイメージ。アメリカとオーストラリアはアジアの続きだが、ここでは省いてある。両矢印は、ネアンデルタール人あるいはデニソワ人の一部が新人と混血した可能性を示す。ネアンデルタール人の学名はホモ・ネアンデルタレンシスである（原図＝馬場悠男）。

出典：NHKスペシャル「人類誕生」制作班編、馬場悠男監『NHKスペシャル人類誕生』学研プラス、p.9、2018年を一部改変

にしていったと考えることができます。

介護することは人間らしさの象徴

　このように、私たち人類は、その進化の過程で、ほかの動物にはない「他者を思いやるこころ」を発展させ、抽象的な思考とその伝達を可能にしてきました。また、言語を獲得したことなどによって、より人間らしくなったといえるでしょう。

　そのなかで、家族という関係において、また、集団、社会においても、他者のこころを思いやり、他者と協力することで、自分自身の生存や**幸福の追求**を可能にしてきたということができるのではないでしょうか。

　私たちが家族や身近な人々を介護することも、社会が制度として介護サービスを提供する体制を整えていることも、私たち人間（ホモ・サピエンス）が、人間にふさわしく、人間らしい生き方をしていることの象徴だといってよいと思います。

　介護福祉士は、このような悠久の人類進化の歴史をふまえて、**人間らしい営み**を体現しながら、介護をになう存在であることに誇りと自覚をもってほしいと思います。

2 自分と他者の理解

　「私は、ほかのだれでもなく、なぜ私なのだろうか」「私という意識は、どのようにして生じたのだろうか」と疑問に感じたことがありませんか。

　私たちは、「**自分**」という存在がたしかに自分の内側にあることを自覚しており、他者やまわりの環境は、すべて自分の外側にあるものとして理解しています。

　ここからは、自分と他者の理解について考えることを通して、人間関係の形成についてみていきます。

1 自分を形成する2つの要素

（1）先天的要素

　自分という存在をつくり上げている要素の1つに、生物としての遺伝子があります。遺伝子は、私たちの体型や肌の色などを決める、生物学的な構造や機能の設計図といえるものです。もちろん、私たち人間同士の遺伝子の違いは、生物の遺伝子全体からみたらごくわずかな違いにすぎないのですが、それでも、見た目で認識できるほどの違いが生じています。

　私たちの遺伝子は、両親から受け継いだものであり、両親の遺伝子は、そのまた両親から受け継いだものであるということができます。私たちの遺伝子は、人類のたどった歴史を受け継いでいるものであり、それは生物の始まりから受け継いでいるものであるということもできます。

　そのような意味で、私たちは、過去に生きていたさまざまな他者とつながりをもった存在であり、その他者から何らかのものを受け継ぎ、その影響を受けている存在であるといえるのです。

（2）後天的要素

　私たちは、生まれてからさまざまな環境の影響を受けて成長し、自分をつくり上げていきます。たとえば、私たちは生まれた国の言葉（言語）を自然に話すようになりますが、それは、生まれた国でその言語を聞きながら暮らすなかで言語を獲得していくのであって、はじめから特定の言語を話すよう脳の中で準備されているわけではないと考えられています。進化の過程で、自分の暮らす環境のなかでまわりの人たちが使っている言語を、生まれてから比較的早い時期に獲得するという能力が、私たちの遺伝子の中に組みこまれているといえます。

　また、日々の暮らしのなかで、自然的環境、物理的環境、社会的環境などの要素が、私たちの考え方や行動に影響を与えています。まわりの人とのふれあいやみずからの経験などを通じて、多くの知識や能力を獲得し、自分の考え方や価値観、関心などといったものを積み上げて、自分らしさ、個性というものを、自分のうちに形成していきます。

　このように、私たちはだれもが、生まれながらの先天的な要素と、生

まれたあとの後天的な要素の両方に影響を受けながら、自分という存在を形成してきたということができるでしょう。

2 自分を理解するとは

（1）自分のことを認識する

　私たちは、成長の過程で、自分が自分であること、自分が他者とは違った存在であることをいつの間にか意識するようになります。このことは、「自我が芽生える」と表現されます。
　自我は、一般的には「①認識・感情・意志・行為の主体としての私を外界の対象や他人と区別していう語。②意識や行動の主体を指す概念」（『広辞苑 第7版』）と説明されています。つまり、まわりの環境や他者とは区別されている私という存在のこと、私という意識をもって行動している私自身のことをさしているということができます。
　自我が芽生え、他者との違いを意識するようになっても、それだけでは自分自身がどのような人間かを理解するのはむずかしいことです。
　それは、人間にはさまざまな側面があり、それが複雑にからみ合い、絶えず変化しているからです。
　外見的にあらわれるものは比較的認識しやすいのですが、**内面**は行動などの見える形になって、ようやく理解できるようになるといえます。さまざまな方法で実施される心理検査も、人間のこころの一側面を映し出していますが、それで自分のすべてが理解できるわけではありません。人間の内面は、**内省**❸することによって、おぼろげにわかってくるものなのかもしれません。また、私たちには、認識、意識していない無意識の領域があり、それも自分の一部であるといえるのです。

❸**内省**
深く自己をかえりみること。反省。

（2）他者との関係と違いを認識する

　また、私たちは、**他者とのかかわり**なしに生きていくことはできない存在であるといえます。それは、生まれたときの状態を考えればわかるでしょう。私たちは、だれかから食べ物を与えられなければ、自分から食べ物を求めてからだを動かすことすらままならない状態で生まれてきます。絶対的に他者に依存したところから、私たちの人生は始まるといっても過言ではありません。ただし、そのような状態にあって、私たちは、たとえば「泣く」というようなわずかな手段を通じて、他者に自

分の意思を伝えようとしています。そこから、人間関係とコミュニケーションが始まっているといえるでしょう。

私たちが生まれてからさまざまな経験をしていくなかで、他者とのかかわりは、自分を形成するためにもとても大きな要素となっています。現代社会では、家族や日常的にふれあう身近な人間ばかりではなく、書物や映像などのさまざまな情報を通じて間接的に多くの人々と出会い、ふれあい、何らかの形で他者とかかわりをもちながら生きているのです。

そして、他者から有形無形のさまざまな影響を受けながら、その人たちとの関係のなかで、自分を理解しようとしているのです。他者とふれあい、他者の言動を見聞きし、自分と比較することによって、自分と他者のどこが違うのか、自分の特徴や自分らしさとは何かということについて考えることができます。

また、私たちは、自分についてのさまざまな情報や評価を、他者からえることができ、えようとします。自分が他者からどのように思われているかをまったく気にしない人などいないといってよいでしょう。

私たちは、自分の見方を通して自分（私）をとらえています。他者は、他者の見方を通して私をとらえています。当然、自分と他者とでは私のとらえ方が違います。それらを総合的にとらえながら、私たちは、自分を理解しようとしているといえます。

そのため、「自分を理解すること」と、次に述べる「他者を理解すること」は、相互に関連するものであるととらえることが重要になってきます。

3 他者を理解するとは

（1）こころとからだの両面を認識する

私たちは、自分の外側にあるものについて、さまざまな感覚器から情報をえて、脳でその情報を処理し、それまでに蓄積された情報と照らし合わせながら認識をしています。他者を理解する場合にも、まずはこのようなプロセスを経ることになります。

まず、私たちは、目（視覚）や耳（聴覚）を通じて情報をえて、他者を認識しています。また、状況によっては、より近づき、ふれあう（触

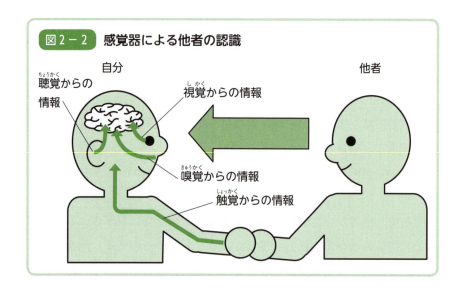
図2-2 感覚器による他者の認識

覚）こと、においをかぐ（嗅覚）ことによっても情報をえています（図2-2）。

　しかし、私たちは、感覚器からえた情報だけで他者を認識するだけでは、他者のことを深く理解できていないことを知っています。目に見えないもの、耳に聞こえないものなどのなかにも、他者を理解するために必要なことがあると考えています。それは、人間には、自分の内面にある感情や思いなどがあり、それを、必ずしも目に見える形で表現したり伝えたりするわけではないという、私たちの複雑なコミュニケーションのあり方を知っているからです。

　このように、私たちは、こころとからだの両面から、他者を理解しようとしているのです。

（2）自分との共通性と違いを認識する

　私たちは、自分と他者が違った存在であることを認識しています。単に、身体的に異なる存在であるということだけではなく、他者は自分とは違ったさまざまな要素をもっていると理解しているのです。しかし、それと同時に、私たちは、他者にも自分と共通する要素があることを認識しています。他者を理解しようとするときに、私たちは、自分と同じ要素と違った要素の両方を把握しようとしているといえます。

　そして、私たちは、無意識のうちに、自分と他者を比べるということをしているのです。自分と他者を比較し、自分と同じところはどこか、また、違うところはどこかということを常に考え、他者を理解しようと

しつづけているといえるのです。

　また、私たちは、他者を認識する際に、自分なりの見方をしているということができます。私たちは、自分を通じてしか、他者を理解することができません。他者のことを見たり、聞いたり、考えたりしているのは、自分です。ですから、「他者を理解した」と思うことは、自分なりに他者を理解したということであり、「自分流の他者理解である」ということを、こころに留めておくことが大切になります。

4　人間関係形成のために必要なこと

　今まで述べてきたことをもう一度整理すると、以下のようになるでしょう。

> ①　自分を理解することと他者を理解することは、相互に関連したことである。
> ②　自分を理解することと他者を理解することは、とても困難なことである。
> ③　私たちは、自分を通じて他者を認知している。
> ④　他者のすべてや他者のあるがままを理解することはできない。

　自分と他者の理解には、ともに大きな困難がともなうことがわかると思います。しかし、対人援助職は、人間を理解するということをあきらめてしまうことはできません。自分も他者も理解することは簡単ではないということを十分にこころに留めたうえで、その理解を少しでも深めるために、努力を積み重ねることが求められています。

　私たちは、介護サービスの利用者やその家族だけではなく、ともに働く介護福祉職などの同僚、そして連携・協働を展開するなかで出会うほかの専門職など、多くの他者と出会っていくことになります。そして、これらの人々とのあいだに、利用者の尊厳を保持し、自立を支援するために必要な人間関係を形成していくことが求められています。

　その人間関係形成の前提となるのが、自分と他者の理解、つまり<u>人間の理解</u>なのです。では、私たちが人間関係を形成していくために必要なことを考えていきましょう。

（1）自分と他者の違いを明確に意識する

　人間関係の形成のために、まずは、自分と他者が違う存在であること、別の人格をもった存在であることをはっきりと認識することが必要です。前述したように、私たちは、自分と他者とを比較してとらえようとします。互いの共通点が多いこともありますが、自分と他者を同一視するのではなく、なかよしであろうが、共通の趣味があろうが、他者は自分とはまったく違った存在であると認識することが大切です。

　そうすれば、他者のもつ自分との違いを「自分より優れているところ、劣っているところ」ではなく、「他者の、他者らしいところ」ととらえることができます。それが、他者を理解していくということです。

　自分と他者が違う存在であると認識することは、他者を1人の人間として徹底して尊重すること、尊厳を保持することに最大限努めることにつながります。また、それは同じように、自分のことをかけがえのない1人の人間としてとらえること、自分らしく他者とかかわろうとすることにもつながります。

（2）自己覚知を深める

　次に、人間関係を形成するために求められるのは、自己覚知を深めようとする態度です。

❶ 自己覚知とは

　自己覚知とは、自分についての理解を深めていくこと、とくに自分の内面について深く知るということです。

　私たちには表面化していない意識があります。日常の言動は、こういった**潜在意識**[4]にも影響を受けていることになります。自分を理解することはむずかしいということを前提にして、自分について理解を深めようとする態度や努力が必要です。

　具体的には、自分がどのような考え方や価値観をもった人間なのか、どのような性格傾向があるのか、また、言動にはどのような特徴があるのかなどについて知ることが求められています。

　対人援助職である介護福祉士にとって、自己覚知はとても重要だといえます。

❷ 自己覚知を深めるためには

　自己覚知を深めていく方法には、注意深く自分の言動やこころの動きをふり返り観察する、心理テストなどの結果を分析する、他者とのかかわ

---

[4] **潜在意識**
自覚されないままひそんでいる意識。

わりのなかで他者がどのように自分をとらえているかを確認するなど、さまざまな方法があります。そういった方法を積み重ねることによって、少しずつ、自分の内面を知ることができるようになるでしょう。

ジョハリの窓（図2-3）は、自分と他者とが相互に何を知っていて、何を知らないかを4つの窓であらわしています。

①開放の窓とは、自分も他者も知っている領域です。自分も他者も共通に理解していることが含まれます。私たちは、ふだんはこの領域を通じて、他者とかかわっているといえます。

②秘密の窓とは、他者は知らないが、自分は知っている領域です。他者に知られたくないこと、あえて秘密にしていること、他者が気づかないことが含まれます。

③盲点の窓とは、他者は知っているが、自分は知らない領域です。自分は気がついていない、意識していないけれど、他者にはわかっているということが含まれます。たとえば、自分では癖はないと思っていても、他者は多くの癖に気づいているということがあります。

④未知の窓とは、自分も他者も知らない領域です。この領域は、自分や他者が気づくことではじめて、今まで隠れていた未知の領域があったと認識することができます。実際にこの領域があるかどうかは明確には

図2-3 ジョハリの窓

	主観的な視点	
	自分が知っている	自分が知らない
他者が知っている（客観的な視点）	① 開放の窓 自分も他者も知っている	③ 盲点の窓 他者は知っているが、自分は知らない
他者が知らない	② 秘密の窓 他者は知らないが、自分は知っている	④ 未知の窓 自分も他者も知らない

なりませんが、私たちは、この領域があることを前提に考えることによって、自分と他者への関心をより高めていくことができると考えられます。

この４つの領域を分ける縦と横の境界線は変動します。たとえば、他者は知っているが、自分は知らない領域（③盲点の窓）があることを認識して他者とかかわり、他者から受ける評価や指摘を自分のなかで吟味して確認していきます。そうすると、その内容は、自分も他者も知っている領域（①開放の窓）に移動することになります。

また、他者も知らず、自分も意識化していないことが、④未知の窓にはひそんでいるかもしれません。自分には、自分も他者も知らない未知の領域があるという認識をもつことが、自己覚知を深める動機となることもあります。

このように、自分が知っている領域を拡大していくこと、図でいえば、縦の境界線を右に移動させていくことができれば、自己覚知が深まっているということができます。ただし、境界線が右端まで移動することはない、つまり、だれもが自分について完全にすべてを知ることはできないと理解しておくことが必要です。

（3）自己開示を適切に活用する

◼ 自己開示とは

私たちが互いをより理解し、人間関係を形成していくためには、自分について他者が知っていることを増やしていくことが必要となります。ジョハリの窓（**図2-3**）をもう一度見てみましょう。②秘密の窓の領域のことを開示し、①開放の窓の領域へ移すことによって、他者が自分について知っていることが増えることになります。

コミュニケーションを通じて自分の情報を他者に提供することを、**自己開示**といいます。自分について話すことは、他者が自分に対して親しみや関心をもち、自分についての理解を深めることにつながります。そのことで、他者もまた自分に対して自己開示をしていくことができるのです。そして、互いの理解が深まっていくことになります。

◼ 自己開示と相互理解の深まり

適切な自己開示の内容やタイミングは、自分と他者との関係性によって異なってきます。

互いが出会って間もない段階で、急に自分の詳細なプライバシーを明

かしても、相手はとまどったり、違和感をもったりするかもしれません。また、相手が自分に関心をあまり抱いていないうちに、積極的に自己開示をしても、その情報が正確に伝わらなかったり、マイナスな印象を与えることになったりするかもしれません。そのため、相手が関心を向けた内容や程度に合わせて、どのように自己開示していくかを吟味する必要があります。人間関係の深さに応じた自己開示が求められるのです。

つまり、他者のことを知り、人間関係を深めていくためには、自己開示を適切に活用することが必要になるということです。そして、相手が自分についての理解を深めることによって、相手も②秘密の窓を開き、相互に理解が深まることになります。

このように、相互の理解と信頼をもとに、こころが通じ合って、互いの感情の交流が行われている状態を、**ラポール**❺が形成された状態といいます。**ラポール**が形成された状態を継続することが、人間関係の発展において重要なことになるのです。

❺ラポール
援助関係の基礎となる相互の基本的信頼関係のこと。

（4）変化の可能性を信じる

次に、人間関係を形成するには、自分や他者の**変化の可能性**を信じること、自覚することが必要です。

1 自分の変化

私たちは、常に変化している存在であり、自分も他者も刻々と変化していくものです。

たとえば、**第一印象**で他者に対して否定的な感情をもつと、そこから人間関係を発展させていくことが困難になることがあります。しかし、第一印象でその人すべてをとらえることはとうていできません。否定的な感情は、自分自身の認知が影響しているといえます。そのため、自分の認知がこれから否定的なものから肯定的なものへと変化していくかもしれないと気がつくことができると、人間関係を発展させていくことにもつながります。この場合は、自分の変化の可能性を信じることができるかどうかが、その後の人間関係に影響することになります。

2 他者の変化

また、他者も変化する可能性があることを信じることが、人間関係を発展させていくことにつながることがあります。

相手が拒否的で、会話をしようにも、**取りつく島もない**❻という状態

❻取りつく島もない
つっけんどんで相手をかえりみる態度が見られない様子。頼れるところがなくどうしようもないこと。

第2章 人間関係とコミュニケーション

第1節 人間と人間関係

93

になることもあるでしょう。しかし、他者も変化する可能性があると信じていれば、「相手がいつかは変わるかもしれないから、それまで辛抱強く待とう」と考えたり、かかわり方を工夫したりすることで相手の態度が変わることを期待するでしょう。

3 社会の変化

さらに、自分と他者を理解するには、社会のさまざまな考え方やその変化に敏感になることも求められます。

現代社会では、**社会の価値観・考え方**も、日々大きく変化しています。自分や他者の価値観・考え方もまた、それらに影響されて変化しているということもできます。逆にいえば、私たちの価値観・考え方の変化が、社会の価値観・考え方や、それによってつくられた社会制度、社会規範の変化の基盤となるともいえます。

社会の変化と自分や他者の変化を敏感にとらえることが、人間関係を発展させながら相互理解を深めていくために必要なことといえるでしょう。

たとえば、**LGBT**[7]の人々の権利や障害者との共生について考えてみましょう。これらのことが社会のなかで議論されるようになり、社会の一定の理解や支持をえるようになったのは、ごく最近のことといえるでしょう。大きな社会の変化がそこにはあるといえます。

しかし、社会全体がすべて一様に変わったわけではありません。1人ひとりの意見や考え方は、その社会の多数派の意見でなくても、尊重されるべきであり、排除されるべきではないと考えられます。社会の人々がすべて同じ意見となることなど、ありえないことであり、あってはならないと考えるべきなのです。

[7] LGBT
p.26参照

（5）その人らしさを尊重する

また、1人ひとりに注目したときの「その人らしさ」を尊重する姿勢が重要となります。「自分らしさ」「他者らしさ」には、人間としての尊厳、人間らしさという側面と、個々人の具体的な暮らしや人生におけるその人らしさという側面があります。

人間としての尊厳、人間らしさには、私たちが暮らしている現代社会で、共通に認識されている人権の保障や人としての生活に関するさまざまな権利の保障が含まれます。それが前提となり、1人ひとりの権利が保障され、尊厳が保たれた生活を営むことができ、具体的な個々人のそ

の人らしさの実現につながるといえます。

　以上のようなことに留意しながら人間関係の形成に努め、すべての人がその人らしく生きることのできる社会の実現をめざしていくことが対人援助の専門職である介護福祉士の役割だという自覚を高めていくことが必要です。

3 発達心理学からみた人間関係

　では、人間の段階的な発達という観点から、人間関係の広がりについて考えてみましょう。

1 人間の段階的な発達

（1）人間の発達

　発達とは、年齢を重ねるなかで心身に生じる変化と定義されます。
　これまで、人間の発達は**生理的発達**を中心にして考えられていました。生理的発達とは、おもに身体面の成長・成熟を意味します。人間は身長50cmほど、体重3000gほどで誕生したあと、成人になるまでに身長は出生時の3倍以上、体重は15～20倍に増加します。
　また、生理的発達と相互に対応しているのが運動機能の発達です。人間は、自分で立つこともできない未熟な状態で生まれてきますが、身体の成長とともに運動機能が発達することで、自分でできることが増え、行動範囲が広がっていきます。
　身体の成長は、身長や体重だけでなく、性的な成熟も含めて青年期までにほぼ完成しますが、青年期以降も**心理的発達**は続きます。心理的発達とは、おもに精神的側面の変化を意味します。現在では、心理的発達も含めて、受胎から死にいたるまでの一生の変化すべてを**発達**と呼びます（『発達と老化の理解』（第12巻）参照）。

（2）人間の発達段階

　発達の過程において、発達現象や特徴を示す区切り（区分）のことを**発達段階**といいます。発達の一般的な区分には、赤ちゃんの時期（乳児

期・幼児期）、子どもの時期（児童期）、青年の時期（思春期・青年期）、大人の時期（成人期）、高齢者の時期（老年期）などがあります。発達過程をどのように区分するのか、発達段階をいくつに区分するのかによって、さまざまな発達段階説が存在します。

また、発達段階には年齢の目安がありますが、それは絶対的なものではなく、個人的なパーソナリティ[8]、家族や地域などの環境、社会状況、文化の影響によって大きく異なります。

❽パーソナリティ
その人の思考や行動を特徴づけている一貫性と持続性をもった心身の統一的な体制のこと。日本語では「人格」と訳す。

（3）エリクソンの発達段階説

発達段階については、さまざまな説がありますが、現在では、「人間は生涯発達しつづける」という考え方のもとに、誕生から死にいたるまでの過程をいくつかに区分して、各段階における発達の特徴を理解する方法が広く支持されています。

その代表的な発達段階説をとなえたのが、発達心理学者のエリクソン（Erikson, E.H.）です。エリクソンは、乳児期から老年期までを8つの段階に区分し、それぞれの段階において達成することが期待される**発達課題**を**表2-1**のように説明しています。

エリクソンの発達段階説は、人が発達の過程においてさまざまな課題や危機に直面することを示しています。課題を達成して危機を克服することで、私たちはパーソナリティや社会性を発達させていくのです。

2 パーソナリティの発達と人間関係

（1）パーソナリティの基礎

エリクソンは、人生最初の発達段階である乳児期の課題は**基本的信頼の獲得**であり、その課題達成に失敗すると「不信」という危機に直面すると考えました。

この時期の子どもは、1人では何も行うことができない未熟な状態です。他者に依存しなければ、栄養の摂取や排泄の始末などを行うこともできません。言葉を使って訴えることもできないため、養育者（とくに母親）は、子どもが発したサイン（泣く、発声するなど）を「ミルクがほしい」「おむつが濡れて気持ちが悪い」などのメッセージとして受け取って対応します。子どもは、自分のサインに養育者が適切に反応してくれることで、自分を取り巻く環境が信頼できるものであるという感覚

表2-1 エリクソンの発達段階説

発達段階 (年齢の目安)	発達課題	危機	特徴
乳児期 (生後～2歳ごろ)	基本的信頼の獲得	不信	母親（養育者）との関係を通して、自分自身あるいは自分を取り巻く環境が信頼できるものであることを感じる段階
幼児期前期 (4歳ごろまで)	自律性の獲得	恥・疑惑	基本的なしつけを通して、自分自身の身体をコントロールすることを学習する段階
幼児期後期 (7歳ごろまで)	自主性の獲得	罪悪感	自分の力で実現する経験と、それにともなう喜びを通して、自主的に行動することを学習する段階
児童期・学童期 (12歳ごろまで)	勤勉性の獲得	劣等感	努力して何かを成し遂げる経験と、それにともなう喜びを通して、有能感をもつことを学習する段階
思春期・青年期 (22歳ごろまで)	同一性の獲得	同一性拡散	子どもから大人へと変化していく過程において、「自分とは何者であるか」というアイデンティティ（自己同一性）を獲得する段階
成人期前期 (30歳代前半まで)	親密性の獲得	孤立・孤独	結婚や家族の形成に代表される親密な人間関係を築き、人とかかわり愛する能力をはぐくみ連帯感を獲得する段階
成人期後期 (60歳代前半まで)	生殖性の獲得	停滞	家庭での子育てや社会での仕事を通して、社会に意味や価値のあるものを生み出し、次の世代を育てていく段階
老年期 (65歳以降)	自我の統合	絶望	これまでの自分の人生の意味や価値、そして、新たな方向性を見いだす段階

を形成します。

同時に、自分が発したサインが状況を変えた（ミルクを飲むことができた、濡れたおむつを取り替えてもらうことができたなど）という体験を通して、自分自身に対する信頼感も養っていくのです。

このような体験が**パーソナリティ**形成の基盤となって、自我の発達に大きく影響を及ぼします。

(2) 自我の芽生え

幼児期になると、これまで養育者に依存して生活していた段階から、

独立した自己を形成する段階へと移行します。自分でできることが増えてくると同時に、排泄や食事、衣服の着脱などのしつけも始まる時期です。これまでは子どもの要求をやさしく満たしてくれた養育者が、しつけのために行動を制限・禁止したり、やりたくないことを強要したりする存在になります。その結果、子どもは反抗期を迎えます。

「いや」と言って指示を拒否したり、言われたことと反対のことをしたりする反抗的態度が多くみられるようになるのがこのころからです。やがて子どもは「自分でできる」「自分でやる」などの自己主張をするようになります。この現象は、自我の芽生えであり、自我の発達に重要な意味をもちます。その一方で、保育所や幼稚園などの集団生活を通して、がまんする、順番を待つ、きまりを守るなど、自己を抑制することも覚えていきます。

エリクソンによれば、幼児期前期の発達課題は自律性の獲得です。はじめは養育者からしつけとして行動を制御されていましたが、しだいに自分の意志によって、子どもは自分の行動をコントロールできるようになります。幼児期後期になると、発達課題は自主性の獲得であり、自発的行動がみられるようになります。

（3）自我の形成

勤勉性の獲得を発達課題とする児童期・学童期を経て、中学生になるころには急激な身体的変化とともに、自分自身への関心が生まれます。知的な能力も発達して、親や先生などの大人や社会の出来事を客観的に見ることができるようになります。

この時期には、進学や就職などの進路の問題、友達や異性との人間関係に関する問題、性役割（性に対して社会が期待している行動）や価値観の獲得などを通して、アイデンティティ（「自分とは何か」という自己同一性）を確立し、社会化が進むと考えられています。

エリクソンは、同一性の獲得を思春期・青年期の発達課題としていますが、一度獲得されたアイデンティティは、そのあとの経験やおかれた立場によって、修正が加えられたり変化したりして、より成熟したパーソナリティへと発達します。

（4）気質と環境との相互作用

エリクソンの発達段階説は、私たちのこころが一定の順序で発達して

表2-2 気質のタイプ

気質のタイプ	割合	生活リズム	特性
扱いやすい子 (Easy children)	40%	規則的	いつも機嫌がよく、環境の変化に適応しやすい。はじめての経験にも積極的。
扱いにくい子 (Difficult children)	10%	不規則	泣いたり、ぐずったりしやすく、すぐ機嫌が悪くなる。新しい状況には消極的。
エンジンがかかりにくい子 (Slow to warm up)	15%	規則的だが、活動水準が低い	全体的に反応が弱い。環境の変化に順応するのに時間がかかる。新しい状況には消極的。

注：残りの35%は、その他（others）に分類される。

いくことを示していますが、発達の順序は同じでも、私たちのパーソナリティには個人差がみられます。

この個人差は、遺伝によって決定されるのでしょうか。それとも、環境によって決定されるのでしょうか。

生まれたばかりで、環境からの影響をほとんど受けていない乳児にも、泣き方やそのタイミングなどの行動に個人差が観察されることがわかっています。遺伝的、生物学的に規定されると考えられる個人差を、心理学では**気質**といいます。トマス（Thomas, A.）らは、気質を**表2-2**のように3つに分類しています。

乳児期に観察される気質のタイプは、成長の過程においてずっと変わらない部分もあれば、成長とともに周囲の環境からの影響を大きく受けて変化する部分もあります。つまり、個人が遺伝的にもつ気質と環境との相互作用のなかで、パーソナリティは発達していくといえるでしょう。

3 社会性の発達と人間関係

（1）社会性を身につける

人間関係を形成し、円滑に維持していく能力のことを**社会性**といい、具体的には**表2-3**のようなものがあげられます。社会性は、社会の一員として、人とかかわりながら生活していくために必要な能力といえるでしょう。

私たちは、社会性を身につけて生まれてきたわけではありません。生

> **表 2 − 3** 社会性とは
>
> ・他者に対して適切な対応ができること（対人行動）
> ・集団のなかで協調的に行動できること（集団行動）
> ・仲間から好意を受けたい、仲間として認められたいという欲求をもつこと（社会的欲求）
> ・時代の情勢や風潮に関心を寄せること（社会的関心）

まれたときから他者に適切な対応ができたり、集団のなかで協調的に行動できたりする人はいないのです。私たちは、人として誕生した直後から、人とのかかわりを通して、社会性を身につけ発達させていきます。

（2）人間関係のはじまり

私たちは、生まれたときから家族という集団の一員として、親や兄弟姉妹などの家族メンバーとかかわりながら生活します。そのなかで最初に体験する重要な対人関係が、養育者との関係（とくに母子関係）です。

乳児期の子どもは、養育者の適切な育児行動によって、こころに安心感をえて、基本的信頼を獲得していきます。ボウルビィ（Bowlby, J.）は、この時期に形成される養育者との情緒的な絆のことを愛着（アタッチメント）と呼び、乳幼児期に形成された愛着が内的ワーキングモデルとなって、その後の人間関係にも影響を及ぼすと指摘しました。内的ワーキングモデルとは、対人関係の基礎となるもので、他者の意図や動機を解釈したり、行動を予測したりする際に使われるモデルのことです。

（3）子どもの遊びと人間関係の形成

子どもの遊びは、社会性をはぐくむうえで大きな役割を果たします。乳幼児期には、最初は1人遊びをする様子が多くみられますが、1歳を過ぎるころから子ども同士で遊ぶように変化し、2歳を過ぎるころにはルールや役割を決めて集団で遊ぶようになります。

集団で遊ぶためには、友達に伝わるように自分の要求や考えを表現することが必要です。友達にもそれぞれ要求や考えがあり、意見が食い違ったときには調整することも必要になるでしょう。このような体験を

くり返し、その結果、子どもはコミュニケーション能力や自律性、社会性を身につけていきます。

小学校に入学すると、子どもの社会的環境はさらに広がります。小学校の中学年ごろからは、同性、同年齢の気の合う仲間3〜5人くらいの固定的なグループをつくりはじめます。グループに所属しているという意識（帰属意識）を強くもつようになり、そのグループのメンバーだけに通じるルールや暗号を使ったり、秘密の遊び場をつくったりして、メンバー間で共通の価値をもつ文化を形成するようになります。

このように、仲間との集団活動のなかで、役割や責任、協力、約束、思いやりなどの大切さを知り、社会的ルールやリーダーシップの必要性を学ぶのです。

（4）人間関係の広がり

義務教育が終わるころには、仲間集団での**同調行動**[9]を基本とした関係から、情緒的なつながりの深い友人との関係へと、友達関係の質に変化がみられるようになります。同時に、行動範囲や活動範囲の広がりにともない、人間関係が拡大します。

青年期には、自己の存在感や同一性を獲得していくなかで、その内面の発達に支えられながら、人と適切にかかわりをもつための**社会的スキル**[10]も発達させていきます。

エリクソンによれば、成人期前期の発達課題は**親密性の獲得**です。親密性の獲得とは、結婚や家族の形成に代表される親密な人間関係を築くこと、人とかかわり愛する能力をはぐくみ連帯感を獲得することを意味します。誕生してはじめて所属した家族に、自分で築く家族が加わり、人間関係は家庭の内外で広がっていくのです。

4 発達における個人差

このように、人間の発達は、身体面と心理面が相互に関連し合い、いくつもの発達段階を経て成し遂げられています。また、発達の仕方には、一定の順序や方向性はあるものの、人によって**個人差**がみられます。

今の「自分」が、これまでにあゆんできた発達段階において、それぞれの発達課題を達成しながら形成されてきたように、他者も、もって生

---

[9] 同調行動
p.110参照

[10] 社会的スキル
他者に適切に対応するために用いられる言語的、非言語的な行動のこと。ソーシャルスキルとも呼ばれる。

まれた気質を基盤にして、その人の生活環境のなかで「自分」を形成してきたのです。

　介護福祉士には、自分とは異なる他者に対する適切な認識をもつこと、そして、個人差があるからこその「個」を大切にした介護を行うことが求められます。

4 社会心理学からみた人間関係

　私たちは、家族、学校、職場などの集団に属し、他者とかかわりながら生活をしています。集団がもつ心理学的な力が、人間関係にどのような影響を及ぼすのかを学びましょう。

1 他者とのかかわり

（1）私たちの認知

　図2-4を見てみましょう。これは、何の絵に見えますか。
　横顔の老婆の絵でしょうか。それとも、画面奥に顔を向けている若い女性の絵でしょうか。
　この絵は、老婆と若い女性の2通りに認知できるように描かれた作品ですが、どちらを先に認知するかは人によって違います。なぜなら、私たちが目や耳などからえた情報は、個々人がもつ経験や知識という認知のフィルターを通して処理されるからです。
　たとえば、目の前にあるものが何かを知るには、視覚情報「赤くて丸い」や嗅覚情報「甘酸っぱい香り」などの情報をえて、自分の経験や知識を通してそれが「リンゴ」であると認知します。しかし、リンゴを見た経験のない人や、リンゴの香りを知らない人は、感覚から情報をえても、それが何であるのかを認知することができません。
　私たち1人ひとりがもつ認知のフィルターには、これまでの経験や知識、記憶などが関与しているため、自分が見ている世界と隣の人が見ている世界は同じとは限らないのです。

（2）対人認知と人間関係

　私たちが認知のフィルターを通して見ているのは、物だけではありま

図2-4 ヒル「老婆と若い女性」

注：若い女性の絵に見えた場合は、見方を変えると女性の耳が老婆の目に、顎が鼻に、ネックレスが口になり、老婆の絵にも見えてくるでしょう。老婆の絵に見えた場合は、見方を変えると老婆の目が若い女性の耳に、鼻が顎に、口がネックレスに見えてくるでしょう。

せん。人に対する認知（**対人認知**）も、個々人がもつ認知のフィルターを通して行われているのです。私たちは、自分の認知のフィルターを通して相手がどのような人物であるかを理解し、その理解にもとづいて、その人への接し方を決定しています。

その人に対する自分の認知がほかの人の認知とは違うかもしれないと認識すること、そして、自分がどのような認知のフィルターをもっているのかを**自己覚知**[11]しておくことが大切です。

私たち1人ひとりが異なる認知世界を構成して生きていることを理解し、他者の認知世界を尊重し受容することが、人間関係を形成するうえで重要といえるでしょう。

[11] 自己覚知
p.90参照

（3）対人認知の特徴

介護福祉士にとって、対人認知で注意が必要になるのが、初対面で利用者に抱く印象です。人に対する**第一印象**は、その場限りで消えてなくなるものではなく、意外なほどそのあとの関係に影響しつづけます。「気むずかしそう」という第一印象をもった利用者に対しては、少し身構えながら関係をつくっていくことになるでしょう。「やさしそう」という印象を抱いた利用者に対しては、親しみや好意を感じて、すぐに良

> **表2-4 対人認知の傾向**
>
> **ハロー効果（光背効果、後光効果）**
>
> 他者がある側面で望ましい（あるいは望ましくない）特徴をもっていると、その評価をその人物に対する全体的な評価にまでひろげてしまう傾向。
> 例）学歴や肩書きで人柄まで評価する
>
> **ステレオタイプ**
>
> 集団とその集団に属するメンバーに対する過度に一般化された否定的あるいは肯定的な認知。細かい相違を無視して、その集団に属するメンバーをひとまとめにみてしまう傾向。
> 例）性別に対するステレオタイプ（「男性なら～」「女性はすぐ～」など）や、民族や地域性などに対するステレオタイプ（「日本人は～」「東京の人は～」「関西の人は～」など）

好な関係をスタートさせることができます。このような、初対面での情報がもつ影響力を**初頭効果**といいます。

利用者に対する第一印象は、その介護福祉士がもっている認知のフィルターを通して形成されます。同じ利用者に対して、人によって違う印象を抱くこともあるでしょう。それは、個々人のもつ認知のフィルターが異なるからなのです。

このように、私たちは、自分たちのもっているフィルターを通して、相手がどのような人物か認知して、相手に対する接し方を決定しています。利用者に対する理解がかたよったものにならないように、**表2-4**に示すような対人認知の傾向にも注意が必要です。「私は**ハロー効果**がはたらきやすい」「私は**ステレオタイプ**で相手をみてしまうところがある」などと、自身の対人認知の傾向を自覚しておきましょう。

（4）対人認知と対人感情

対人認知は、相手に対して抱く「好き」あるいは「嫌い」などの感情（**対人感情**）に大きく影響を及ぼします（**図2-5**）。

たとえば、表情や話し方、その他の情報から、「やさしい性格のもち主」と認知した相手には、好意の感情を抱きやすくなるでしょう。好意を抱いた相手の言うことややることは、好意的にとらえがちなので、ますます肯定的な認知を強化していきます。

反対に、「意地悪な性格のもち主」と認知した相手には、好意は抱き

図2-5 対人認知と対人感情の関係

にくくなり、嫌悪の感情すら生じるかもしれません。「坊主憎けりゃ袈裟まで憎い」ということわざのように、相手に嫌悪の感情を抱くと、その人に関係のある事物すべてを嫌いになってしまうことがあります。

人間の行動には、好きなことには積極的に接近する一方で、嫌いなことは回避しようとする大原則があります。好感をもった人の話には自然と耳を傾けたくなったり、積極的にかかわりたくなったりします。ところが、嫌悪の感情を抱いてしまうと、その人の言うことには興味をもてず、かかわりをもつことを避けたいとさえ思ってしまうかもしれません。

対人感情は、相手の行為や言葉などから生まれると思いがちですが、実は、相手に対する認知と深く結びついているのです。

(5) 一面的な対人認知の克服

私たちは、好意や感謝、尊敬などの肯定的な感情を抱いた相手と良好な人間関係を形成します。その一方で、否定的な感情を抱いた相手には、気持ちよく接することができずに、かかわること自体がストレス[12]になってしまうこともあるでしょう。

相手に肯定的な感情を抱くのか、それとも否定的な感情を抱くのかは、相手をどのような人物として認知するかに大きく影響を受けます。

[12] ストレス
p.113参照

表2-5 一面的な対人認知を克服する方法

- 話を聴く（本人、家族、周囲から）
- いろいろな場面でのその人を観察する
- いっしょに行動する
- ふだんからさまざまなタイプの人と接する
- 自分の認知の仕方を分析する
- 対人認知に関する知識をもつ

介護福祉士は、表2-5のような方法で、利用者に対する認知がかたよったものにならないように、さまざまな側面から利用者を理解することが大切です。

2 集団とのかかわり

(1) 私たちの生活と集団

私たちは、家族、学校、職場などのさまざまな集団に属し、それぞれの集団において役割をもち、多くの人々とかかわりながら生活しています。

集団とは、複数の人々の集まりのことです。しかし、駅や空港にいる人々や、イベント会場に集まる人々などのように、ある場所で、ある時刻に、偶然人々が集まっただけの状態を集団とは呼びません。

一般的に、集団とは、表2-6にあげる条件を満たす人々の集まりのことをいいます。企業における組織（企業集団）は、これらの条件すべてを満たしている代表的な集団といえるでしょう。しかし、仲間集団のように、地位や役割にもとづく関係が成立していない未組織集団は、すべての条件を満たしているとは限りません。

就労している介護福祉士のほとんどは、法人や企業などの組織に所属しています。組織とは、特定の目的を達成するために、個人や集団に専門分化された役割を与え、その活動を統合・調整するしくみのことをいいます。私たちが組織という言葉を使うときには、そのしくみによって構成された集団の全体をさしていることが多いでしょう。

表2-6　集団の条件

- 2人以上の人々から構成されている
- メンバーは共通の目標や目的をもっている
- メンバー間に相互作用やコミュニケーションがみられる
- メンバー間に地位や役割の関係が成立している
- メンバーは、自分がその集団に所属していることを自覚している

（2）集団の類型

1 基礎集団と機能集団

集団といっても、そのあり方はさまざまです。

メンバー間のかかわりに注目して集団を分類すると、自然発生的な基礎集団と機能集団[13]に分けることができます（表2－7）。

機能集団では、メンバーに対する対人認知がかたよりやすくなる傾向があります。たとえば、職場で見ている同僚の姿は、その人の一部分でしかありません。その同僚は、プライベートな時間をどのように過ごす人なのか、家庭ではどのような人なのかなどは、職場外での接触をもたなければ知ることはできません。職場でえた情報だけを頼りにして同僚を理解しようとするため、機能集団では対人認知が一面的になりやすいのです。

特定の限られた場面でえた情報から相手の全体像をとらえようとすると、ハロー効果がはたらいたり、ステレオタイプに依存したりして、対人認知がかたよりやすくなるので注意しましょう。機能集団における対人認知では、さまざまな情報から相手を理解しようとすることが大切です。

2 同質集団と非同質集団

メンバーの性質に注目して集団を分類すると、表2－8のように同質集団と非同質集団に分けることもできます。

メンバー間に性別、年齢、出身地などの共通する性質が多ければ多い

[13] **機能集団**
特定の機能を果たすためにメンバーが集まった集団。機能とは、集団がもつ目標を実現するための具体的なはたらきのこと。

表2－7　基礎集団と機能集団の特徴

基礎集団	メンバー間の恒常的・全面的な接触が特徴 例）家族や伝統的な地域共同体など
機能集団	メンバー間の一時的・部分的な接触が特徴 例）学校、職場、施設など

表2－8　同質集団と非同質集団

同質集団	何らかの共通点でメンバーが結びついている集団
非同質集団	メンバーを結びつける共通点のない、あるいは共通点の少ない集団

ほど、同質性の高い集団といえます。似たもの同士の集団では、互いにわかり合えることが多く、結束力も強くなる一方で、異なる性質をもつメンバーの考えや価値観を受け入れにくくなるという特徴もあります。

メンバーが異なる性質をもっている非同質集団では、集団としての一体感をえるまでに時間が必要となることもあるでしょう。その性質の違いをいかして、さまざまな考えや意見を積極的に受け入れ、互いをおぎない合う集団づくりをすることが求められます。

（3）集団生活の展開

集団は、どのように形成されるのでしょうか。集団の形成のされ方は、表2－9のように、計画的形成による公式集団と、自発的形成による非公式集団の2通りがあり、これら2つは影響し合う関係にあります。

たとえば、学校におけるクラスは、公式集団です。クラスには、リーダー的な立場の役職（クラス委員長）やさまざまな係、委員についている児童や生徒、学生がいます。クラスは学校の公式集団なので、児童や生徒、学生はクラスを自由に選択することはできません。

やがて、クラスのなかで少人数のなかよしグループが生まれたり、共通の興味・関心を通してクラスの違う仲間ができたりします。これらは、学校が計画的に形成した集団ではなく、児童や生徒、学生による自発的形成による非公式集団です。

なお、このような集団での生活にいたる過程は、図2－6のように5段階で整理することができます。

表2－9　集団の形成

計画的形成による集団
・周囲の要請にもとづいて形成
・社会的目標を達成するためにつくられた公式集団
・メンバーは地位や役割によって結びついている

自発的形成による集団
・集団のメンバーの1人ひとりの意志にもとづいて形成
・自然発生的に集まった非公式集団
・メンバーがおもに感情によって結びついている

図2-6 集団生活にいたる過程

集団の一員として一体感が強まる段階
＜集団生活の展開＞

集団への所属意識が強まり、連帯感が高まる段階
＜役割の分担＞

集団への所属意識をもつようになり、仲間をつくりはじめる段階
＜仲間の形成＞

メンバー間に相互のはたらきかけがみられる段階
＜相互作用＞

その集団のメンバーとして、ただ集まっている段階
＜個の集まり＞

3 集団のなかの人間関係（グループにおける力動性）

　私たちの行動は、集団の影響を強く受けています。1人でいるときの行動と集団のなかにいるときの行動が異なるのは、集団がもつ心理学的な力がはたらいているからです。
　集団の影響は、メンバー間の人間関係においてもみられるということが、**集団力学（グループ・ダイナミクス）**[14]の研究によって明らかにされています。

[14] **集団力学（グループ・ダイナミクス）**
p.205参照

（1）集団は規準を共有する（集団規範）
　集団内の大多数のメンバーが共有する判断の枠組みや思考様式のことを、**集団規範**といいます。その集団に属しているメンバーに期待される価値観や判断、態度、行動などの規準ともいえるでしょう。
　学校規則や就業規則のように明確に示された規範もあれば、メンバー間で暗黙の了解として共有されている規範もあります。

集団規範は、メンバーの行動が適切か不適切か、あるいは許容範囲内であるか否かを評価する規準になります。その規範にもとづいて行動しない場合には、ほかのメンバーから心理的圧力が加えられることもあるでしょう。規範は、集団を維持し、共通の目標を達成していくための手段として機能します。

また、集団規範は、その集団のメンバーにとって、判断や行動のよりどころでもあります。規範に従うことで、自分の行動や考えに妥当性が与えられ、精神的な安定がえられるというメリットがあります。しかし、その一方で、規範に固執しすぎると、メンバーの意識や行動が画一化してしまい、状況の変化に柔軟に対応することがむずかしくなります。

（2）集団はまとまる（集団凝集性）

メンバーをその集団にとどまらせようとする力のことを、**集団凝集性**といいます。集団凝集性には表2-10のような2つの側面があります。

メンバーがその集団に魅力を感じていて、メンバー間の結びつきの強さや心理的なまとまりのよさがみられる集団は、凝集性が高いといえます。集団凝集性が高まると、メンバーは自身の社会的欲求が満たされて、心理的な安定感を集団からえることができます。集団で課題を解決していく動機づけも高まるでしょう。

一般に、集団凝集性が高いほど、活動が活発で、人間関係が安定し、目的達成を容易にすると考えられています。その一方で、集団意思決定場面において、凝集性の高さがかえって決定の柔軟性や、情報探索の範囲をせばめるという指摘もあります。

（3）集団に合わせる（同調行動）

集団のなかで自分の考えや行動がほかのメンバーと異なるとき、とくに多数派の意見と異なる場合に、私たちは、ほかのメンバーと合致するように自分の意見を変化させることがあります。このように、ほかのメンバーに自分の考えや意見を合わせることを、**同調行動**といいます。

同調行動は、集団凝集性の高い集団で発生しやすく、表2-11に示したようなことが理由となって生じると考えられています。

同調行動は、集団としてのまとまりを強め、集団目標の達成を助ける反面、いじめなどの社会的に許されない行動が同調行動によってエスカ

第1節 人間と人間関係

表2-10	集団凝集性の2つの側面
対人的凝集性	メンバーたちが互いに好意をもつことにより生じる集団の魅力
課題達成的凝集性	その集団に所属することで自分にとって重要な目標を達成できることにより生じる集団の魅力

表2-11	同調行動が生じる理由
情報的影響	・ほかのメンバーの意見や行動をよりどころとして適切な判断をしたい ・同じ意見をもつことで自分の考えは正しいと安心したい　　など
規範的影響	・ほかのメンバーに承認されたい ・期待にこたえたい ・仲間はずれにされたくない　　など

レートすることもあるので注意が必要です。

(4) 集団内で圧力が生じる（集団圧力）

同調行動に関する有名な心理学実験があります。

アッシュ（Asch, S. E.）は、集団の圧力がかかったときに、人はどのような行動をとるかを実験しました。被験者には、この実験が集団圧力に関する実験であることは伝えられていません。被験者は6人グループになって、図2-7のような標準カードを見せられたあと、同じ長さの線を比較カードにあるA、B、Cの3本の線のなかから選ぶように言われました。

正解は明らかにBであることがわかります。しかし、1番目の人はAと答えました。2番目、3番目、4番目、5番目の人も答えはAでした。実は1番目から5番目までの人は全員協力者で、実験者からAと答えるように事前に指示されていました。それを知らなかったのは、6番目の人のみです。

6番目の人は、全員がここまでAと答えたことを聞いて知っています。6番目の人は、自分の順番になったときに、ここまでの5人と同じ

111

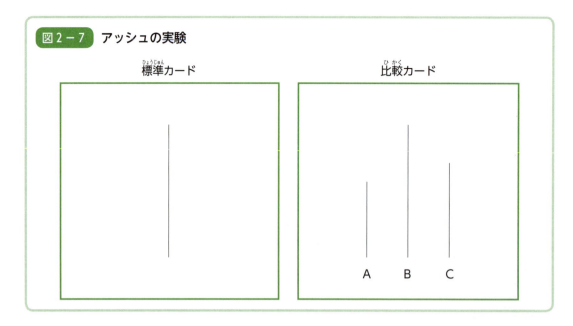

図2-7 アッシュの実験
標準カード　比較カード　A　B　C

くAと答えたのでしょうか。それとも、正解であるBと答えることができたのでしょうか。

何度も異なるグループで実験した結果、約3分の1の人が集団内の圧力によって同調行動をし、Aと答えました。この実験の本当の目的は、こうした集団圧力があるときに、被験者がどのように反応するかをみることだったのです。

人は、集団圧力のまえでは、多数派への同調行動をとりやすくなります。同調行動は、集団のなかで自分だけが浮いてしまわないための自己防衛的行動といえるでしょう。しかし、多数派がいつも正しいとは限りません。少数派が集団圧力に負けないためには、熱心さ、自律性、一貫性、堅固さ、公正さなどが必要だと考えられています。

(5) 所属する集団をひいきする（内集団バイアス）

内集団バイアスとは、内集団（自分が所属し、身内意識をもっている集団）に好意的な態度をとることをいい、「内集団ひいき」とも呼ばれています。

内集団意識が明確化されると、仲間意識が強くなり、その集団のメンバーであることの誇り（自尊感情）が生まれます。とくに、周囲から評判のよい集団や、そのメンバーになるために厳しい条件がある集団ほど、メンバーの自尊感情が高まる一方で、内集団バイアスが起こりやす

くなります。

内集団バイアスが生じると、外集団（自分が所属する集団とは別の、よそ者意識をもっている集団）には差別的な態度をとる傾向があるので注意が必要です。

5 人間関係とストレス

人とかかわることで、私たちは喜びや幸せ、安心を感じます。一方で、人間関係の形成や発展において、ときに人とのかかわりがストレスになることもあります。ストレスについて学び、適切に対処するための方法を身につけましょう。

1 日常生活のストレス

私たちは日常的に、「ストレス」という用語をよく使っています。たとえば、「人間関係がストレス」「ストレスで胃が痛い」などと表現されることがありますが、「ストレス」という用語にはどのような意味があるのでしょうか。

ストレスは、何らかの刺激によってこころやからだがゆがんだ状態を意味する言葉であり、こころやからだにかかる外部からの刺激を**ストレッサー**、ストレッサーによって引き起こされる反応のことを**ストレス反応**といいます（図2-8）。

私たちは「ストレス」という用語を、ストレッサーとストレス反応の両方を意味するものとして日常的に使っています。「人間関係がストレス」とは、人間関係がストレッサーになっていることを意味しており、「ストレスで胃が痛い」とは、ストレス反応としての胃痛を意味していると考えられます。

(1) ストレッサーの種類

図2-8を見ると、日常のさまざまな刺激がストレッサーになることがわかります。「疲れた」（過労）、「痛い」（痛み）などの**身体・生理的ストレッサー**や、「うるさい」（騒音）、「暑い」（温度）などの**物理・化学的ストレッサー**は、からだへの刺激となるストレッサーです。それに

図2-8　ストレッサーとストレス反応

ストレッサー：外部からの刺激

- 身体・生理的ストレッサー
  （過労、痛み、感染など）
- 物理・化学的ストレッサー
  （騒音、温度、湿度、たばこの煙など）
- 心理・社会的ストレッサー
  （ライフイベント、人間関係など）

→

ストレス反応：ストレッサーによって引き起こされる反応

- 身体的反応
  （睡眠障害、胃腸関連不調、頭痛など）
- 心理的反応
  （不安、イライラ、意欲の低下など）
- 行動面の反応
  （遅刻やミスが多くなるなど）

---

⑮ ライフイベント
人生のなかで起こる出来事のこと。

対して、受験・進学、就職などの**ライフイベント**⑮、仕事上の問題、家庭の問題、人間関係などの**心理・社会的ストレッサー**は、こころへの刺激となるストレッサーといえるでしょう。

日常生活において、私たちがストレスと感じやすいのは、心理・社会的ストレッサーです。そのなかでも、人間関係に悩みをもっている人は少なくありません。

私たちは、常に、人とかかわりながら生活をしています。家庭においては親や兄弟姉妹とのかかわり、学校においては先生や友人とのかかわり、職場においては上司や部下、同僚とのかかわり、地域においては近隣とのかかわりなど、所属している集団において、さまざまな人間関係を形成しています。人とかかわることで、多くの喜びや幸せ、安心などを感じることができる一方で、過剰な気づかいやがまん、怒りや嫌悪などのネガティブな感情がともなう人間関係は、ストレッサーにもなるのです。

（2）ストレス反応の分類

ストレッサーが引き起こすストレス反応にも、さまざまなものがあります。ストレス反応は、**身体的反応**、**心理的反応**、**行動面の反応**の3つに分類することができますが、反応のあらわれ方には人それぞれに違いがみられます（図2-8）。

ストレスを感じたときに、夜眠ることができない、胃が痛くなる、頭痛やめまいがするなどの身体的反応が強くあらわれる人もいれば、不安

になる、イライラする、意欲が低下するなどの心理的反応が出現しやすい人もいます。あるいは、これまでのその人の行動と比べると、遅刻や忘れ物が増える、不注意による単純ミスが多くなる、怒りっぽくなるなど、行動面に変化が認められる場合もあります。

2 ストレスにおける個人差

　私たちの生活から、すべてのストレスを消し去ることはできません。それは、日常のさまざまな刺激がストレッサーになる可能性をもっているからです。ただし、何が、どの程度のストレスになるのかは、人それぞれです。

　たとえば、パーティーなどの人の集まりに招待された場合、「どんな人が参加するのか楽しみ」「たくさんの人と会話ができたらうれしいな」と思う人もいれば、「どんな人が参加するのか不安」「うまく会話できずに場の雰囲気を悪くしたらどうしよう」などと悩んでしまい、ストレスを感じる人もいます。このように、同じ出来事に直面しても、とくにストレスを感じない人もいれば、その出来事が強いストレッサーになってしまう人もいるのです。

　どうして、このような違い、個人差が生じるのでしょうか。表2－12のようなものが、ストレスにおける個人差に影響を及ぼしています。

（1）認知的評価

　ラザルス（Lazarus, R. S.）とフォルクマン（Folkman, S.）は、ある出来事がストレスになりうるかどうかは、認知的評価（個人の主観的な解釈による評価）によって判断されると考えました（図2－9）。この考え方を、心理社会的ストレスモデルといいます。

　認知的評価は、一次評価と二次評価の2段階で行われます。一次評価

表2－12　ストレスにおける個人差に影響を及ぼす要因

・認知的評価
・性格傾向
・行動パターン　など

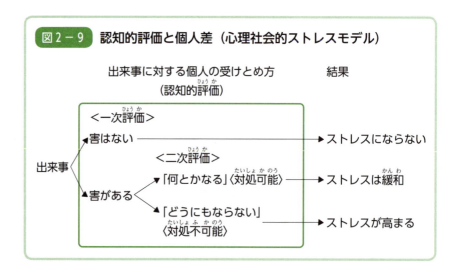

は、出来事が自分自身に対してどのように影響するのかを評価する過程です。その出来事を「自分にとって害のないもの」と受けとめれば、ストレスは生じません。一次評価において「自分に害を及ぼすもの」と受けとめた場合に、その出来事はその人にとってストレッサーとなるのです。

二次評価では、そのストレッサーに対して、どのような対処が可能か、その対処は効果が期待できるものなのか、などを評価します。最終的に「何とかなる」と評価すればストレスは緩和されますが、「だめだ、どうにもならない」と評価すると、ストレスは高まってしまうのです。

私たちは、潜在的なストレッサーと直面したときに、これまでの経験や体験、自分のもっている知識や情報、価値観や性格傾向などをもとに認知的評価を行います。その結果がストレスにおける個人差につながっているといえます。

（2）性格傾向

性格傾向は、認知的評価に影響を及ぼして、ストレスにおける個人差を生じさせる要因の1つです。一般的に、物事をうまくいくものと気楽に考える楽観的な性格傾向の人は、深く悩んだり、考えこんだりすることなく、何事にも楽しみながら取り組むことができる特徴があります。どのような出来事に直面しても肯定的に解釈するため、ストレスにならない、あるいは、ストレスが緩和されるような前向きな評価になりやすいのです。反対に、**表2-13**のような特徴をもつマイナス思考の人は、

> **表2−13** マイナス思考の特徴
>
> - よい結果を想像してがっかりしたくないので、いつも悪い結果を想定する
> - ちょっとしたことでも、悪いほうに考えてしまう
> - 思いどおりになることは、まずないと思っている
> - あまり期待しないようにしている
> - 物事がうまくいくと、かえって不安になる

> **表2−14** 完璧主義の特徴
>
> - 几帳面で、物事にこだわりやすい
> - 融通がきかないほうだ
> - 物事は完璧にしないと気持ちが悪い
> - 責任感や義務感がとても強い
> - 計画どおりにいかないと、とても気になる

> **表2−15** 自己抑制の特徴
>
> - 人から気に入られたいと思う
> - 思っていることを口に出せず、がまんする
> - 人の顔色や言動が気になる
> - 人に嫌われないように自分の感情を抑える
> - 自分の考えを抑えて、まわりに合わせる

出来事の否定的側面を過大視してしまいがちです。「自分にはとうてい対処できない」と評価した結果、ストレスを強く感じてしまう傾向がみられます。

そのほか、完璧主義（表2−14）や自己抑制（表2−15）などの性格傾向も、ストレスを高めてしまいやすいことが指摘されています。

（3）行動パターン

ストレスと関連した**行動様式**[16]として、タイプA行動パターンとタイプC行動パターンが有名です。

タイプAとは、フリードマン（Friedman, M.）とローゼンマン（Rosenman, R. H.）が提唱した行動パターンで、**表2−16**のような

[16] **行動様式**
個人や集団の行動の仕方。

> **表2-16** タイプA行動パターンの特徴
>
> ・高い目的意識をもって努力する
> ・競争心が強い
> ・時間的切迫感をもっている
> ・攻撃的・敵対的な行動をとる
> ・早口で声が大きい

> **表2-17** タイプC行動パターンの特徴
>
> ・怒りを表出しない
> ・不安や恐れ、悲しみなどのマイナスな感情を表現しない
> ・仕事や人間関係においてひかえめ
> ・忍耐強い
> ・自己犠牲的な問題解決を選びやすい

特徴があります。

　常に時間に追われながら積極的・意欲的に行動するタイプA行動パターンをもっている人は、おっとり、のんびり、マイペースな行動パターン（タイプB）をもっている人と比べて、ストレス反応を起こしやすく、冠状動脈性心疾患を発症しやすいことが指摘されています。

　タイプCは、テモショック（Temoshok, L.）とドレイア（Dreher, H.）らによって整理された概念で、表2-17のような特徴があります。がんにかかりやすい人（免疫機能が低下しやすい人）に広く認められる行動パターンとして知られています。

3　ストレス対処行動としてのコーピング

　ストレスにおける個人差はあるものの、私たちの日常生活からストレスをすべて消し去ることはできません。だからこそ、ストレスに適切に対処することによって、上手にストレスとつきあっていくことが必要です。

　ラザルスとフォルクマンは、個人と環境との相互作用の結果、個人の資源をおびやかすと判断された場合に個人がとる認知行動的努力のこと

表2-18 コーピングの分類

問題焦点型コーピング	情動焦点型コーピング
ストレッサーや、ストレスと感じる環境を改善・変革することで、ストレスに対処しようとする方法	ストレッサーそのものに対してではなく、それによってもたらされる反応を統制・軽減することで、ストレスに対処しようとする方法
ストレッサーへのはたらきかけ	ストレス反応へのはたらきかけ

を、**コーピング**と定義しています。

コーピングには、ストレッサーにはたらきかける**問題焦点型**コーピングと、ストレス反応にはたらきかける**情動焦点型**コーピングがあります（表2-18）。

たとえば、人間関係において誤解やトラブルが生じた場合、誤解が解けるように話し合いをしたり、頼りになる人に相談してトラブルを解決しようとしたりするのは問題焦点型コーピングです。問題焦点型コーピングは、問題を解決あるいは改善することで、ストレッサーそのものをなくそうとする対処行動です。

しかし、問題そのものの解決がむずかしくて、ストレッサーそのものをなくすことができない場合には、引き起こされたストレス反応の軽減をはかります。気分転換や気晴らしなどを行うことで、ストレス反応にはたらきかける対処行動を情動焦点型コーピングといいます。たとえば、運動やダンスなどで身体を動かす、好きな音楽を聴く、ヨガや瞑想などで呼吸を整えるなどは、効果的な情動焦点型コーピングの例です。

4 周囲からのソーシャル・サポート

ストレッサーになる出来事に直面しても、そのときにだれかがサポートしてくれることで、深刻なストレス反応を引き起こさずに乗り越えられることもあるでしょう。その人を取り巻く、家族、友人、同僚などからえられる支援のことを、**ソーシャル・サポート**といいます。適切なソーシャル・サポートには、ストレスを緩和する作用があることが明らかになっています。

表2-19 ソーシャル・サポート

分類	支援の例
情緒的サポート	共感、慰め、はげましなどの情緒面へのはたらきかけと、肯定的な評価やフィードバックなどの認知面へのはたらきかけ
情報的サポート	解決のために役立つ情報を提供する間接的なサポート
道具的サポート	解決のための実質的資源（経済・物質・技術など）を提供する直接的なサポート

　ソーシャル・サポートには、心理的な支援を意味する**情緒的サポート**のほか、物質的な支援を間接的に提供する**情報的サポート**と、直接的に提供する**道具的サポート**があります（**表2-19**）。

◆ 参考文献
- NHKスペシャル「人類誕生」制作班編、馬場悠男監『NHKスペシャル人類誕生』学研プラス、2018年
- ユヴァル・ノア・ハラリ、柴田裕之訳『サピエンス全史――文明の構造と人類の幸福　上』河出書房新社、2016年
- 養老孟司『バカの壁』新潮社、2003年
- ゾフィア・T・ブトゥリム、川田誉音訳『ソーシャルワークとは何か――その本質と機能』川島書店、1996年
- 小塩真司『はじめて学ぶパーソナリティ心理学――個性をめぐる冒険』ミネルヴァ書房、2010年
- 大場牧夫・大場幸夫・民秋言『新保育内容シリーズ　新訂　子どもと人間関係――人とのかかわりの育ち』萌文書林、2008年
- 中島義明・安藤清志・子安増生・坂野雄二・繁桝算男・立花政夫・箱田裕司編『心理学辞典』有斐閣、1999年
- 村井俊哉、森本恵子、石井信子編著『メンタルヘルスを学ぶ＝What is Mental Health?――精神医学・内科学・心理学の視点から』ミネルヴァ書房、2015年

第 1 節　人間と人間関係

演習2-1　自分と他者の認識のずれについて考える

「自分」に関する認識が、自分と他者でどのように違うのか、グループで考えてみよう。

1　自分の性格や行動パターンをいくつかあげてみよう。また、自分以外の人にも自分の性格や行動パターンをいくつかあげてもらい、その違いを確認してみよう。

2　1であげたものについて、自分と他者で認識が違っていたものを取り上げ、なぜ認識が違うのか考えてみよう。

演習2-2　少数派が集団を変えるために必要なことを考える

集団圧力のなかで、少数派が集団を変えるためにどういったことが必要か、グループ（あるいはペア）で考えてみよう。

1　集団圧力によって同調行動をとりやすくなる例をあげてみよう。

2　自分が少数派だったときにあなたは多数派にどのようなはたらきかけをしますか。1の例をもとに話し合ってみよう。

第 2 節

対人関係における
コミュニケーション

学習のポイント
- コミュニケーションの特性や構造について学ぶ
- 言語的コミュニケーションについて学ぶ
- 非言語的コミュニケーションについて学ぶ

関連項目
⑤『コミュニケーション技術』▶第1章「介護におけるコミュニケーションの基本」
⑤『コミュニケーション技術』▶第2章「コミュニケーションの基本技術」

1 コミュニケーションの概念

　ここでは、コミュニケーションの語源からその意味を理解するとともに、コミュニケーションの基本的なあり方について考えてみたいと思います。

1 コミュニケーションの語源

　「コミュニケーション」という言葉から、私たちは、何を思い浮かべるでしょうか。人間同士の「意思疎通」を思い浮かべることが多いのではないでしょうか。たしかに、多くの場合は「互いの意思を言葉やその他のさまざまなことを通じて伝え合う」という意味で「コミュニケーション」という言葉を使っているのは間違いありません。しかし、「コミュニケーション」という言葉の示す意味はそれだけではないと考えられます。

　「コミュニケーション（communication）」の語源には、ラテン語の「共有する」または「共通項」を意味する言葉があるといわれています。そこから「コミュニケーション」を考えると「互いに情報や認識な

どを共有し、共通するものをつくり上げていくプロセス」であるということもできます。意思の疎通ができれば、共有することが増え、互いの共通項が広がり、共通項を通じて互いの理解が深まり、その人間関係はより強固なものになっていくということができるのです。

2 マスコミュニケーションとパーソナルコミュニケーション

　コミュニケーションは、一般に、マスメディアを通じて大量の情報を大衆に向けて発信する「マスコミュニケーション」と、情報の送り手が個人で、直接受け手にはたらきかける「パーソナルコミュニケーション」（対人コミュニケーション）に分けられます。

　マスコミュニケーションには、時間的、空間的な距離を経て、大量の情報を間接的、一方的に伝達するという特徴があります。また、情報の送り手と受け手は固定的である場合が多いとされています。

　一方、**パーソナルコミュニケーション**には、対面的に情報の送受信が行えることによって、メッセージの調整やフィードバックが行われやすいという特徴があります。

　現代社会においては、これまでマスコミュニケーションとされてきた新聞、雑誌、テレビ、ラジオなどのマスメディアによる情報伝達にも、相互性が取り入れられるようになっています。新聞や雑誌には、多くの場合、読者の投稿欄が設けられています。また、テレビでもdボタンを活用することで、視聴者が情報を発信することが可能となっています。

　また、情報通信機器やインターネットの発展・普及によって、情報の発信や受信のあり方が多様化しています。スマートフォンや携帯電話、タブレットなど情報通信機器・端末が持ち運べるようになったことで、情報の発信・受信が、場所や時間を限定せずに行うことができる状況になっているといえます。そして、発信される情報量が膨大になっていると同時に、情報の受信は1人ひとりの選択にゆだねられており、取捨選択される傾向が強くなっているといえるでしょう。

　このようなマスコミュニケーションの変化が、パーソナルコミュニケーションにも大きな影響を与えていることに注意する必要があります。

2 コミュニケーションの基本構造

ここからは、パーソナルコミュニケーション（対人コミュニケーション）に引き寄せながらコミュニケーションについて考えていきます。

まずここでは、コミュニケーションの基本構造について、メッセージ、送り手、受け手の3つに分けて考えてみたいと思います。

1 メッセージ

まず、私たちは、**シンボル（象徴）**を介して**メッセージ**[1]をやりとりしています（図2−10）。シンボルとは、あるものを象徴的にあらわす記号で、言語やその他の記号などがあります。シンボルそのものが意味を備えているわけではありません。それを使う人間が意味をあてはめて、情報やイメージを交換・共有するために用いる道具です。この「シンボルを使う」という能力の獲得が、私たちのコミュニケーションの発展につながっています。

また、私たちは、**言葉**や**行為**そのものに意味があると考えがちです。しかし、そうではありません。人間は、コミュニケーションを通じて、言葉や行為に意味を見いだしたり、それを相手に伝えようとしたりしているのです。

私たちが国語辞典で用語の意味を調べることは、シンボルである言葉の内容について確かめることだといえます。たとえば、「いす」を国語辞典（『広辞苑 第7版』）で調べてみると、「①こしかけるための家具。

[1] **メッセージ**
言語その他の記号（コード）によって伝達される情報内容。

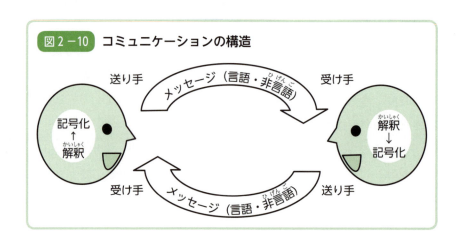

図2−10 **コミュニケーションの構造**

腰掛け。②官職などの地位。ポスト」と説明されています。これは、シンボルとしての「いす」という言葉には、一般的にこのような意味があるということです。この意味をメッセージの送り手と受け手が互いに了解し合うことで、コミュニケーションが成立しているのです。

　また、「相手に向かって人差し指を向けるという行為」には、さまざまな意味があると考えられます。赤ちゃんが近づいてきた相手に向かって人差し指を向けるのは、相手に注目してほしいからかもしれません。教室で先生が学生に人差し指を向けるのは、「あなたがこの質問に答えてください」というメッセージを伝えようとしているのかもしれません。また、あなたがまちなかで友人と歩いているときに、友人が前から来る知らない人に人差し指を向けるのは、「ほら、あの人を見て」とあなたに伝えようとしているのかもしれません。そして、人差し指を向けられた相手も、その行為をさまざまな意味でとらえます。知らない人に人差し指を向けられた相手は、とまどったり、敵意や何らかの違和感をもったりするかもしれません。

　このように、同じ行為でも、そのときの状況に応じて、行為をする側もその行為を受け取る側も、それぞれが行為に**意味づけ**をしていることになります。

2　送り手と受け手

（1）意識しなくても、さまざまなメッセージを発している

　私たちは、一般的に、**送り手**として、だれかに何かを伝えたくてコミュニケーションをはかろうとしていると考えられます。しかし、私たちは、意識的・意図的に言葉を発したり、動いたりしていなくても、私たちの存在自体が絶えず**メッセージ**を発しているともいえます。そして、そのメッセージを受け取る相手（**受け手**）は、何らかの意味をそこに見いだして、何らかの反応を示しているといえます。つまり、私たちは、絶えずコミュニケーションをしているのです。

　これは、直接的に人間同士がふれあう場面だけにあてはまることではありません。たとえば、電話やSNSで連絡した場合も同様です。受け手からの返信がない場合に、送り手は、「返信がない」ということから、受け手の状況や受け手との関係を、送り手なりに理解しようとします。

受け手も、「返信しない」ということに「もう会いたくない」というメッセージをこめているかもしれません。

このようにコミュニケーションは、さまざまな場面で、意識する・しないにかかわらず行われており、絶えることのない、継続的・連続的なものであるということができます。

とくにパーソナルコミュニケーションは、意図的に何かを伝えようとしていなくても、常にコミュニケーションが存在し、継続している状態ということができます。

（2）関係性を含んでメッセージを理解している

私たちは、コミュニケーションをはかる際に、メッセージそのものに大きな関心を払っていることが多いと思います。しかし、同じメッセージが、だれに対しても同じ意味をもったものとして発信されるとは限りません。送り手と受け手の関係性が含まれたメッセージとなるのです。

たとえば、ある男性が「ゆっくりと話をしたいので、明日、時間をつくってほしい」というメッセージを、以前からつきあっている女性と仕事の同僚である女性の2人に伝えたとします。

男性は、以前からつきあっている女性に、結婚を申しこもうと考えて声をかけています。また、仕事の同僚である女性には、仕事上のパートナーとしてコミュニケーションがよりスムーズになるようにと考えて声をかけています。同じメッセージでも、送り手と受け手の関係性の違いから、そのメッセージの意味合いは大きく異なってくるのです。

また、このメッセージを受け手がどのように受け取るのかも、送り手の意図したとおりであるとは限りません。男性が結婚を申しこもうとしている女性は、「もしかすると結婚を申しこまれるのではないか」と期待したり、反対に「別れ話を切り出されるのではないか」と不安になったりするかもしれません。同僚の女性は、「仕事上の問題点を指摘されるのではないか」と不安になるかもしれませんし、「交際を申しこまれるのではないか」とドキドキした時間を過ごすかもしれません。これは、受け手が送り手との関係性をどのようにとらえているかによって、そのメッセージの意味づけが変わってくることを示しています。

このように、私たちは、送り手としてメッセージを発信する場合にも、受け手として受信する場合にも、双方の関係性を含んで理解しようとしているのです。

コラム　さまざまな視点からとらえることができるコミュニケーション

私たちは、コミュニケーションというものを、さまざまな視点からとらえることができます。

① 情報の伝達、やりとりの側面からとらえる

　まずは、情報の伝達、やりとりに焦点をあてて考えることができます。送り手から情報がどのように発信され、それを受け手がどのように受信するかということから、コミュニケーションをとらえることができるのです。

　たとえば、情報の伝達がスムーズに行われない場合、情報の伝達のプロセスのなかで、何らかの支障が起こっていると考えることで、そのプロセスの改善を考えていくことができます。

② 情報の意味づけ、共有化の側面からとらえる

　さらに、言葉や行為が、送り手・受け手のあいだでどのように意味づけされ、共有されるかに焦点をあててコミュニケーションを考えることもできます。

　たとえば、送り手が自分の「うれしい」という感情を伝えようとしているとします。そのとき、どのような言葉や態度・行為を使って「うれしい」という感情を表現するかは送り手によって違います。また、この言葉や行為を見たり聞いたりしたときに、それをどのように受け取るのかも受け手によって違います。

　やりとりが積み重なることによって、送り手が「うれしい」と感じた出来事やその感情が、送り手・受け手のあいだで共有されていくのです。そして、これによって互いの共有部分が広がることが、コミュニケーションが深まるということを意味していると考えられます。

③ システムという側面からとらえる

　また、コミュニケーションの当事者を1つの単位（システム）ととらえて、システムのなかでのコミュニケーションのあり方にはどのような特徴やパターンがあるのかを考えることもできます。

　たとえば、あるシステムのなかでは、ある1人の人物が発言したことに必ず同意するというコミュニケーションパターンがつくられていることが見いだせるかもしれません。

3 コミュニケーションをうながす環境

　対人関係において、コミュニケーションをうながすためには、送り手のメッセージが確実に、そして的確に受け手に届くことが必要です。これらの環境について、物理的側面と心理的側面から考えてみましょう。

　まず、物理的側面として、メッセージが届くためには、適切な物理的距離や周囲の環境が必要です。たとえば、対面している場合には、言葉が聞きとれる範囲にいることや、周囲が静かであることが要素として必要になります。さらに、表情や動作などが伝わるためには、相手の表情や動作などが見える程度の範囲にいることや、見える明るさがあることなども要素として必要になります。また、情報通信機器などを使う場合には、その機器が正常に機能していること、通信できる環境が整っていることなどが要素として必要になります。

　次に、心理的側面として、送り手と受け手のそれぞれが、相手に対してもつ予備知識（事前に知っていること）、抱いている感情や先入観、また、さまざまな事象に対する偏見やステレオタイプな見方などの心理的雑音を自覚し、できるだけそれにとらわれることなくメッセージをやりとりすることが、必要な要素となります。

3 コミュニケーションの手段

　私たちが行っているコミュニケーションは、一般的に、「言語的コミュニケーション」と「非言語的コミュニケーション」に分けて考えることができます。

1 言語的コミュニケーション

　言語的コミュニケーションとは、言語を媒介とするコミュニケーション、あるいは言語を主たる伝達手段とするコミュニケーションということができます。

　言語とは、『広辞苑 第7版』によれば、「人間が音声・文字・手指動作などを用いて事態（思想・感情・意志など）を伝達するために用いる記号体系。また、それを用いる行為」と説明されています。

言語的コミュニケーションは、音声によって言語メッセージを伝える「話し言葉」と、音声を用いない「書き言葉」「手話」に分けることができます。「手話」は、指文字や動作を使って言語メッセージを伝える方法なので、言語的コミュニケーションととらえることができます。

ここでは、言語の特性とその機能を確認したうえで、言語的コミュニケーションの特徴をみてみましょう。

（1）言語の特性

言語学において、言語に対する立場はさまざまですが、人間の言語の中核をなすもの、つまり**言語の特性**は、以下のように6つに整理されています。

> ① 言語は、時間や空間を超越することができる。つまり、言語によって、その場所やその時間に存在しない物事や出来事について語ることができる。
> ② 言語はシンボルであるので、言語記号とその記号の意味とのあいだには必然的な関係は存在しない。
> ③ 私たちは、言語を使って、必要に応じて新しい表現や新しい文章をつくっていくことができる。それによって、新しい言葉や表現を次々と生み出していくことができる。
> ④ 言語は、その共同体の話し手を通じて習得される。個別の言語は、遺伝的ではなく、文化的に次の世代へ継承されていく。
> ⑤ 言語に用いられる音と音のあいだには、明確な境界がある。その境界の違いによって、言語の意味の違いを認識することができる。
> ⑥ 言語は、意味をつくり出す単位と、意味のない単位の2つの階層から成立している。そのことで、限られた音で無限の意味を示すことができるようになっている。

（2）言語の機能

言語には、**表2-20**のような機能があります。

表 2-20 言語の機能

1	名前をつける（ラベリング）	私たちは、言語を使うことによって、物や人、出来事、気持ちなどに名前をつける（ラベリングする）ことができる。ラベリングによって、コミュニケーションを効率的に行うことができる。
2	現実の世界を認識するための整理をする	私たちは、目の前で起こっている現実の世界に生きているのと同時に、頭の中にあるさまざまな経験の世界に生きており、言語を使うことによって、現実の世界を経験の世界と照らし合わせながら整理することができる。
3	感情を表出する	私たちは、感情にも名前をつけているため、言葉を使うことによって、自分が今どんな感情をもっているのかを頭の中で整理することができるとともに、その感情を表現し、相手に伝えることができる。ただし、非言語のほうが、微妙で繊細な感情の機微をあらわすのには適切な場合も多い。
4	人間関係をコントロールする	私たちは、相手との関係性に応じて言語を使い分けることができ、敬語を使ったり、立場や肩書きなどを含めた呼び方をしたりと、言葉を工夫して使っている。それは、関係性それ自体をメッセージとして伝えていることを意味しており、人間関係のコントロールにつながっている。
5	アイデンティティや立場を明らかにする	私たちは、言語の使い方によって、自分の認識をあらわしているとともに、言語によって、自分自身の認識も左右される。また、性別、年齢、生まれ育った地域、所属するグループなどに、私たちの言語の使い方は影響を受ける。特徴的な言葉づかいをすることで、他者に自分の認識やアイデンティティを示そうとしているということもできる。
6	情報を記録する	私たちは、言語を記憶の道具として使っているが、記憶力には限度があるため、言語を紙や電子媒体に記録することで、記憶を助けている。もちろん、記録には絵や図表も用いるが、絵や図表の意味を明確にするためには、文字を併記することが求められる。
7	目の前にある物事以外のことを考える	私たちは、言語を使うことによって、目の前にある物事以外のことについて考えることができる。つまり、未来の状況を予測したり、目標や行動計画を立てたりすることができる。それによって、計画的に行動することができる。

（3）言語的コミュニケーションの特徴

1 メッセージを自由につくることができる

　まず、言語的コミュニケーションは、言語を使って、自分の好みや思いのままにメッセージをつくり上げることができます。私たちは、会話をするときに、言葉を選んで話すことができます。どの程度、意識的か

は、人によって、また、状況によって違いますが、話し相手やそのときの状況をある程度、自分で意識しながらコミュニケーションをはかることができます。

❷ 準備や計画、修正ができる

また、言葉を使うことによって、事前に伝える内容を考えておくなどの準備や計画が、比較的容易にできます。さらに、自分の発した言葉を確認することで、言い直しや言い換えをすることも可能になります。

❸ 抽象的な内容を伝える

しかし、私たちは、頭の中にあることすべてを言語であらわすことはできません。言葉を使うことで、頭の中にある多くの複雑な情報や感情を、細かい部分は削ぎ落として、受け手に届けようとしています。言語は具体的なものでありながら、伝えている内容は抽象的なのです。

❹ 送り手と受け手の意味づけ（理解）が異なることがある

前述したように、私たちがコミュニケーションの道具として使う言語はシンボルです。シンボルがさし示すものとシンボルそのものとの関係には必然性がなく、その関係性は固定的なものでもありません。そのため、メッセージの送り手と受け手が、それぞれに違う意味づけをし、認識のずれが生じる可能性があります。言語的コミュニケーションには、認識や理解にずれが生じる可能性を前提とすることが重要となるでしょう。

2 非言語的コミュニケーション

非言語的コミュニケーションは、言語以外の手段によって行われるコミュニケーションととらえることができます。ただし、言語と非言語は密接に関係していることに留意が必要です。

ここでは、非言語の種類とその機能を確認したうえで、非言語的コミュニケーションの特徴をみていきましょう。

（1）非言語の種類

まず、非言語は、その形態が音声的なものと音声的でないものに分けて考えることができます。

音声的なものとしては「周辺言語」（準言語）をあげることができます。また、音声的でないものは「空間・スペース」「時間」「外見的特

徴」「におい・香り（嗅覚）」「人工物・環境」「身体接触」「対人距離」「身体動作・視線」などに分けて考えることができます。以下、それぞれについて説明していきます。

1 周辺言語（準言語）

　言葉そのものではなく、その周辺部分にあたる、口調や声の大きさ、声の高さ、抑揚、話す速さなどを、周辺言語（準言語）といいます。
　私たちは、発する声を変化させて、相手にそのときの思いや感情を伝えようとしたり、言葉では表現しにくい細部の感情をあらわそうとしたりします。また、自分では気がつかないままに、周辺言語（準言語）に自分の感情などがあらわれることもあるでしょう。

2 空間・スペース

　個人のもつスペースが社会的地位や立場をあらわす場合があります。一般に、社会的に地位が高いほど大きなスペースが与えられていたり、個別のスペースが保障されていたりします（図2-11）。
　人間は、空間の大きさのみならず、周囲の物理的環境からさまざまなメッセージを受け取ります。たとえば、部屋の中が雑然としているか、整理整頓されているかによっても、受ける印象が異なってくるでしょう。

3 時間

　私たちは、空間・スペースと同様に、時間も他者と共有しながら暮らしています。その意味で、時間の使い方も非言語的メッセージといえます。

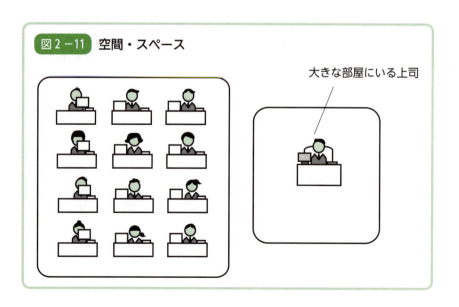

図2-11　空間・スペース

大きな部屋にいる上司

たとえば、約束した時間を守らないということは、他人の時間を無駄にしたりうばったりすることであり、人間関係に断裂が起こりやすくなるといえるでしょう。「約束を守らないルーズな人間である」というメッセージになったり、「出会いに消極的である」というメッセージになったりもします。

4 外見的特徴

顔つき、体つき、髪、肌の色などの自分の姿に加え、衣服や装飾品などを含んだ外見的特徴もメッセージを発しており、私たちは、外見的特徴からさまざまな情報をえることができます。とくに、対面でのコミュニケーションでは、外見的特徴から人物の特定ができたり、相手の職業や所属集団を知ることができたり、さらには感情を読み取ることができたりします。

しかし、顔つき、体つき、肌の色などは、生まれながらにもっているものでもあり、自分でコントロールすることはなかなかできません。顔つきだけで怖いという印象を与えてしまう人もいるかもしれません。

5 におい・香り（嗅覚）

嗅覚は、五感のなかでもっとも原始的であるといわれており、意識の底にある記憶まで呼び覚ますことがあるといわれています。

嗅覚を刺激するにおいや香りは、個人や場所に特有なものであり、においで人や場所を特定することもできるといわれています。また、記憶と相まって、さまざまな感情を呼び起こすことにつながります。

香水などは、対人魅力を高める効果があるといわれますが、つけすぎると逆効果になってしまうことがあります。におい・香りも人によってその受けとめ方に違いがあることに注意が必要です。

6 人工物・環境

私たちの生活環境には、屋内、屋外を問わず、人工物があふれています。

たとえば、部屋の中では、壁や窓や床といった構造物や家具、照明器具、カーテン、装飾品などがあるでしょう。壁や床、家具、カーテン、装飾品の色や素材とその配置、窓の大きさ、照明の明るさなどが部屋全体の雰囲気をつくり出しており、私たちは、それをさまざまなメッセージとして受け取っています。

また、屋外の人工物や自然環境からも多くの非言語的メッセージを受け取っています。

人工物や環境から受け取るメッセージの意味は受け手によって変わるかもしれません。人工物や環境から発される非言語的メッセージにも、私たちは意味づけをしながら暮らしているということを念頭におかなくてはいけません。

7 身体接触

頭をなでる、背中を軽くたたく、握手する、肩を揺する、手や腕をつかむ、抱きしめる、くすぐるといった**身体接触**もメッセージとなります。身体接触には、本能的なものもあれば、儀礼的なものもあります。

身体接触は、触れることによって、人間と人間がつながることを意味しており、そのなかで体温のぬくもりを感じ、安心感や心地よさにつながるといえます。「手当て」という言葉が、「病気やけがなどに対する処置」という意味でも使われるのは、人に手で触れることが、苦痛をやわらげることにつながっているからだと考えられています。

しかし、身体接触は、心地よいものとなる場合だけでなく、相手との関係性によっては、同じ行為が不快なものとなる場合もあります。また、身体接触の際の触れる手の温度や力の入れ方などによっても、伝わるメッセージが異なる場合があります（図2−12）。

8 対人距離

私たちは、他者に対して一定の距離をおいてかかわろうとする傾向が

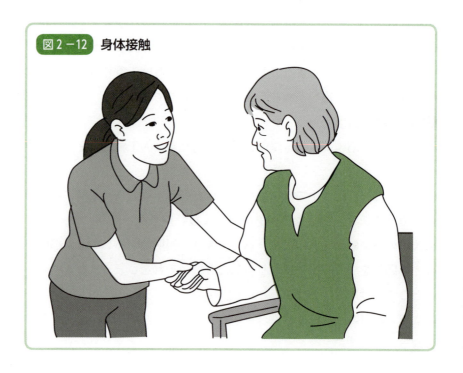

図2−12 **身体接触**

第 2 節　対人関係におけるコミュニケーション

表 2-21　対人距離

距離区分	距離(単位＝m)	音声的特徴とメッセージの内容
密接距離	0～0.5	当事者間でしか話題にしない、個人的な事柄をひそひそ声で話す
個人的距離	0.5～1.2	秘密ではないが周囲の人に無関係な個人的な話題をやや小さめの声で話す
社会的距離	1.2～3.5	半公的な話題をふつうもしくはやや大きめな声で話す
公的距離	3.5以上	公的な内容の話題を講義や演説などの形式で大きな声で話す

出典：末田清子・福田浩子『コミュニケーション学——その展望と視点　増補版』松柏社、p.171の表13－1、2011年を一部改変

あります。これは、人それぞれに他者に入りこまれたくない空間があることを意味しています。この距離（**対人距離**）は、相手との関係や状況によって変わります。緊密な関係であったり、個人的なひそひそ話をするのであれば、50cm以内の距離に近づくこともありますが、一定の距離よりも近づかれた場合には、後ずさりをしたり、相手を押しのけたりすることもあります。表2－21のように、対人距離には変化がでてきます。

また、対人距離は、国や文化の影響を受けて変化します。日本では、初対面の相手とは、無意識のうちに、おじぎができる程度の距離を保つことがあります。

9 身体動作・視線

顔の表情、姿勢、ジェスチャー、アイコンタクトなどの身体動作もメッセージとなります。意図的に行う身体動作もあれば、相手に対する親近感や関心の程度、あるいは好き嫌いの程度によって無意識に表現される身体動作もあります。

顔の**表情**や**姿勢**は、自分でコントロールすることがむずかしいですが、「笑顔を保とう」「相手と視線の高さを合わせよう」などと意識的に心がけることによって、その場に合った適切な表情や姿勢をとることができることもあります。

ジェスチャーにはさまざまな種類があります。ジェスチャーの1つで

ある「表象（エンブレム）」とは、言語の代わりとなる動作で、その意味が集団に広く理解されているものです。たとえば、OKサインやお金のサインなどがそれにあたります（図2-13）。

また、「例示（イラストレーション）」とは、言語にともなって、メッセージの内容をわかりやすくしたり、強調したりするために用いられるものです。沈黙をうながすときに「シー」と言いながら唇の前に人差し指を縦に当てる動作や、大きさを示すときに「このくらい」と言いながら手を広げる動作がそれにあたります（図2-14）。

なお、同じ動作でも、国や文化の違いによって、異なった意味や反対の意味になる場合もあるので、注意が必要です。

図2-13　OKサイン／お金のサイン

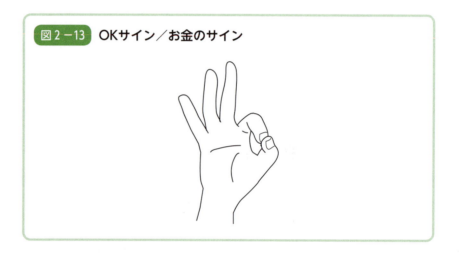

図2-14　大きさを示す動作

さらに、**アイコンタクト**は、視線によるコミュニケーションの方法です。意図的に相手と視線を合わせることによって、相手から情報をえることができる、また、相手に情報を伝えることができるという意味で、重要な機能があるといえます。私たちは、相手の視線によって、求めていること、訴えたいこと、感情などを察することができるのです。

「目は口ほどにものを言う」というように、目の動きはその人の感情をあらわしています。驚いているとき、喜んでいるとき、興味をもっているときには視線を相手と合わせる傾向があり、恐怖や嫌悪を感じているときには視線をそらす傾向があります。視線を合わせることでコミュニケーションが始まることや、視線をそらすことがコミュニケーションの終わりを示すこともあります。

以上のように、非言語の種類は多様であり、その果たす役割の大きさを理解することが大切です。

（2）非言語の機能

コミュニケーションの過程において、非言語には、**表2－22**のような機能があります。

（3）非言語的コミュニケーションの特徴

私たちのコミュニケーションは、言語的コミュニケーションより非言語的コミュニケーションの比率が高いことが知られています。ここでは、非言語的コミュニケーションの特徴について、言語的コミュニケーションと比較して考えてみましょう。

1 感情の表現が容易である

たとえば、「たのしい」という言葉と、頭の中にある、わくわくした心躍るような感情は、本来は別々に存在しているものであり、そのあいだには必然的な関係はありません。しかし、にこやかな表情や口元がゆるむなどの動作と心躍るような感情とのあいだには、自然で連続的なつながりがあるととらえることができます。頭の中にある、わくわくした心躍るような感情は、「たのしい」という言葉を使って表現することもできますが、言葉がなくてもあらわすことができるのです。

2 コントロールがむずかしい

非言語的コミュニケーションの特徴には、常に自分でコントロールで

表2−22 非言語の機能

1	言語的メッセージの代わりとなる	服装や容貌などの外見的特徴やジェスチャーなどによって、言葉で表現しなくても受け手は送り手の伝えたいメッセージを受け取ることができる。
2	言語的メッセージを補強する	たとえば、道を案内するときに、「ここを右に曲がって、ずっといくと……」と言いながら指をさす動作をすることによって、方向をより明確に示すことができる。
3	伝えたい感情などを強調する	口調や顔の表情、ジェスチャーなどによって、感情がよりはっきりと伝わることがある。
4	言語的メッセージを変更・否定する	たとえば、言葉では「うれしくない」と言っていても、こころでは「うれしい」と思っている場合に、「うれしい」感情が口調や顔の表情などの非言語的メッセージによって伝わることがある。
5	コミュニケーションを調整する	たとえば、うなずきによって、相手の話に関心をもって聞いていることを示すことができる。また、相手が話す速度をゆるめて、語尾を伸ばし、自分の目を見たら、次は自分が話す番であると伝えているのかもしれない。
6	人間関係を明示する	非言語がコミュニケーションの当事者同士の人間関係をあらわすことがある。一般的に、社会的地位が高い人のほうが、地位が低い人よりリラックスした姿勢や態度をとり、地位の低い人は緊張した姿勢や態度をとる。

きるものではないということがあげられます。

私たちの感情は、**無意識**のうちに、顔の表情、姿勢、口調などにあらわれていくものです。たとえば、「うれしい」という感情によって、思わず言葉にはならない歓喜の声が出る、目尻が下がる、頬の筋肉が緊張を失う、口元がゆるむといった動作や表情の変化が生じるのは、意図的ではないことが多いです。そして、受け手もまた、無意識のうちに非言語的メッセージとして受け取り、意味づけをして理解しようとしています。

3 始まりと終わりが明確にならない

感情にはっきりとした始まりと終わりがないのと同様に、非言語的コミュニケーションも始まりと終わりを明確にすることが困難です。いつ始めようとか終わろうということが常に意識されているわけではなく、送り手がいつメッセージを発信しているのかも明確ではありません。ま

た、受け手がどのタイミングでメッセージを受け取るかなどによっても、その伝わる内容は違ってきます。

たとえば、介護福祉職が利用者に向かって、にこやかな表情で親しみをこめて「おはようございます」とあいさつをしました。しかし、その直前にこの介護福祉職は、利用者に近づきながら大きなあくびをして不機嫌な表情をしていたとします。その状況を目にしていた利用者は、このあいさつをどのように受け取るでしょうか。利用者は、自分にあいさつをしたときの態度とその直前の表情や行動との違いに違和感を覚えて、介護福祉職のにこやかな表情や自分に向ける親しみの感情を素直に受け入れることができなくなってしまうかもしれません。また、「疲れているのだろうか」「何かいやなことがあったのだろうか」と、介護福祉職のことを心配するかもしれません。

このように、いつ始まるのか、いつ終わるのかが明確にならないということが、非言語的コミュニケーションの特徴の1つです。

4 経験的に学び、身につけるものである

さらに、非言語的コミュニケーションの手段や種類、表現方法、解釈は、言葉を通じて学ぶというよりは、観察などを通じて経験的に学び、身につけていくものです。これも、非言語的コミュニケーションの特徴です。言葉がわからなくても伝わることが多いのはそのためです。

非言語的コミュニケーションが、経験的に学び、身につけるものであるということは、送り手は送り手の経験を通じてえたルールで発信し、受け手は受け手の経験を通じてえたルールで受信しているということになります。

言葉ほどに明確なルールがない非言語的メッセージは、送り手と受け手のあいだに大きなギャップが生じやすいことにも留意が必要です。

5 文化圏特有のものがある

また、「経験的に学び、身につけるものである」という非言語的コミュニケーションの特徴を社会的に広げて考えると、非言語的メッセージには、どの文化圏でも普遍的に伝わるものもあれば、固有の文化圏でしか伝わらないものもあります。また、同じ非言語的メッセージが異なった意味で使用されることもあります。このことは、非言語的コミュニケーションには、特定の文化にふれることによって理解できる要素もあるということを意味しています。これも、非言語的コミュニケーションの特徴ということができるでしょう。

以上のように、コミュニケーションには、言語的コミュニケーションと非言語的コミュニケーションという手段があり、言語的コミュニケーションと非言語的コミュニケーションには、それぞれの特徴があるのです。

　しかし、言語的コミュニケーションと非言語的コミュニケーションは切り離されたものではなく、絶えずコミュニケーションとして一体的に展開されていることを忘れてはいけません。

◆ 参考文献
- 末田清子・福田浩子『コミュニケーション学──その展望と視点 増補版』松柏社、2011年
- 宮原哲『入門コミュニケーション論 新版』松柏社、2006年

演習2-3　関係性によるあいさつの違いと、含まれるメッセージについて考える

　介護福祉職としてどのようなあいさつをするか、１〜４にあげたような場面で考えてみよう。
　また、そのあいさつにどのような違いがあるか、どのようなメッセージが含まれるのか話し合ってみよう。

１ 朝、１人の利用者と顔を合わせた場面

２ 職場の朝礼で職員が集まった場面

３ 上司と廊下ですれ違った場面

４ 利用者の面会に訪れた家族と接する場面

演習2-4　非言語の種類とメッセージについて考える

非言語の種類やメッセージについて考えてみよう。

１ 非言語にはどのようなものがあるのか、具体的にいくつかあげてみよう。

２ 具体的にあげた非言語が、どのようなメッセージを伝えるものとなるのかを、グループで話し合ってみよう。また、実際に演じながら、自分の特徴について確認してみよう。

３ パーソナルスペースが人によってどう違うか、ロールプレイを通じて、グループで話し合ってみよう。

第 **3** 節

対人援助関係とコミュニケーション

学習のポイント
- 人間関係の発展や後退とコミュニケーションのあり方について学ぶ
- 円滑なコミュニケーションをはかるうえでの配慮について学ぶ
- 援助者としてのコミュニケーションの基礎について学ぶ

関連項目
⑤『コミュニケーション技術』▶第1章「介護におけるコミュニケーションの基本」
⑤『コミュニケーション技術』▶第2章「コミュニケーションの基本技術」

1 対人援助の基本となる人間関係とコミュニケーション

　対人援助は、人間関係を基盤として展開されていきます。ここでは、人間関係の発展や後退とコミュニケーションとの関係性について考えていきます。

1 人間関係の発展とコミュニケーション

　私たちは、人間関係の形成・発展の過程とコミュニケーションのあり方が密接に関係していることを理解しています。人間関係が深まれば、コミュニケーションの内容が広がり、意思疎通もしやすくなると考えられます。また、より密接にコミュニケーションすることによって、互いの共有部分が広がり、それが、人間関係の深まりにつながっていくということもできます。
　まず、人間関係の形成・発展にともなってどのようにコミュニケーションのあり方が変化するのか、ここではその過程とコミュニケーションについて段階的に考えてみましょう（図2-15）。

第3節 対人援助関係とコミュニケーション

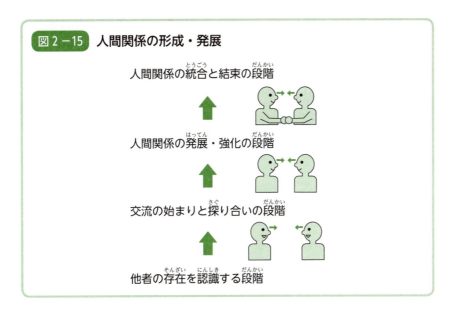

図2−15 人間関係の形成・発展

- 人間関係の統合と結束の段階
- 人間関係の発展・強化の段階
- 交流の始まりと探り合いの段階
- 他者の存在を認識する段階

（1）他者の存在を認識する段階

　人との直接的なかかわりの最初の場面で、私たちはまず、他者の気配を感じとり、視線を向けるなどして、相手の存在を認識し、自分との関係について確認しようとします。そして、相手が自分とどのような関係にあるかに応じて、そのまま通り過ぎることもあれば、あいさつをすることもあります。

　視線を向けること、あいさつをすることは、コミュニケーションの始まりでもあります。たとえば、あなたが顔見知りの人のわきをそのまま通り過ぎたとします。たまたま相手に気づかなかったのかもしれませんし、相手にかかわりたくないという拒否的な感情があったのかもしれません。もしかすると、ここで出会ったことを秘密にしたほうがよいと考えたのかもしれません。そのまま通り過ぎたという行為の背景にはさまざまな理由があるでしょう。また、そのようなあなたの行為を、相手も相手なりに解釈するでしょう。このようにしてコミュニケーションは始まっているのです。

　あいさつは、何らかの人間関係を形成していこうという意思のあらわれと考えることができます。私たちは、互いの関係性や立場、そのときの状況に応じてあいさつの仕方を変えています。また、そのなかで、互いに相手に対してさまざまな印象をもちます。「魅力的だ」「近づきやすい」「自分と共通するところがある」などといったことを直感的に感じとりながら、その後の関係を深めていくかどうかの参考にしているとい

143

えます。あいさつの積み重ねは、その後の人間関係の発展につながっているといえます。

ただし、すべての人間関係が、発展的に次の段階に進むとは限りません。ある人とは、あいさつを交わし合う以上の関係には発展しないかもしれません。この場合、今の段階を飛び越えて次の段階に進むことはないといえるでしょう。

（2）交流の始まりと探り合いの段階

顔見知りとなり、あいさつを交わす関係から、徐々に世間話や軽いおしゃべりなどをする関係に発展していくことになります。互いに、相手がどのような人間であるかを探り、今後どのような関係性を築いていくのがよいか、どのような関係性が求められているかなどについて考えながら、コミュニケーションをはかろうとしていきます。

この段階のコミュニケーションは、表面的で、当たり障りのないものが中心となります。国や文化の違いを超えて、もっとも無難で安全な話題は、天気の話題であるといわれています。しかし、そういった表面的なコミュニケーションにも人柄はあらわれます。そこから、どのような人柄なのかを探りながら相手に対する理解を深めていきます。そして、今後の関係性をどうするのか自分なりに考えをまとめ、それを行動に移していくことになります。

この段階では、自分の興味・関心や都合にばかり目を向けてコミュニケーションをしようとすると、相手は、自分のなかに土足でふみこまれたような印象をもつかもしれません。また、この段階で相手に「これからの関係をどうしたい？」「親しくなりたい？」などと直接たずねることも不自然です。そのため、親しくなりたい、もしくはそうでもないということを、はっきりしない言い回しや微妙な態度などで伝えることが多くなります。これは、直接的な表現を好まず、あいまいなやりとりをして互いが察することを求めるという「日本的なコミュニケーション」ということもできるでしょう。

（3）人間関係の発展・強化の段階

次に、互いの理解と信頼が深まっていく段階に発展します。それまで表面的だったコミュニケーションの内容も、しだいに深まり、互いの内面にふれるようになっていきます。

この段階では、さまざまな話題に対する相手の反応を注意深く観察し、その反応によって会話や行動を調節するといったことをします。とくに、人間関係を発展させたい、深めたいと望んでいる場合には、積極的にコミュニケーションをはかり、互いの距離を縮めようと努力します。

　また、この段階になると、特定の相手とのあいだだけで意味が通じる言葉や行動がみられるようになります。「私とあなた」という互いを区別した関係から「私たち」（一人称複数）という、自分と相手を統合したとらえ方へ移行しはじめる段階であり、相手の気持ちの微妙な変化を読み取ることができるようになります。

（4）人間関係の統合と結束の段階

　さらに人間関係が深まると、周囲にもその人間関係が認知されるようになります。コミュニケーションは、あうんの呼吸で話が通じるようになったり、相手の立場を察して物事を判断することができるようになったりします。

　そして、人間関係が社会的にも認められ、自分の都合だけで簡単に関係を壊すことができない、約束を果たさないことが許されにくい結束の段階に発展していきます。

　この段階のコミュニケーションでは、約束の内容を示す契約書などが重要な役割を果たすこともあります。また、責任を果たすうえでの約束事に関するやりとりが多くみられるようになります。統合と結束の段階の人間関係は、相手に対する責任を相互に負うだけでなく、周囲にも約束することを意味しています。

　援助者と利用者の援助関係は、まさしくこの段階の人間関係だということができます。

2　人間関係の後退とコミュニケーション

　人間関係は、必ずしも発展的な方向に進むばかりとは限りません。形成・発展の各段階にとどまることもあれば、一度、形成・発展した人間関係が、何らかの理由によって後退・終結することもあります。

　次に、人間関係の後退にともなって、どのようにコミュニケーションのあり方が変化するのか、その過程とコミュニケーションについても段

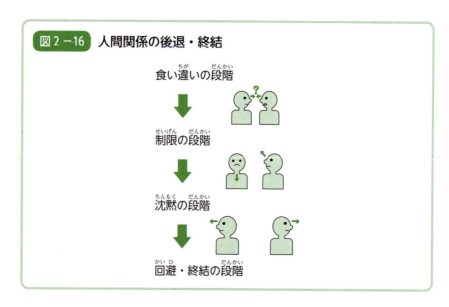

階的に考えてみましょう（図2－16）。

（1）食い違いの段階

　人間関係が発展していく過程では、コミュニケーションの当事者同士の意見や考え方の共通性が強調されることがしばしばあります。また、相違点は刺激としてプラスの効果を与えていたりすることもあります。

　一方で、自分と相手とのさまざまな違いは、人間関係の発展をさまたげ、後退させていくことがあります。また、ささいな食い違いが、互いの信頼や理解に揺らぎを生じさせることもあります。

　このような状態になると、コミュニケーションは、互いの共通性よりも違いに目が向けられるようになり、「私たち」という関係がくずれていきます。また、ささいな食い違いから感情的な議論へと発展することもあります。

（2）制限の段階

　食い違いの段階を経ると、次はコミュニケーションの量と質がともに限定的なものへと変化していきます。

　この段階では、互いの相違点に関して突っこんだ話し合いをしなくなり、交流の始まりと探り合いの段階にみられたような、表面的で当たり障りのないコミュニケーションが多くなります。ただし、人間関係が完全に壊れるところまではいたっていません。さまざまなコミュニケーションを通じて、関係の改善に向けた努力を積み重ねることによって、

それまでの人間関係をとり戻していくことも可能な段階だといえます。

(3) 沈黙の段階

制限の段階を経ると、できる限り相手との深い会話を避け、相手との違いに関心を向けないようにする段階になります。ここまで人間関係が後退してしまうと、もとの人間関係をとり戻すことが困難になってきます。

この段階では、互いに不愉快な思いをすることを避けたいという気持ちから、その場の自然のなりゆきにまかせたやりとりをほとんどしなくなり、前もって言葉を準備したり、必要最低限の会話しか交わさなくなったりします。この段階では、社交辞令的なコミュニケーションが多くなってきます。

(4) 回避・終結の段階

沈黙の段階を経ると、互いの物理的な距離もだんだん離れていくことになります。コミュニケーションは、相手を思いやったものではなくなり、非友好的なものになる傾向が強く、周囲の人々も、関係がこれまでとは大きく異なっていることに気づくようになります。

最終的には、それまでの人間関係を終結させることになります。私的な関係においては、かかわりを保たないようになり、法的、社会的な関係においては、契約や約束事などを正式に終わらせることになります。

以上のように、人間関係の後退や終結にも段階的な過程があり、コミュニケーションにも特徴的なことが生じていきます。ただし、人間関係の後退は、必ずしも段階を経て進んでいくものではなく、状況によって急激に変化することもあります。

3 人間関係とコミュニケーション上の配慮

対人援助においては、人間関係を発展させて援助関係を形成し、その関係性をよりよい状態で維持し、発展させていくことが必要になります。そして、そのために、**コミュニケーションの質**も考慮しておかなければなりません。

介護福祉職としての利用者等とのコミュニケーション、また、職場の

同僚や上司、さらには多くの関係者などとのコミュニケーションでは、介護のために必要な情報をやりとりするだけでなく、あいさつを気持ちよく交わす、日常会話のなかで楽しい雰囲気で談笑する、互いに人柄を知り合い、親しみをもって言葉を交わすなどといったことも重要になります。

また、介護福祉職は、利用者やその家族などの関係者、同僚・上司や他領域の専門職などと連携・協働して、利用者のよりよい生活の実現に向けて努力する必要があります。その際、ほかの人たちとの意見・考え方の違いを把握し、話し合いのなかでその理解を深め、意見の一致をもたらすように積極的にはたらきかけていくことが求められます。

ここでは、人間関係の維持・発展に向けた円滑なコミュニケーションをはかるうえでの配慮について、いくつかの視点から示したいと思います。

（1）他者を尊重するうえでの配慮

私たちには、「理解されたい」「好かれたい」「賞賛されたい」などの他者に積極的に近づきたいという欲求がある一方で、「邪魔されたくない」「立ち入られたくない」などの他者と一定の距離をおきたいという欲求もあると考えられます。**ポライトネス**[1]理論では、前者の欲求をポジティブ・フェイス、後者の欲求をネガティブ・フェイスと呼んでいます。これらの基本的欲求（2つのフェイス）を尊重するコミュニケーションのあり方が注目されています。

たとえば、他者に好かれたいために冗談を言うこと（ポジティブ・ポライトネス）や、他者とある程度距離を保ちたい、他者に立ち入られたくないために敬語を使うこと（ネガティブ・ポライトネス）などがその一例です。

自分は他者に「積極的に近づきたい」と思っていても、他者が自分に「積極的に近づきたい」と考えているのか、反対に「一定の距離をとりたい」と考えているのかについては、明確にわからないこともあります。

円滑なコミュニケーションをはかるには、まず聞き手（他者）の思いを優先して言葉を選んで発することが必要だと考えられます。他者の思いを優先することによって、自分の思いも受け入れられるようになると考えられます。

---

[1] **ポライトネス**
ブラウンとレビンソンによる「ポライトネス」とは、人間関係を円滑にするための言語ストラテジー（戦略）、対面的コミュニケーションの言語的配慮と説明される。「どのような話し方をされたら心地よいか」という、人の気持ちに注目している。

（2）自分の意見や主張を伝えるうえでの配慮

　また、他者の気持ちや状況に配慮したうえで、自分の意見や主張を伝え、他者に理解を求めていくことも重要になります。

　自分の意見や主張を伝えるうえで私たちが行うコミュニケーションのスタイルは、次の3つにわけて考えることができます。

　1つ目は、自分の考えや気持ちを、正直に率直に伝えると同時に、相手の思いも大切にして応答しようとする相互尊重のスタイルです。これを**アサーティブ・コミュニケーション（アサーティブネス、アサーション）**といいます。アサーティブとは、一般に自己主張のことですが、コミュニケーションの際に自分の意見や要望を適切に伝え、問題解決をはかろうと努力することを意味しています。適切さは、その場面ごとに違ってくるものですが、他者に対する配慮を欠かさないことが求められます。

　2つ目は、自分の言いたいことを言わずに相手を優先してしまったり、相手の言いなりになったりしてしまうスタイルです。このような、自分を大切にしていないように見えるスタイルを、**ノン・アサーティブ・コミュニケーション**といいます。このスタイルは、必要以上に相手の要求を受け入れることで、自分がストレスをかかえることになったり、他者にとって自分の意見がわかりづらくなり、あいまいな表現をすることで他者を混乱させたりすることにつながることがあります。

　3つ目は、他者の意見や主張を尊重せずに、自分の考えや意見のみを過剰に優先させてしまうスタイルです。このような、一方的に主張するようなスタイルを、**アグレッシブ・コミュニケーション**といいます。このスタイルは、威嚇的な態度をとったり、説得したりするために非合理的な主張になることがあります。また、相手に対する配慮がないので、その場では自分の意見や主張が通っても、「近づきがたい存在」と他者に認知され、その後の人間関係に大きな影響を及ぼすおそれもあります。

　自分のコミュニケーションのスタイルを見つめ直し、アサーティブ・コミュニケーションを身につけていくことも、対人援助における人間関係を形成していくうえで重要となります。

2 対人援助における基本的態度

では、さらに対人援助を展開していくための援助的人間関係を形成していく基本となる、こころの持ちよう（態度）としての「受容」「共感」「傾聴」について考えてみたいと思います。

1 受容

受容とは、日本語の意味としては「受け入れて取りこむこと」（『広辞苑 第7版』）とされています。対人援助にかかわるコミュニケーション場面において、受容するとは、何を受け入れようとすることでしょうか。また、どのように受け入れようとすることなのでしょうか。

まずは、援助を求めている人を、1人の人格のある人間として受け入れようとすることが受容です。そして、その人のまわりで起こっている出来事やそれに対するその人の思いや考え方を、正しい、間違っているというような自分の価値基準で判断せずに、ありのままに受け入れようとすることが受容です。

私たちは、1人ひとり、独自の考え方や価値観をもっています。そして、その価値観にもとづいてさまざまな判断や行動をしています。「頭をまっさらにしよう」または「自分の考え方や価値観は棚の上に置いておこう」などとよくいいますが、自分の価値基準で判断しないということはとても困難なことです。しかし、その困難を乗り越える努力をしていくことが、援助的人間関係をつくり出していくために求められているのです。

さらに、このようにして形成された援助的人間関係を、どのような状況であっても一方的に援助者の側から閉ざすことはないと示していくことも重要になります。

「受容する」「受け入れる」とは、相手の言動や考え方、また、それによって引き起こされた状況などを、すべて正しい、適切であると認めることではありません。

援助を求めている人によっては、自分の行動や考え方を正しい、適切であると認め、受け入れてほしいという欲求があるでしょう。しかし、正しい、間違っているというような判断をできる限り排除し、援助を求

める人がそういった欲求ももっているのだということも含めて、ありのままに受け入れようとすることが受容につながります。

2 共感

私たちは、相手の気持ちやその気持ちの変化に気づき、理解する力をもっています。その力を活用しながら、できるだけ相手の感情に寄り添い、それを理解しようとする温かい態度を、共感ということができます。

私たちは、相手とまったく同じことを考えたり感じたりすることはできません。また、同じ経験の世界に入っていくこともできません。それは、私たちは、自分自身の見方や考え方を通じてしか、物事を認知することができないからです。

「あなたの気持ちは本当によくわかる」と言われても、「本当にわかってもらえるはずがない」と感じることもあるのではないでしょうか。それは、相手の「私には他者の気持ちが理解できる」という思いこみや思い上がりを感じるからなのです。

私たちができるのは、相手の思いや経験の世界に近づく努力です。私たちがもっている相手の気持ちを察する力と、私たち自身の経験や知識を活用しながらできる限り相手の思いや経験の世界を想像し、それに近づいていこうとすることが求められています。

ここで、共感と同情との違いに留意する必要があります。一般には、「同情」とは、ある状況におかれた相手を見たときに、自分を基準として相手の感情を理解したと思い、それに反応することといえます。対して、「共感」とは、相手を基準にして相手の感情を理解することといえます。相手の抱いている感情を、相手の立場で理解し、その感情に寄り添っていく態度と反応を意味するといえます。

共感しようと努力しても、常に相手の感情が的確に把握できるとは限りません。しかし、あきらめることなく探求していくことが重要だといえるでしょう。

3 傾聴

傾聴とは、文字どおり、耳を傾けて相手の伝えたいことを聴いて理解

しようとすることです。私たちが、小さな声で聞き取りにくい相手の話を聞き漏らすことのないように、熱心に懸命に聴こうとするときには、自然に少し身を乗り出し、顔を少し傾け、どちらかの耳をより近づける体勢になるのではないでしょうか。対人援助にかかわるコミュニケーション場面でまず求められるのが、相手を理解しようと耳を傾けるこころの持ちようです（図2−17）。

傾聴の背景には、まず相手に対する敬意・関心と、相手を理解したいという欲求があります。何らかの援助を求めている相手に対して、私たちはその人に真剣に向き合い、その人の状況やその人自身を理解しようと努力するのです。

援助的人間関係では、相手の語る言葉を聴くばかりではなく、その人が全身から発信している「声なき声」を聴こうとすることが求められています。私たちは、思っていることのすべてを言葉であらわすことはできません。また、あえてそうしない場合もあります。私たちは、ふだんから言葉に頼ってコミュニケーションしようとしていることに無自覚であってはなりません。そのことを自覚したうえで、言葉以外の事柄からも、相手の思いを理解しようとする態度が求められています。

こう考えると、傾聴は、援助のための技術というより、援助的な人間関係そのものであるということができます。

援助を求めている相手にとっては、自分に関心をもち、理解しようと熱心に耳を傾ける人が目の前にいるということが、援助的人間関係の出発点となるのです。援助者を求めている人が、支援を求めているほかの多くの人と同じように援助者に扱われているわけではないこと、1人の

図2−17 傾聴のイメージ（His Master's Voice）

人間として向き合ってもらえていること、そして、自分について理解を深めようと努力してもらえていることを感じることができれば、援助的人間関係はより深まっていくでしょう。

援助者からみれば、援助を求めている人を大切な1人の人間としてとらえ、その人の状況やその人自身を理解したい、かかえている課題の解決に向けて力になりたいと思うことが、傾聴という態度につながるといってもよいでしょう。

3 援助的人間関係の形成とバイステックの7つの原則

ここでは、バイステック（Biestek, F. P.）が1957年にあらわした『ケースワークの原則——援助関係を形成する技法』をもとに、介護福祉士が援助関係を形成していく際の基本的な方法について述べていきます。

1 バイステックによるケースワークの7つの原則の背景

バイステックは、その当時の社会福祉機関に生活上の課題を相談に来るクライエントと、それに対応するケースワーカーとのあいだに形成される専門的な援助関係が援助に重要な意味をもつことに注目して、援助関係を形成する際の態度と情緒をもとに、7つの原則をあげています。

ケースワークあるいはソーシャルワークは、おもに相談援助を中心として、さまざまな社会資源を活用しながらクライエント・利用者の生活上の課題の克服に向けて支援を展開していく方法ととらえられます。

一方、介護福祉実践は、介護を必要としている利用者が、尊厳を保ちながら、自立的に生活できるように、さまざまな生活支援技術を用いて日常生活にかかわりながら援助を展開していく方法ということができます。

ケースワークと介護福祉実践は、クライエント・利用者のかかえる具体的なニーズの範囲や種類、また、その生活課題に対する解決に向けたアプローチが異なりますが、援助関係を形成し、その関係のなかで援助を展開していくという対人援助の基礎・基盤には共通性があるといえます。

このように考えると、バイステックの述べた援助関係を形成する技法は、介護福祉士にとって、重要な視点と方法であるということができます。

2 クライエントの基本的なニーズ

　バイステックは、心理・社会的問題をかかえるクライエントが共通にもっている人間としての**基本的ニーズ**として、次の7つをあげています。

> ① クライエントは、1人の個人として迎えてほしい、対応してほしいと望んでいる。
> ② クライエントは、否定的な感情と肯定的な感情のどちらももっている。また、それらを表現したいと望んでいる。
> ③ クライエントは、自身の感情表現に対して、共感的な理解と適切な反応をえたいと望んでいる。
> ④ クライエントは、依存しなければならない状態におちいったり、弱さや欠点をもっていたり、失敗を経験していても、1人の価値ある人間として、また、生まれながらに尊厳をもつ人間として受けとめられたいと望んでいる。
> ⑤ クライエントは、自身がおちいっている困難に対して、一方的に非難されたくない、叱責されたくないと考えている。
> ⑥ クライエントは、自分の人生に関する選択と決定をみずから行いたいと望んでいる。クライエントは、選択や決定を押しつけられたり、監督されたり、命令されたりすることを望まない。
> ⑦ クライエントは、自分に関する情報を、できる限り秘密のままで守りたいと望んでいる。自分の問題を、近隣の人や世間一般の人に知られたいとは望んでいない。また、自分の評判を捨ててまで、援助を受けようとも思っていない。

　そして、バイステックは、クライエントがこれらのニーズを明確に意識している場合もあれば、そうでない場合もあることを指摘しています。また、援助関係においては、1つひとつの「クライエントのニード」ごとに「援助者の反応」があり、それによってまた「クライエント

第 3 節　対人援助関係とコミュニケーション

表2-23　援助関係における相互作用

第1の方向：クライエントのニード	第2の方向：ケースワーカーの反応	第3の方向：クライエントの気づき	各原則の名称
1人の個人として迎えられたい	ケースワーカーはクライエントのニーズを感知し、理解してそれらに適切に反応する	クライエントはケースワーカーの感受性を理解し、ワーカーの反応に少しずつ気づきはじめる	1　クライエントを個人としてとらえる（個別化）
感情を表現し解放したい			2　クライエントの感情表現を大切にする（意図的な感情の表出）
共感的な反応をえたい			3　援助者は自分の感情を自覚して吟味する（統制された情緒的関与）
価値ある人間として受けとめられたい			4　受けとめる（受容）
一方的に非難されたくない			5　クライエントを一方的に非難しない（非審判的態度）
問題解決を自分で選択し、決定したい			6　クライエントの自己決定をうながして尊重する（クライエントの自己決定）
自分の秘密をきちんと守りたい			7　秘密を保持して信頼感を醸成する（秘密保持）

出典：F.P.バイステック、尾崎新・福田俊子・原田和幸訳『ケースワークの原則——援助関係を形成する技法 新訳改訂版』誠信書房、p.27、2006年を一部改変

の気づき」が生じるという力動的な相互作用が展開されていくとしています（表2-23）。

3　援助関係を形成するための7つの原則

　バイステックは、クライエントがかかえる7つのニードごとに、援助関係を形成するための原則をあげています（『コミュニケーション技術』（第5巻）参照）。ここで述べられる原則は、利用者のニーズに応じる方法であると同時に、援助関係を形成するための有効な方法であるとい

えます。以下、バイステックが論じた、ケースワークにおけるクライエントとの援助関係の形成を、介護を必要とする利用者との援助関係の形成に置き換えながら、この7つの原則を説明していきます。なお、ここでは、援助関係を形成するうえで基礎となる「個別化」「受容」「非審判的態度」を先に取り上げます。

（1）利用者を個人としてとらえる（個別化）

利用者は、1人ひとりが独立した別個の人格をもつ人間です。個別化とは、利用者1人ひとりを別個の存在としてとらえるということです。たとえば、性別や年齢が同じであること、疾病や障害の状況に共通性があることなどによって、同じ特徴をもった人のなかの1人として理解することはあってはならないということです。

具体的に、利用者が個別化を認識しやすい援助者の対応の1つは、利用者1人ひとりに氏名で呼びかけるということです。「おじいさん」や「おばあさん」ではなく、「○○○○さん」と覚えた氏名で呼びかけることで、利用者は「私が呼びかけられている」と自覚して、「この援助者は、自分のことをほかのだれかと同じように扱うのではなく、個人として理解しかかわろうとしている」と感じることができます。それが、利用者と援助者の関係性の始まりになるともいえます。

（2）受けとめる（受容）

私たちには、人間関係のなかで、自分を大切にしてほしい（所属・愛情欲求）、自分の存在や意義を他者に認めてほしい（承認欲求）という

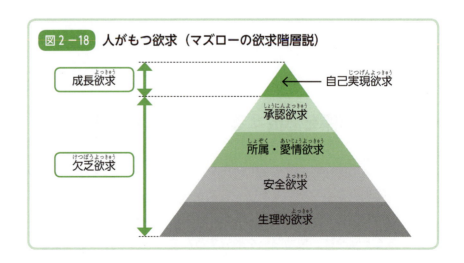

図2-18　人がもつ欲求（マズローの欲求階層説）

基本的な欲求があります。マズロー（Maslow, A. H.）は、欲求を5段階に分け、これらを、生理的欲求、安全欲求の上位の欲求として位置づけました（図2-18）。

受容とは、利用者がどのような状況にあっても、また、どのような言動をしても、その利用者を1人の価値ある存在としてありのまま受けとめ、それにもとづく対応をすることを意味しています。

たとえば、利用者が、入浴や着替えを拒むことがあります。援助者は、入浴や着替えが利用者の生活を充実させるために必要なことだと理解しているので、利用者の拒むという行為は望ましくないと感じることになります。そして、望ましくない行為をしている利用者の言動を許容できないかもしれません。しかし、そのような利用者も、ほかの利用者と同様に1人の人間として尊重し、その存在をまるごと、ありのまま受けとめることが求められます。

ただし、ここで注意しなければならないことは、利用者をまるごと、ありのまま受けとめるということは、利用者の行為（ここでは入浴や着替えを拒む行為）をよいことと認めることではないということです。そのような行為をしているということも含めて、利用者を1人の人間として認め、受け入れていくことが受容なのです。

利用者は、援助者の受容的な態度とそれにもとづくはたらきかけによって、今までの自分や今の思いや言動などを援助者から無条件に受けとめられていることを理解できるようになります。そのことによって援助者は、利用者が自分の不利益になるような考え方や行動を避けることを期待し、信じることができるようになります。このような利用者の変化を信頼して待つことが、援助関係の形成において重要となります。

（3）利用者を一方的に非難しない（非審判的態度）

1人の尊厳ある人間として受け入れてもらいたいというニーズを利用者がもっているということは、言い換えれば、利用者はどのような状況にあっても、一方的な批判や非難を受けたくないと思っているということです。

非審判的態度とは、援助者として、みずからの価値観や社会的な規範、常識などの基準に照らして、利用者の考え方・価値観や言動を判断してはならないということです。それが望ましくない考えや言動であっても、利用者の考え方や言動などを一方的に否定・非難してはならない

ということを意味しています。それは、利用者そのものを否定し、利用者の尊厳を損なうことになるからです。

　たとえば、ある利用者がほかの利用者に暴力をふるおうとしている場面に出会ったとします。援助者は、まず利用者の行為を止め、ほかの利用者に危害が加わることを防ぐ必要があります。しかし、その後、理由の確認もせずに、「あなたは間違っている」などと利用者が暴力をふるおうとしたことを責め、非難するようなことがあってはいけません。その利用者が暴力をふるおうとした理由や背景を理解しようとすることが求められます。

　利用者は、援助者が自分を1人の人間として、また、あるがままの存在として受け入れられていること、尊厳やプライドに十分に配慮されていることを理解したときに、援助者を信頼することができるようになります。このことは、援助関係が深まること、援助が望ましい方向に展開していくことにつながります。

（4）利用者の感情表現を大切にする　　（意図的な感情の表出）

　利用者は、人間としてあたりまえに感情を抱いて暮らしています。さらに利用者は、日常生活に困難さを覚えており、その困難さからさまざまな感情を生じさせているでしょう。そして、その感情を自分のなかでかかえこんでいるのがつらくなること、その感情をだれかにぶつけたくなること、また、その感情を理解してほしいと願うことがあります。

　意図的な感情の表出とは、援助者として、利用者が抱くさまざまな感情を、利用者が抑制することなく表現できるような雰囲気をつくり、場面によっては感情を積極的に表現できるようにはたらきかけることを意味しています。

　利用者を含めて、私たちは、感情を表現することに関して無意識に一定のルールをつくっています。自分の素直な感情より、相手や場面に合わせた適切な感情を意識的に表現することや、感情表現そのものを制限することがあります。とくに、怒りや憎しみ、強い悲しみや苦しみなどの否定的な感情を表現することには、ためらったり、相手や場面を選んだりする傾向がみられます。

　援助関係の形成においては、このような否定的な感情も含めて、利用者が自分の抱く感情をできるだけ表現できるようにはたらきかけること

が求められています。なお、利用者によって、感情の表現の仕方に違いがあること、感情を表現すること自体に得意・不得意があることにも留意が必要です。

（5）援助者は自分の感情を自覚して吟味する
（統制された情緒的関与）

　利用者は、自分の感情を表出したいと思っているのと同時に、自分の感情表出に対して、援助者がどのような感情を抱くのか、どのような反応を示すのかと不安を感じているといえます。

　統制された情緒的関与とは、援助者として、利用者がどのような感情を表出しても、それを共感的に受けとめ、自分の感情を自覚しながらも適切な感情の表出を心がけていくことを意味しています。

　援助者は、利用者の感情の表出の背景にある、利用者のおかれている状況から、表出された利用者の感情がどのように生まれてきたのかを理解しようとします。ただ、その際に、表出された感情は必ずしも利用者の真意とは限らないということに留意する必要があります。

　たとえば、利用者が喜びの感情を示したときには、その感情を援助者自身が受けとめ、ともに喜ぶ態度で接しながら、その感情に寄り添う言葉をかけることが求められます。また、「私は、もう生きるのがいやになった。早く死んでしまいたい」と訴える利用者には、その利用者の生きるつらさの背景にある事情や、死にたいほどのつらさに思いを寄せて、そのつらさに耐えながら訴えている利用者の気持ちに寄り添うことが求められます。「がんばって生きてください」と安易にはげましの言葉をかけるのではなく、「そのようなことは言ってはいけません」と否定するのでもなく、そのつらさに共感し、静かにともにいるというコミュニケーションのあり方が求められるでしょう。

　このように、表出された感情に共感的に対応することによって、利用者は援助者にこころを開くことができるようになり、援助関係の深まりにつながると考えられます。なお、統制された情緒的関与は受容と密接に関係しています。

（6）利用者の自己決定をうながして尊重する
（利用者の自己決定）

　私たちはだれもが、自分の生活や人生にかかわることは、自分で判断

し自分で決めて、その責任も自分で負いたいと願っていると考えられます。他者に自分の人生を決めてもらいたいとは願っていません。今日何を着るか、何を食べるかという日常生活場面のことでも、どこで暮らすか、どのような仕事をするか、だれと結婚するかといった人生の大きな決断でも、それは同様です。

利用者の自己決定をうながして尊重するということは、援助者として、利用者がどのような状況であっても、利用者にかかわることは利用者自身が判断できる環境を整えていくことであり、実際に利用者に判断をうながし、自分の意思で決めることができるようにかかわっていくことを意味しています。

たとえば、認知症や知的障害などによって、判断能力に支障がある利用者であっても、はじめから判断できないと決めつけるのではなく、説明や情報提供のときに配慮や工夫をし、できる限り自分で判断・決断ができるようにはたらきかけることが求められます。

援助関係では、援助者の判断を優先させて援助を展開するのではなく、利用者の自己決定にもとづいて援助を展開していくことが求められます。

ときには、QOL（Quality of Life：生命・生活・人生の質）の向上のために、利用者の不利益とならないように判断や決定をうながすことが必要になる場合があるでしょう。しかし、そのような場合でも、最終的には利用者の判断を尊重することが重要となります。

援助者が利用者の自己決定をできる限り尊重していくということは、利用者を尊厳ある1人の人間として受け入れてかかわるということを明確に示しています。利用者の自己決定をうながし、尊重することによって、利用者と援助者の援助関係は深まっていくことになります。

（7）秘密を保持して信頼感を醸成する（秘密保持）

私たちは、だれにでも他者に知られたくない秘密があります。また、秘密にはしていなくても、できるならほかの人に知られたくないこともあるでしょう。しかし、利用者という立場になることで、秘密やプライバシーの一部を援助者などに明かさなければならないことがあります。

秘密保持とは、援助者として、援助関係において知ることとなった利用者の秘密やプライバシーにかかわることを他者に漏らさないと約束し、それを誠実に守ることを意味しています。

秘密保持を約束し、実際にそれを誠実に守ることは、利用者との援助関係の形成において重要になります。援助者は、利用者や関係者からさまざまな情報をえることが必要ですが、そのなかには、利用者や関係者のプライバシーに関することや秘密にしたいことが含まれることになります。そこで、秘密保持に関する約束・契約を結ぶことによって、援助者が秘密を守ってくれるという信頼が生まれ、利用者が他者に知られたくないと思っている情報もスムーズにえられるようになります。この信頼関係は、援助関係の基礎になります。秘密保持は、職業倫理上もとても重要です。情報をえるための手段として秘密の保持を約束すればよいと考えることは、専門職として許されることではありません。

また、援助を展開するなかで、連携・協働する多くの専門職とのあいだで情報の共有が必要になることもあります。このときは、利用者から情報の共有に関する同意をえることが求められます。また、専門職間でも秘密保持を約束していくことになります。

さらに、地域住民やボランティアなどのインフォーマルな援助者に対して情報を共有する場合には、より慎重な取り扱いが求められます。

バイステックによる援助関係を形成するための7つの原則は、私たちが、利用者の尊厳を保持し、自立を支えるための介護福祉実践を展開していく前提となる、対人援助の基本的原則として理解しておくことが求められます。

◆ 参考文献
- 滝浦真人『ポライトネス入門』研究社、2008年
- 平木典子『アサーションの心——自分も相手も大切にするコミュニケーション』朝日新聞出版、2015年
- F.P.バイステック、尾崎新・福田俊子・原田和幸訳『ケースワークの原則——援助関係を形成する技法 新訳改訂版』誠信書房、2006年

演習2-5　傾聴について考える

「傾聴」を具体的に表現するための姿勢や言葉かけについて考えてみよう。

1. 「傾聴」を表現するための身体の姿勢や表情、言葉かけの例をあげてみよう。

2. 話をする側、話を聴く側にわかれ、1であげた「傾聴」の具体的な表現を使ってロールプレイをしてみよう。そのうえで、どのように感じたか話し合ってみよう。

演習2-6　バイステックの7つの原則について考える

バイステックが援助関係形成に有効な方法として示した7つの原則について考えてみよう。

1. バイステックの7つの原則をすべてあげてみよう。

2. 利用者にはじめて出会い、援助関係を形成しようとするときに、実際に原則にもとづいて実践するには、どのようなコミュニケーションをはかることが重要となるか考え、話し合ってみよう。

第4節 組織におけるコミュニケーション

> **学習のポイント**
> ■ 組織の存在とコミュニケーションの特徴について学ぶ
> ■ 組織における情報の流れを理解する
> ■ 組織においてどのようなコミュニケーションが求められるかを学ぶ

関連項目
- ②『社会の理解』　▶第1章「社会と生活のしくみ」
- ⑤『コミュニケーション技術』　▶第2章「コミュニケーションの基本技術」
- ⑤『コミュニケーション技術』　▶第5章「介護におけるチームのコミュニケーション」

1 組織の条件とコミュニケーションの特徴

　私たちは、家族、仲間、職場などのさまざまな集団に属し、集団内でメンバーとコミュニケーションをとりながら生活したり、活動したりしています。

　家族や仲間などは、数人から十数人で構成されている小規模の集団（小集団）です。小集団では、その集団に属するメンバーのことを互いによく知っていて、全員がいっせいに顔を合わせてコミュニケーションをとることができます。

　それに対して、職場のような組織においては、必ずしもメンバー全員が互いのことをよく知っているとは限りません。家族や仲間などの小集団と比べると、組織はメンバーの人数が多い大集団といえるでしょう。集団の規模が大きくなればなるほど、全員が一堂につどい、顔を見ながらコミュニケーションをとることがむずかしくなります。

1 組織の4つの条件

　集団が組織として成立するためには、表2－24のような条件を満たす

> 表2-24 組織の4つの条件
>
> ① 目的：メンバーは特定の目的のために集まっている
> ② 役割：メンバーに専門分化された役割が与えられている
> ③ 地位：役割と結びついた地位によって位置関係が存在する
> ④ 関係：メンバー間に相互作用や相互依存がみられる

必要があります。

（1）特定の目的をもつ（目的）

❶公式集団
p.108参照

組織は、特定の目的のためにつくられた**公式集団**❶です。**目的**とは、その組織が成し遂げようとめざす到達点のことであり、その目的に到達するまでの過程において、設定される具体的な指標が**目標**です（図2-19）。

組織に所属するメンバーは、組織がどのような目的をもっているのか、その目的に到達するためには、どのような目標の達成が求められているのかなどを共有していることが大切です。

組織がどのような目的をもっているのかは、その組織がかかげている理念に示されています。理念とは、根底にある基本的な考え方のことであり、**組織の理念**には、組織の目的のほか、どのような社会的な使命があるのか（ミッション）、何を大切にしているのか（バリュー・価値観）、どこをめざしているのか（ビジョン）などがあらわされているものもあります。

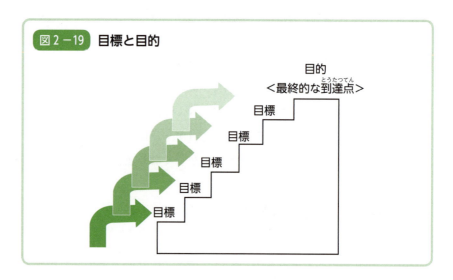

図2-19 目標と目的

組織理念は、その組織に所属する人々の気持ちを1つにまとめ、同じ方向を向いて活動をしていくための基盤となるものです。1人ひとりが組織理念を意識して判断・行動することが大切であり、介護実践においては、その組織理念を具体的に実現していくことが求められます。

(2) メンバーに役割が与えられている（役割）

組織においては、メンバーに専門分化された役割が与えられます。組織における役割とは、目標達成のための業務の分担であると同時に、組織のためにそれぞれのメンバーに期待されている行動や責任、義務ともいえるでしょう。役割を分担することで、もっとも効率よく目標を達成することができる一方で、役割は各メンバーの組織における行動を限定することもあります。

(3) 上下関係が存在する（地位）

組織は、大きく分けると、経営・管理部門、中間管理部門、現場部門の3つに分けることができます。**3つの部門**[2]の位置は同列ではなく、組織における影響力の大きさから、階層的に位置づけられています。

もっとも大きな影響力をもっているのが、組織の経営と管理について責任をもつ経営・管理部門です。次に、経営・管理部門と現場部門をつなぐ役割の中間管理部門、最後に実際の業務を行う現場部門が位置づけられます。

このように、影響力の大きさや、組織にとっての価値などから評価された位置を地位と呼びます。役割は組織のメンバーに与えられた業務分

❷ 3つの部門
p.255参照

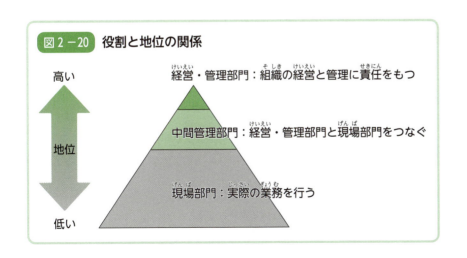

図2-20 役割と地位の関係

担であり、地位はその役割が配列されている位置といえるでしょう（図2-20）。

（4）相互作用によって形づくられる（関係）

　組織は単なる個人の集まりではなく、人と人との相互作用の集まりでもあります。それぞれのメンバーが、与えられた地位にもとづいて役割を個々に果しているだけでは組織は成立しません。組織においては、メンバー、あるいは部門や部署が互いに依存し合いながら、それぞれの力を上手に使い合う関係性が求められます。

2　組織におけるコミュニケーションの特徴

　組織として成立するためには、以上にみてきたような4つの条件（目的、役割、地位、関係）があり、これらの条件が関与することで、組織におけるコミュニケーションには、仲間などの小集団におけるコミュニケーションとは異なる特徴がみられます（表2-25）。

（1）指揮命令系統が存在する

　組織には、組織図が示す指揮命令系統が存在しています。**指揮命令系統**とは、組織のなかで指揮や命令を行う経路のことであり、組織内で正式に定められた情報の伝達ルートです。

　メンバー全員がいっせいに顔を合わせて、互いに情報共有できる小規模の集団であれば、あらかじめ情報の伝達ルートを決めておく必要はないでしょう。しかし、組織では、メンバーそれぞれに役割が分担されているため、定められたルートで情報を伝達することが、効果的な組織運営に欠かせません。たとえば、経営・管理部門の方針や指示は、中間管理部門によって現場部門に伝えられます。同時に、中間管理部門は、現場部門の課題を経営・管理部門に提言することもあるでしょう。

表2-25　組織におけるコミュニケーションの特徴

① 指揮命令系統が存在する
② 上下関係を前提とする
③ 言語的コミュニケーションを主体とする

組織におけるコミュニケーションでは、組織のトップから現場に情報を伝えるルートだけでなく、現場からの報告や意見をトップに上げるルートや、組織外に情報を発信するルートなど、さまざまな情報の伝達経路が決められています。

（2）上下関係を前提とする

組織には、所属するメンバー間に、権力や責任の大きさによって上下の関係が存在しています。

メンバーがおもに感情（相手に対する好意など）によって結びついている仲間集団では、対等な関係にもとづくコミュニケーションが基本ですが、組織においてはメンバーは地位や役割によって結びついており、**上下関係**を前提としたコミュニケーションが求められます。

（3）言語的コミュニケーションを主体とする

組織におけるコミュニケーションでは、**言語的コミュニケーション**を主体とした情報の共有が特徴です。言語的コミュニケーションには、話し言葉を介したコミュニケーションだけでなく、書き言葉（文字、文書）を介したコミュニケーションも含まれています。

話し言葉を介した、口頭での**報告・連絡・相談**は、組織においてもっとも多く使われている情報伝達の方法です。もう一方の、書き言葉を介した方法には、記録や報告書などがあり、組織内の公的な情報伝達は文書によって行われることが一般的です。

このように、組織におけるコミュニケーションでは言語が重要な役割をになっており、組織のメンバーには正確に伝える力や、わかりやすく記述する力が求められます。

2 組織における情報の流れ

組織における情報の流れとは、情報がどのような経路を通って伝達されるかを意味します。組織においては、トップダウン（上から下へ）やボトムアップ（下から上へ）のようなタテの情報の流れ（図2-21）と、水平的なヨコの情報の流れがあることを学びましょう。

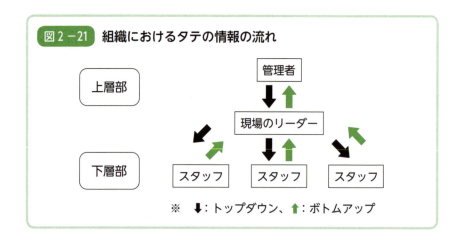

1 トップダウンのコミュニケーション

　組織において、上層部の意向を下層部へと伝えて意思疎通をはかることを**上意下達（トップダウン）**といいます。上層部での決定事項が、指揮命令系統によって組織全体に伝わることで、迅速な通達や実行が可能になります。

　上意下達で伝えられるメッセージには、命令や指示のほか、組織の理念や方針、計画、目標、組織に属するメンバーの心構え、叱咤激励、評価などがあります。

2 ボトムアップのコミュニケーション

　上意下達とは逆に、下層部の意見を上層部へと伝えて意思疎通をはかることを**下意上達（ボトムアップ）**といいます。現場にいるメンバーだからこそ気づくことができる、変化や課題、改善点などを、上層部へと伝えて、下位から上位へと情報を提供します。

　下意上達で伝えられるメッセージには、業務に関する報告や相談、現場からの情報や意見、提案などがあります。

3 水平的なコミュニケーション

　命令や指示などが上から下にトップダウンで伝えられ、報告などが下から上にボトムアップで伝えられるように、タテのコミュニケーションでは公式な情報が伝達されます。それに対して、水平的なコミュニケー

ションは、同じ階層で働くメンバー間で行われているヨコのコミュニケーションを意味しており、非公式な情報伝達が多くみられることが特徴です。

水平的なコミュニケーションには、おもに3つのはたらきがあります。

(1) 活動を調整する

1つ目は、組織の目的達成のために行われる活動を調整するはたらきです。トップダウンで指示された業務を遂行するためには、その業務を実際に行う同じ階層のメンバー間で調整が必要になることもあります。とくに、チームで活動するときには、メンバーが協働したり連携したりするための水平的なヨコのコミュニケーションが欠かせません。

(2) 情緒的な満足感を提供する

2つ目は、メンバーに対して情緒的な満足感を提供するはたらきです。心理学者マズロー（Maslow, A. H.）によれば、私たちは**所属と愛情の欲求**をもっています。所属と愛情の欲求とは「集団に属したい」「他者とかかわりたい」という、人間がもつ社会的な欲求です。水平的なヨコのコミュニケーションは、組織のメンバーの社会的欲求を満たし、職務満足感を高めます。

(3) メンバーシップを養う

3つ目は、組織やチームの目標に向けて協働するための**メンバーシップ**[3]を養うはたらきです。同僚やチームメンバーとのつながりは、水平的なヨコのコミュニケーションによって生まれます。メンバー間の良好な人間関係は、快適な職場環境と前向きな勤務態度をもたらして、メンバー1人ひとりのモチベーションを向上させます。

その一方で、メンバー間のヨコのコミュニケーションがギクシャクしている職場では、意思疎通がうまく図れず、業務に支障をきたしがちです。人間関係のトラブルも生じやすくなるでしょう。ストレスフルな職場環境では、質の高い援助を提供することはできません。

---

[3] **メンバーシップ**
組織に所属するメンバーがそれぞれの役割を果たすことで、組織全体に貢献することと解釈される。

3 組織において求められるコミュニケーション

組織やチーム内においては、どのようなコミュニケーションが求められるのかを学びましょう。

1 報告・連絡・相談する

組織において、情報の流れを円滑にするために欠かせないのが「報連相（ほうれんそう）」と呼ばれている報告・連絡・相談です（表2－26）。報告は、たとえば部下から上司へという流れで一方向に行われますが、連絡は、上司や部下にかかわらず、相互に行うものといえます。

組織やチーム内で、メンバーが互いに業務の進捗や経過について連絡し合い、判断に迷ったときは相談し、業務が完了したら報告することで、メンバー間の意思疎通がよくなります。報告・連絡・相談は、上司や先輩職員、同僚と良好な関係を保ち、コミュニケーションをうながす手段としても重要です。

2 集団で話し合う（集団討議）

組織では、さまざまな会議が行われています。会議は、情報や意見を交換したり、共通理解をはかったり、集団で討議して物事を決めたりする場です。

会議では、経営・管理部門のメンバーの決定事項が上意下達（トップダウン）で他部門のメンバーに通達されることもありますが、メンバー全員の理解と合意が必要な場合には、意思決定や問題解決のプロセスに

表2－26 報告・連絡・相談

報告	部下から上司へ、あるいは後輩職員から先輩職員へ、必要な情報を伝えること
連絡	必要な情報を、上司／部下にかかわらず、相互に通知すること
相談	上司や先輩職員、同僚などから、参考意見や助言をもらうこと

第4節　組織におけるコミュニケーション

表2-27　集団討議の傾向

集団極性化	集団で意思決定すると、個人が1人で行う場合と比べて、決定がより極端な方向へ移動する現象。決定内容がよりリスクの高いものになる（リスキーシフト）、もしくは、より安全志向に傾く（コーシャスシフト）傾向がある。
集団浅慮	集団で意思決定するとき、多様な意見を十分評価することなく、集団としての意見の一致を求めることを優先させてしまい、安直な考え方をしてしまう現象。とくに、集団が強い凝集性をもっているときに、集団浅慮が強くはたらく傾向がある。

現場部門のメンバーが参加することもあります。

　会議に積極的に参加するためには、情報を提供したり、発言・提案したりするための伝える力が求められます。同時に、ほかの参加者からの情報や意見に耳を傾けて理解するための受けとめる力も必要です。

　一般に、メンバーが1人で考えるより、複数のメンバーが情報や意見を交換したり、知恵を出し合ったりして討議するほうが、より優れた解決法がえられるでしょう。しかし、集団討議では、表2-27のような傾向に注意する必要があります。

3　集団でアイデアを生み出す（ブレーンストーミング）

　メンバーそれぞれがもっている知恵や情報を出し合い、互いに啓発し合って新しい独創的なアイデア、創造性を開発しようとする方法を、ブレーンストーミング（BS）といいます。

　ブレーンストーミングは、組織においてもっとも多く用いられている拡散的思考[4]をうながす討議技法ですが、もとはアイデアを開発するために考案された方法です。最初から質の高いアイデアを出さなければならないと考えてしまったり、ほかのメンバーから批判されるのではないかとプレッシャーを感じてしまったりすると、自由な発想が制約されてしまいます。そのような制約をはずして話し合うためには、メンバー1人ひとりが、表2-28の4つの原則を意識することが必要です。

[4] 拡散的思考
アイデアや問題点を発展させていく発想のこと。それに対して、拡散的思考で出されたアイデアや問題点を整理し、まとめようとするのが収束的思考である。

> **表2-28** ブレーンストーミングの4原則
>
> ① 批判厳禁：その場でよい悪いの判断や批判をしない
> ② 自由奔放：常識にとらわれず自由に発想する
> ③ 多量提案：アイデアの質より量を求める
> ④ 便乗発展：他人のアイデアを参考に連想発想を促進する

4 説明・提案する（プレゼンテーション）

　ある特定の目的にもとづいて、効果的に説明や提案を行い、判断や意思決定をしてもらうための動機づけを行うコミュニケーションの方法を、**プレゼンテーション**といいます。表2-29のように、組織内外のさまざまな場面でプレゼンテーションが活用されています。

　プレゼンテーションでは、限られた時間のなかで、わかりやすく、効果的に情報を伝える能力が求められます。ただ一生懸命に自分の考えや想いを伝えるだけでは、効果的なプレゼンテーションとはいえません。聞き手に共感してもらい、判断や意思決定のための動機づけをするためには、図2-22の4つの側面を意識してプレゼンテーションを行うことが大切です。

> **表2-29** 援助の現場におけるプレゼンテーションの活用場面
>
> **組織内における活用例**
>
> ・チームや組織のメンバーに対して
> 　よりよいサービスの提供や、効果的なケースへの対応を提案するために、ケースの概要を紹介し、自分の考え、意見、評価結果などを報告・発表する
> ・理事会など組織の経営・管理部門に対して
> 　現場の活動に対する理解や支援をえるために、現場の意見や必要な情報などを報告したり、採用してほしい新しい取り組みや企画を提案したりする
>
> **組織外における活用例**
>
> ・地域の住民や組織に対して
> 　サービスの利用者や対象者はもちろん、地域の住民や一般市民に対して、自分たちの組織の実践や運営に関して理解や支援をえるために、組織の目的や目標、提供しているサービス内容や活動内容、評価実績などを説明する

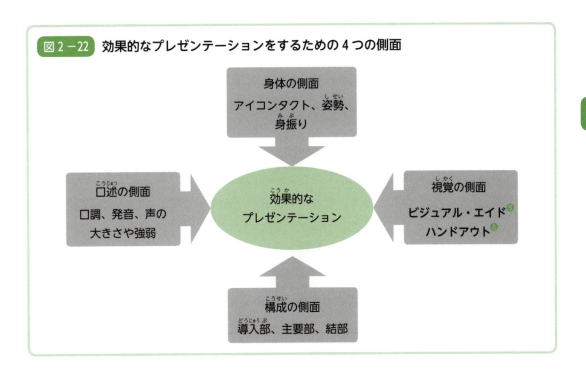

図2−22 効果的なプレゼンテーションをするための4つの側面

5 対立を調整する

　意見の相違による対立は、1対1の人間関係においても起こるものですが、組織においては、規模が大きくなるほど、また、専門化・細分化されて複雑になるほど、対立がより起こりやすい傾向があります。組織における対立の原因には、**表2−30**のような理由が考えられます。

　組織における対立には、生産的な対立と非生産的な対立があります。組織にプラスに作用する対立であれば、それは<u>生産的な対立</u>です。たとえば、メンバー間の意見が一致しないことで対立が起きた場合、議論を重ねることで、組織を活性化する機会になることもあります。その一方で、組織にマイナスに作用する対立は<u>非生産的な対立</u>であり、人間関係

表2−30 組織における対立の原因

・意見の相違
・コミュニケーションの不足
・分担された役割や地位による葛藤
・非公式集団（仲間感覚によるグループや、派閥や組合などの利害集団[7]）の感情的対立

[5] **ビジュアル・エイド**
説明する内容を視覚的によりわかりやすく示す資料（視覚資料）のこと。プレゼンテーションでは、パソコンを使い、パワーポイントで図表や写真、グラフなどを示すことが多い。

[6] **ハンドアウト**
説明する内容をまとめた配付用の文書のこと。

[7] **利害集団**
ほかの集団との利害関係をもたらす集団のこと。

のトラブルや、メンバーのこころの問題に発展させないように、適切に調整していくことが望まれます。とくに、コミュニケーションの不足が対立の原因の場合には、積極的に意見を交換し、議論を重ねることが必要でしょう。分担された役割や地位による葛藤が原因の場合には、経営・管理部門のメンバーが、組織全体を動かす強いリーダーシップを発揮して、対処することが求められます。

組織は公式集団ですが、組織内に仲間集団や利害集団などの非公式集団も存在します。複数の非公式集団のあいだで、感情的な対立や利権争いなどがあると、合理的な話し合いや、効果的な活動が行えなくなり、組織の目標達成に悪影響を及ぼすこともあります。組織がどのような社会的使命（ミッション）をもち、どのような到達点をめざしているのか、そのためには各メンバーに何が求められているのかなどを、メンバー全員が常に意識しておくことが大切です。

6 人材を育成する（ティーチング、コーチング）

❽ **経営資源**
事業を経営していくうえで役に立つ多様な要素や能力のこと。

組織の**経営資源**❽といわれる「人的資源（ヒト）」「物的資源（モノ）」「資金力（カネ）」のなかで、もっとも大事にしたい資源は人的資源、つまり組織に所属しているメンバーといえるでしょう。メンバーが役割を分担することによって組織は成り立ち、メンバーがモノやカネを使って活動することによって組織の目標達成が可能になるからです。

❾ **OJT**
p.197参照

OJT❾（職務を通じた教育訓練）においては、上司やリーダー、先輩職員が、部下やスタッフ、後輩職員を指導教育することで、人材の育成

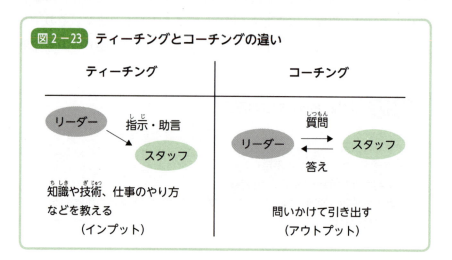

図2-23 ティーチングとコーチングの違い

174

が行われています。OJTの方法には、リーダーが指示や助言を通して、スタッフに必要な知識や技術、やり方などを教える**ティーチング**と、リーダーが質問をすることで、スタッフに考える機会を提供し、答えを引き出していく**コーチング**があります（図2－23）。

　新人職員への指導教育ではティーチングで教えることが中心になりますが、一方的に教えるばかりでは、自分で考えて判断したり工夫したりする能力は育ちません。徐々にコーチングの機会を増やし、考える力を養う必要もあります。教育効果を高めるためには、ティーチングで業務に必要な知識や技術などをインプットしたら、コーチングで問いかけてアウトプットするなどと、ティーチングとコーチングを上手に使い分けることが大切です。

◆ 参考文献
- 深田博己編著『コミュニケーション心理学──心理学的コミュニケーション論への招待』北大路書房、1999年
- 宮原哲『入門コミュニケーション論 新版』松柏社、2006年

演習2-7　組織のコミュニケーションについて考える

組織とそこでのコミュニケーションの特徴について考えてみよう。

1 組織と集団の違いをあげてみよう。

2 組織のコミュニケーションの特徴をあげ、友人とのコミュニケーションとどのように違うのか話し合ってみよう。

演習2-8　ブレーンストーミングをやってみる

アイデアを出し合うためにブレーンストーミングを体験してみよう。

1 ブレーンストーミングの原則をあげてみよう。

2 1 であげた原則をふまえ、グループでテーマを決めてブレーンストーミングをやってみよう。

第 **3** 章

介護実践における
チームマネジメント

第 1 節　**介護実践におけるチームマネジメントの意義**
第 2 節　**ケアを展開するためのチームマネジメント**
第 3 節　**人材育成・自己研鑽のためのチームマネジメント**
第 4 節　**組織の目標達成のためのチームマネジメント**

第 1 節

介護実践における
チームマネジメントの意義

> **学習のポイント**
> - 介護サービスはサービスとしての特性をもつことを理解する
> - ヒューマンサービスである介護サービスとほかのサービスとの相違点を学ぶ
> - 介護実践にチームマネジメントが必要とされる背景を理解する
> - 介護実践におけるチームマネジメントの基本となる考え方を理解する

関連項目
③『介護の基本Ⅰ』▶ 第2章「介護福祉士の役割と機能」
④『介護の基本Ⅱ』▶ 第4章「協働する多職種の機能と役割」

1 ヒューマンサービスとしての介護サービス

　介護サービスの特性と求められるマネジメントについて理解するために、ここでは、介護サービスと他分野の仕事を比較しながら、介護サービスの特性を考えていきます。

1 サービスの4つの特性と介護サービス

　「モノ（製品等）を扱う仕事」では、製造や販売した製品（例：電化製品、自動車等）が、サービスの利用者である消費者の手元に「かたち」として残り、基本的な効果や満足は、この製品によって生じます。
　たとえば、便利な電化製品を使えば、快適さをえることができたり、時間を短縮できたりと、製品を通じて効果や満足を直接えることができます。また、不良品が生じれば、返品や修理の対応もできますし、その原因を究明して次の製造に役立てることもできます。手元にモノが残る仕事は、よい点、悪い点の確認を含めた「評価」や「効果の測定」が行いやすいという利点があります。
　一方、介護の仕事は、商品をつくったり、売ったりする仕事ではあり

ません。私たちが扱っているのは「介護サービス」という、物質的な「かたち」のないものです。

「かたち」のない介護サービスは、提供後に、提供した側（介護福祉職）にも、消費者（利用者）の側にも、「かたち」が残りません。たとえば、介護福祉職から入浴の介助を受けても、入浴後に、介護というサービスは、「かたち」としては何も残りません。介護サービスの提供を受けた利用者に残るのは、おもに「効果」や「満足」であり、提供した介護福祉職に残るのは、おもに「提供した記録」です。

介護以外にも「サービス」を扱う仕事は多くあり、情報産業やレジャー産業、金融業や運送業等もサービス業に分類され、いずれも同じような特性をもつ分野（仕事）です。

介護を含め、**サービスを扱う仕事**は、「かたち」がない、残らないことを含めて、次の4つの特性があるといわれます。

> ① 無形性（「かたち」がない）
> ② 不可分性（分けることができない）
> ③ 品質の変動性（品質が変わる）
> ④ 消滅性（ためておくことができない）

この4つの特性を、介護福祉職、介護サービスの視点をふまえながら理解し、マネジメントの学びの出発点としましょう（**表3-1**）。

サービスの4つの特性は、互いに関連しています。「かたち」がないために、生産と消費を分けることができず、品質が変わってもわかりにくく、生産品をためておくこともできません。

図3-1では、介護サービスが「サービス」を扱う仕事であることをイメージしやすいように、サービスの特性に対応した介護の具体的な取り組みを整理しました。介護の「特性に対応した具体的な取り組み例（❶～❽）」を、確認しやすくするために4つの「サービスの特性」に対応させて分類していますが、1つひとつの取り組みは、さまざまな役割や機能があり、関係し合っています。そのため、分類せずに全体をまとめて考えてもよいと思います。実際に、介護現場では、これらの取り組みをチームで役割分担し、チーム全体の取り組みとして一体的に行っています。

サービスの特性に対応して、介護の質を高めるには、「利用者への

表3-1 サービスの特性と介護からの視点

特性	説明	介護からの視点
①「かたち」がない（無形性）	物質的な「かたち」がない。触れることができず、はっきりとした「かたち」を示すことができない。このため、購入前に試したりすることもできない。「かたち」がある商品と比較すると、内容の説明や、「評価」や「効果」を把握することがむずかしい。	介護サービスには「かたち」がない。身体介護、生活援助、相談援助等も同じ特徴がある。 「かたち」がないために、利用前に介護サービスの内容を具体的に伝えることがむずかしく、介護サービス提供後にその評価や効果を把握することがむずかしい。
②分けることができない（不可分性）	提供（取引）後にモノが残らず、「生産」と同時に「消費」されていくため、「生産」と「消費」を切り離すことはできない。	介護サービスは、介護福祉職（専門知識・技術）によって生産され、同時に、利用者に提供された瞬間に消費される。このため、提供された介護サービスは、取り消しや、やり直しがきかない。 たとえば、不必要な全介助により、本人が不満を感じたとしても、介護サービスそのものは、やり直しできない。
③品質が変わる（品質の変動性）	提供される品質は同じとはいえない。提供する人やタイミングによって品質が異なる。 たとえば、家電製品を製造するように、同じ内容・性能のモノを生産しつづけることはできない。	常時、同じ品質の介護サービスを提供することはできない。 介護サービスを提供するスタッフによって、その内容や品質は異なる。同じスタッフでも、常に同じサービスを提供することはむずかしい。人員体制や業務量、スタッフの心身状況が影響することもある。
④ためておくことができない（消滅性）	「かたち」がないものであり、保管しておくことや在庫にしておくことができない。 サービスを提供できる人員がたくさんいても、ためておくことはできず、必要時に生産するしかない。	1人の介護福祉職として、知識・技術や経験を蓄積することはできても、介護サービスそのものをためておくことはできない。

サービス説明資料」「介護マニュアル・ガイドライン」「サービス提供記録」「サービスの外部評価」「満足度調査」等は、重要なツール（道具）になるといえるでしょう。

また、**介護過程の展開**（アセスメント、介護計画の立案、介護の実

第1節 介護実践におけるチームマネジメントの意義

図3-1 サービスの特性と介護における具体的な取り組み例

サービスの特性	特性に対応した具体的な取り組み例
①「かたち」がない（無形性）	❶ サービス内容のわかりやすい（事前）説明資料を作成し活用する。 ❷ 介護計画を作成し、事前に十分な説明を行ったうえで介護を行う。
②分けることができない（不可分性）	❸ 介護の提供記録を詳細に残し、提供内容を確認する。 ❹ 提供したサービスの適切さや効果を確認するための評価（モニタリング）を行う。
③品質が変わる（品質の変動性）	❺ 介護マニュアルやガイドラインを作成し、介護福祉職チームで徹底する。 ❻ 介護福祉職個々が、専門職としての知識と技術を高める。
④ためておくことができない（消滅性）	❼ 実施した介護の内容をふり返る。（記録の確認やケアカンファレンス、申し送り等での情報共有・活用） ❽ 外部評価、利用者満足度評価などを通じてサービス・提供体制の点検を行う。

→（アセスメント・介護計画の立案・介護の実施・評価）介護過程の展開

施、評価）なくして、継続的で質の維持されたケアを行うことはできません。

「かたち」のないサービスを扱うからこそ、しっかりとしたしくみ（介護過程）のなかで、チームでサービスを提供し、その内容や質、効果を常に確認できる体制をつくり上げることが重要となります。

2 介護サービスとほかのサービスとの相違点

「サービス」を扱う分野のなかでも「人が人に対して行うサービス」を**ヒューマンサービス**といい、具体的には、福祉、保健、医療、教育、相談等がこれにあたります。介護サービスも「ヒューマンサービス」に含まれます。

ヒューマンサービスには次のような特徴があります。

> 特徴1 サービスを受ける側、提供する側の（相互）関係が重視され、高い倫理や専門性が求められる。

> **特徴2** 障害や疾病、特定のニーズや専門分野だけをみるのではなく、人としての全体をとらえる視点をもつ。そのため、みずからの専門分野としての業務に加えて、連携や協働という役割をになう。

　これらは、まさに介護の本質というべき部分でもあります。ヒューマンサービスの2つの特徴を中心にしながら、介護サービスの特性とチームマネジメントのあり方を考えていきましょう。

（1）相互関係の重視とサービスを支える倫理と専門性

1 相互関係の重視

　上記の特徴1で示したように、ヒューマンサービスである介護サービスには、サービスを受ける側と提供する側の信頼関係が不可欠です。この信頼関係は、援助関係、協力・協働関係などの相互関係を通してはぐくまれます。

　自立をめざす介護において、「自分でできるようになりたい」という本人の思いや、「以前のように料理ができるようになって、家族に食事をつくってあげたい」等の本人のニーズ、いわゆる意欲や生きる力は、ほかの何よりも優先される大切な原動力です。

　利用者によっては、この「原動力」そのものが弱まってしまうことがあります。また、本人でさえ、自分のもつ意欲や生きる力の存在に気づくことができない状態になることもあります。そのような場合、私たち介護福祉職は、援助関係を通じて、意欲や生きる力を高めるはたらきかけを行います。

　そのはたらきかけには長い時間を必要とする場合もありますが、利用者の意欲や生きる力の高まりや、自立した状態へと変化していく様子は、介護福祉職にとっても大きな喜びとなり、これは利用者・介護福祉職の共有の力となります。このように、利用者と介護福祉職のあいだには相互関係が存在しているのです。

　視点を変えて、サービスの内容と量を決定するのはだれかという観点から、利用者と介護福祉職の相互関係を考えてみましょう。

　一般のサービス（業）では、通常、購入するサービスの内容や量は消費者が決定します。たとえば、どのくらいの頻度で衣類のクリーニングをするか、どの服をクリーニングするかといったこと、また、どんな種

類の情報提供サービスをどのくらいの頻度で受けるか等、購入するサービスの内容や量を決定するのは消費者です。

介護サービスにおいても、サービスの内容や量の決定には本人や家族の意向が反映されることは同様ですが、ヒューマンサービスである介護サービスでは、本人や家族と専門職との協力・協働が重要となります（図3－2）。

2 倫理と専門性

実際の介護場面では、介護支援専門員（ケアマネジャー）、や相談支援専門員、介護福祉士等がケアカンファレンスを活用しながら、サービスの内容や量を最終調整します。また、サービスの提供は制度のルール（支給内容・上限等）にしたがって行われます。

いくら利用者が多くの介護サービスを利用したいと望んでいても、本人のQOL（Quality of Life：生命・生活・人生の質）向上と自立の視点から、サービスを利用することが適切と思われない場合もあります。

たとえば、排泄行為が自分でできるにもかかわらず、全面的な介護を希望する人がいた場合、単に利用者や家族の希望どおりに対応するのではなく、全面的な介護を希望する理由や思いをしっかりと受容しながら、介護福祉職が見立てる**自立に向けた介護**とは何かを示し、本人や家族との面談や話し合いによるサービス調整を行います。

サービス内容や量の調整は、利用者や家族の暮らしに大きな影響を与える重要な事柄であり、経済的負担をともなうため、利用者、家族との信頼関係を基盤に進められるべきものです。時間がかかる場合もありま

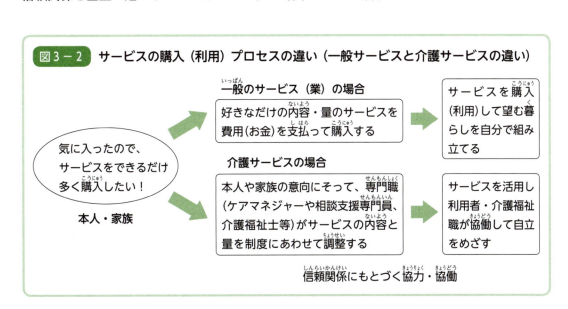

図3－2　サービスの購入（利用）プロセスの違い（一般サービスと介護サービスの違い）

すが、信頼関係を積み上げながら、利用者、家族とともに自立への道をあゆむ姿勢が求められます。

介護福祉職は、援助関係（相互関係）のなかで、利用者の生きる力を支え、高める専門職です。介護福祉職は、食事や排泄、入浴の介護をただ単にサービスの１つとして提供しているのではなく、それらのサービスを提供することにより、利用者の暮らしや心身の状態に、継続的に、直接的・間接的に大きな影響を与えています。高い**倫理**と**専門性**なくして責任あるサービスは提供できません。そのため、介護福祉職とそのチームは、利用者本位の倫理観と専門性、そしてそれらを高める取り組みを欠かすことができないのです。

また、「（サービスを）購入したくない、使いたくない」という人への対応も、一般のサービスとヒューマンサービスである介護サービスでは異なります。

一般のサービスであれば、消費者が「購入しない」という選択をすることで提供者と消費者の関係は終わりますが、介護サービスは、専門職チームで利用が必要だと判断した場合には、利用を拒否する人にも、しっかりとその必要性を説明し、粘り強く関係づくりを進めていかなくてはなりません。たとえば、認知症があり孤立した生活をしている高齢者には、外部からのかかわりを拒む人が少なくありません。しかし、真に必要と判断すれば、かかわりを続けるのが福祉の視点をもつ介護のあり方です。

サービスの利用者に、認知症がある人以外にも判断能力が不十分な人がいるということや、サービスを提供する側と受ける側に不平等な関係が生じやすいという点も、ヒューマンサービスとしての介護サービスがもつ特性と呼べるでしょう。

（2）人としての全体をとらえる視点と連携・協働

◼ 人としての全体をとらえる視点

ヒューマンサービスの大きな特徴として、障害や疾病、特定のニーズやみずからの専門分野だけをみるのではなく、人としての**全体をとらえる視点**をもつということがあります（特徴2）。この「全体をとらえる視点」には「その人の生活に継続的にかかわる」という意味も含まれています（図3-3）。

つまり、ヒューマンサービスである介護サービスは、「全体をみる」

第1節 介護実践におけるチームマネジメントの意義

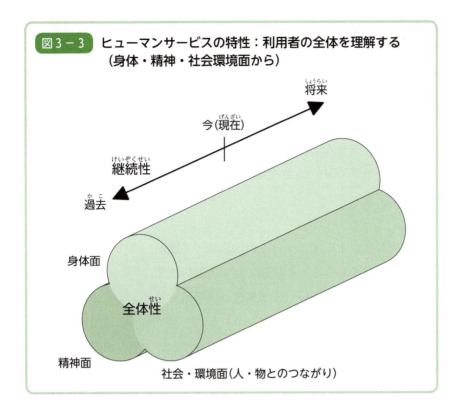

図3－3 ヒューマンサービスの特性：利用者の全体を理解する（身体・精神・社会環境面から）

「継続的にみる」ことにその特性があるのです。

たとえば、利用者とのかかわりは入浴介助がほとんどであったとしても、介護福祉職は、利用者の皮膚の状態の観察を行うのはもちろんのこと、体重の減少や体格の変化が気になった場合は、食事量や体調の確認を行ったりします。そして、精神的な負担によって食事量が低下していることがわかった場合は、家族、キーパーソンとの関係調整や相談職との連携を行います。

時には、利用者を理解するために、生活歴、病歴等を通じて「過去」から「今（現在）」をみる場合もあるでしょう。介護福祉職は「継続的にみる」という視点から、利用者の心身や環境の変化などに応じて、その援助内容を変化させていく必要があります。

2 連携・協働

ここで大切なのは、**全体をみる、継続的にみる**介護は、介護福祉職が1人だけで行うことはできないということです。同職種・多職種チームでの協働により「全体をみる」「継続的にみる」ことができるようになります。

介護福祉職は、生活を支える専門職として、利用者の全体を継続的に

みることのできる立場にいることから、同職種やほかの職種と**連携・協働**することによって、「(根拠にもとづいて)生活をよりよい方向へ導く」という、介護の専門性をより大きく発揮することができるようになります。

介護サービスの内容や量は、個々の専門職の判断で一方的に決定するものではありません。基本は、介護計画の立案プロセスを通じて、利用者や家族を含めたチームで決定するという、「協働」により進められるべきものです。

介護福祉職にとって、チーム(同職種・多職種)でケアすることがさまざまな意味をもつことが理解できたと思います。

サービスの4つの特性(①無形性、②不可分性、③品質の変動性、④消滅性)からみても、ヒューマンサービスとして倫理と専門性や「全体をとらえる視点」が求められることからみても、介護福祉職はチームで介護を実践する視点をもたなければならないのです。そして、この視点は、チームや組織に貢献するためだけでなく、みずからのもつ専門性を高め、その力を発揮するためにも必要なことなのです。

チームの重要性を理解し、チームを上手に活用しながら、利用者の「自立」と「自己実現」をはかる、介護福祉職としてのみずからの成長を積み重ねる、そして、チームや組織としての目標を達成する、前向きなチームマネジメントが求められています(図3-4)。

図3-4　介護サービスの特性と求められるチームマネジメント

特性①：介護は介護サービスという「かたち」の残らない「サービス」を扱う分野
特性②：介護は「ヒューマンサービス」という倫理と専門性が求められる分野

「チーム」としての実践が、特性に対応したさまざまな効果をもつ

チームのなかで介護福祉職としての役割を果たし、チームの機能を最大限高める「チームマネジメント」の理解と取り組みが重要

2 介護現場で求められるチームマネジメント

　ここでは、介護現場において求められる「チームマネジメント」の重要性を、介護人材を取り巻く現状や、ケアマネジメントにおける介護過程の位置づけから学び、介護福祉士が介護福祉職のリーダーとしてになうべき役割を整理します。

1 マネジメントとチームマネジメント

　マネジメントとは、管理・調整、経営等の意味をもつ言葉で、経営やビジネスの分野で広く使われています。

　介護実践の分野でも「リスクマネジメント」「ケアマネジメント」という言葉は、広く知られ、日常的に用いられています。

　「リスクマネジメント」は、介護の現場で起こる、さまざまな危険や事故をあらかじめ予測しておくことで、可能な限り未然に防いだり軽減したりすること、場合によっては事故後に適切な対応等をすることも意味する言葉です。

　「ケアマネジメント」は、アセスメント、計画の作成、実施、モニタリング、評価および再アセスメントのプロセスを通じて、ニーズ（困りごとや希望等）と社会資源（人やサービス等）をつなげ、自立を支援する対人援助の方法を意味する言葉です。介護保険制度において、このプロセスは、介護支援専門員（ケアマネジャー）を中心にチームで取り組まれます。

　この2つの言葉から、「マネジメント」というと、ケアマネジャー、リスクマネジャー等の役割をになう中心メンバーの存在や、管理・調整の業務をイメージする人も多いと思います。こういったイメージにそって「マネジメント」という言葉を「管理」「経営」という意味だけで理解してしまうと、チームマネジメントを、管理職やリーダーの役割、業務と限定してとらえることになってしまいます。

　しかし、**チームマネジメント**は、チームが行動するために必要な目標を設定し、目標達成のためにさまざまな資源を効率的に活用するしくみを整えるはたらきのことです。言い換えると、チームメンバー全員が、役割と責任をもって、チームの力、サービスの質を高めるために行う幅

広い取り組みをさすものです。そのため、管理職やベテラン職員に限らず、新任職員もチームマネジメントにかかわる大切な存在なのです。

介護実践におけるチームマネジメントにおいて、介護の専門職である介護福祉士は、役職や経験年数を問わず、チームメンバーのなかで大きな責任をになう、期待を寄せられる存在だといえます。

2 介護福祉士にチームマネジメントが求められる理由

新しい介護福祉士養成課程のカリキュラムでは、領域「人間と社会」のなかに、「チームマネジメント」が加えられています。これは、介護実践をチームでマネジメントするために必要な組織の運営管理、人材の育成や活用などの人材管理、それらに必要なリーダーシップ・フォロワーシップなど、チーム運営の基本を学ぶものとされています。

> **コラム　チームマネジメントとよく似た用語**
>
> 「チームマネジメント」と同様に、「チームアプローチ」や「チームケア」が介護実践の現場で「チームの取り組み」を意味する用語として使われています。これら2つの用語のもつ意味も確認しておきましょう。
>
> ・チームアプローチ
> 対象（利用）者の理解、人間関係、課題の整理や分析を深めるための、チームとしてのかかわり。多職種連携と同義で用いられる。「アプローチ」は、対象に「接近する」という意味をもつ。
>
> ・チームケア
> 職種や役割の枠を超えた多職種協働による一体的、包括的なケア。チームメンバーには本人や家族が含まれる。場合によっては近隣の住民やボランティア等も含む場合がある。
>
> 上記の用語は、場面や職種によっては異なる意味で使用されることもありますが、わかりやすさを重視して整理したものです。介護福祉士として、類似する用語のおおまかな意味をつかんでおきましょう。

第1節　介護実践におけるチームマネジメントの意義

では、なぜ介護実践においてチームマネジメントが求められるのか、その理由を整理していきましょう。

（1）介護人材とリーダーの不足

2015（平成27）年に厚生労働省が公表した「2025年に向けた介護人材にかかる需給推計（確定値）について」によると、2025年度に必要となる介護福祉職は約253万人で、約37.7万人が不足する見通しです。介護需要に労働力の供給が追いつかず、十分な介護サービスの提供が困難になると心配されています。

介護人材の不足については、あとに述べる新しい研修制度等、さまざまな取り組みが行われていますが、一方、2020（令和2）年4月の介護福祉士養成校の定員充足率は51.7％（離職者訓練による受け入れを含む）とされ、また、入学者数は2006（平成18）年度の1万9289人と比較すると7042人と4割弱まで低下しています（公益社団法人日本介護福祉士養成施設協会調査）。介護福祉士の資格取得ルートは養成校ルート以外もありますが、養成の中心となる養成校の充足率の低さは、介護福祉士の不足に直結するものです。そして、**介護福祉士の不足**は、介護人材の不足と介護現場におけるリーダーの不足をもたらします。

介護現場では、すでに介護実践チームに経験と専門性をもったリーダーを配置することがむずかしい状況が生じています。チームメンバーの立場でいうと、経験と専門性をもつリーダーの指示や指導を受けながら仕事をする機会が少なくなっているといえるでしょう。このような現状だからこそ、チームメンバー全員がリーダーシップとフォロワーシップをバランスよく発揮しながら、チーム全体で効果的に介護実践と学びを積み重ねるために、チームマネジメントが求められるのです。

（2）介護人材の多様化

介護人材の不足を背景に、介護現場の人材は多様化しています。経験の有無や年齢という面だけでなく、資格面からみても、無資格の人や**介護職員初任者研修**[1]修了者がいます。また、2018（平成30）年度から、新たに生活援助従事者研修（研修時間59時間）や介護に関する入門的研修（研修時間21時間）も制度化され、研修の種類やレベルも多様化しています。また、外国人の就労や資格取得も進んでいます。

介護福祉士を対象とした質の向上とあわせて、介護人材不足の解消の

---

❶**介護職員初任者研修**
介護福祉職への入職段階における研修であり、介護福祉士への資格取得へといたるキャリアパスの入り口段階の研修と位置づけられている。研修時間は130時間。従来の訪問介護員（ホームヘルパー）養成研修2級課程から移行する形で、2013（平成25）年度からスタートしている。

ために、裾野の拡大に向けた取り組みが同時に行われているのです。

介護福祉士は、この多様化する介護人材で形成されるチームのリーダー、フォロワーとしての役割をにない、メンバーとチーム全体の介護の質の向上をめざすリーダーとなることが求められます。大きな期待と役割をになう介護福祉士だからこそ、チームマネジメントを学び、実践する必要があるのです。

(3) 制度におけるケアマネジメントと介護過程の関係

介護保険や障害福祉の分野では、**ケアマネジメント**がサービス提供のしくみのなかに位置づけられています。介護支援専門員、相談支援専門員等が多職種チームによりケアプラン（居宅サービス計画、施設サービス計画）等を作成し、介護福祉士はチームで**介護過程**を展開するプロセスを通じて、介護計画（個別サービス計画ともいいます）等を立案・実行します。

介護老人福祉施設（特別養護老人ホーム）などの**介護保険施設**[2]等では、この2つのプラン（計画）が一体的に立案されることもありますが、在宅の高齢者等へのサービス提供においては、2つのプランはそれぞれ立案され、役割が異なるものとして機能します。

現在の介護保険や障害福祉の分野で仕事をする介護福祉士は、複数のチーム（多職種チームと介護福祉職チーム）に属しながら、リーダーとフォロワーの両方の機能を果たすことが多いのです。

また、介護保険制度における介護支援専門員の保有資格として、もっとも高い比率を占めるのが介護福祉士です。介護福祉士の専門性をいかしながら介護支援専門員として多職種チームのリーダーをになう人も数多くいます。ケアマネジメントが制度的に位置づけられている介護保険や障害福祉の分野は、チームマネジメントが、介護の質に大きな影響を与える重要な取り組みだといえるのです。

(4) 生活を継続的に支える介護サービスの特性

介護業務はサービス利用者の暮らしを支える仕事であるため、施設や一部の在宅サービスでは、24時間必要なタイミングで介護を行うために交代勤務制をとっています。介護福祉士は、日々、変化をともないながら継続するサービス利用者の生活を、チームメンバーで分担しながら支えており、チームの質、力量が介護内容や質に直結しているといえま

---

❷**介護保険施設**
介護保険法上で規定されている、介護サービスを提供する施設のこと。介護老人福祉施設、介護老人保健施設、介護療養型医療施設、介護医療院がある。なお、介護療養型医療施設は2024（令和6）年3月31日までに廃止されることが決まっており、新設は認められない。また、介護医療院は、2018（平成30）年度に新たな介護保険施設として創設された。

す。最近では、個別ケアをめざして、ユニットケアも多くの介護現場で取り入れられており、チームの効果的な情報共有や人材育成の重要性は増すばかりです。介護福祉士がチームマネジメントを学び、実践しなくてはならない理由は、利用者の継続する生活を**チームで支える**という介護福祉士の専門性に関係しているのです。

3 介護福祉士に期待される役割

効果的、効率的に介護を提供し、介護サービスの質を高めるために、介護福祉士には、**介護福祉職チームのリーダー**としての役割が期待されています。

社会保障審議会福祉部会福祉人材確保専門委員会（厚生労働省）では、2016（平成28）年10月より介護人材の機能やキャリアパス等について議論を重ねてきました。同委員会は報告書のなかで、介護福祉職のグループにおけるリーダーがになうべき役割を**表3-2**のようにまとめています。

表3-2 介護福祉職のリーダーがになうべき役割

	役割	具体的な内容
1	高度な知識・技術を有する介護の実践者としての役割	・認知症の症状に応じた対応 ・医療やリハビリテーションの必要性が高い人への対応 ・終末期の人に対する看取りを含めた対応 ・障害の特性に応じた対応 ・複合的な支援ニーズをかかえる家族等への対応
2	介護技術の指導者としての役割	・グループ内の介護福祉職に対する能力開発（介護技術の指導や助言）と能力を引き出す支援（適切な業務・役割の配分やスーパーバイズ）
3	介護福祉職のグループにおけるサービスをマネジメントする役割	・介護過程の展開における介護実践の管理、グループ内の介護福祉職のフォロー ・さまざまな職種や機関からの利用者に関する情報収集と共有、介護福祉職のグループからの情報提供

注：この3つのリーダーとしての役割は、本章でチームマネジメントの取り組みとしている、①ケアの展開、②人材育成・自己研鑽、③組織の目標達成、に対応する内容。リーダーとして必要とされる能力は、チームマネジメントの大切な柱でもある。

出典：社会保障審議会福祉部会福祉人材確保専門委員会「介護人材に求められる機能の明確化とキャリアパスの実現に向けて」2017年の本文を表として整理

また、介護福祉士養成カリキュラムを充実させるべき点としては、リーダーシップやフォロワーシップをあげ、それらを、介護福祉士が介護福祉職のグループのなかで専門職としての役割を発揮するために求められる能力としています。

表3-2の「3 介護福祉職のグループにおけるサービスをマネジメントする役割」が、チームマネジメントをさす部分です。この役割を果たしていくために、求められる能力として、①介護計画等にそった介護が提供されているかの管理やチーム内の介護福祉職に対するフォローなどのマネジメント力、②多職種と情報共有できる多職種連携力、③チーム内のサービスの質の改善力が指摘されています。

これからの介護福祉士は、介護福祉職チームのリーダーとしてのマネジメント力が求められているのです。

3 介護実践におけるチームマネジメントへの取り組み

介護実践におけるチームマネジメントとは、介護の質を高め、よりよいケアを行うために、チームメンバー全員で行う、チームとサービスのための取り組みです。

本章では、はじめてチームマネジメントを学ぶ方を対象にして、介護実践におけるチームマネジメントを次の3点に整理しています。

> ① ケアの展開
> ② 人材育成・自己研鑽
> ③ 組織の目標達成

図3-5で示したとおり、「チームとメンバーの取り組み・役割」の先に、上記①～③が位置づけられています。①～③の3つは、チームマネジメントの具体的な取り組み（道順）であり、チームマネジメントのねらい（目標）ともいえるものです。チームマネジメントの3つの柱と考えておくとよいでしょう。

これら以外にも、介護の質を高めるチームマネジメントには、さまざまな取り組みがありますが、この3つは、介護の質を高めるために欠くことのできない中心的な取り組みです。

ここから、3つのチームマネジメントの取り組みを具体的に整理して

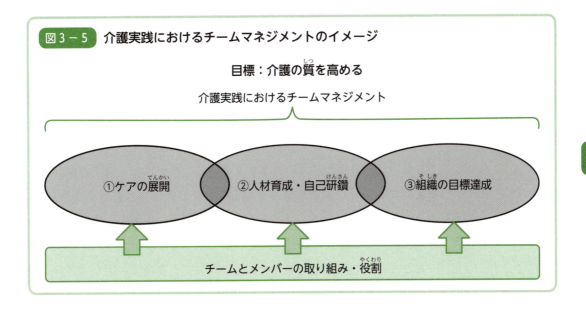

みましょう。

1 ケアを展開するためのチームマネジメント

(1) ケアの展開とチーム

　介護福祉士は、介護を必要とする人の生活を支えるために、その人の状態の変化を把握しながら、方針にそって、目標に向けてチームでケアを展開していくことになります。

　介護保険制度上で考えると、介護支援専門員（ケアマネジャー）によって、利用者の生活全体を支えるケアプラン（居宅サービス計画または施設サービス計画）が立てられており、利用者にどのようなサービスを提供するのか計画されています。また、在宅であれば、どの事業所が利用者にサービスを提供するかということが、施設であれば、どの職種が利用者にサービスを提供するかということがコーディネートされています。

　ケアプラン作成の過程で、サービス担当者会議等を通じ、利用者がどのような生活を送りたいと望んでいるのかを多事業所・多職種のチームで確認し、どのような目標に向かって、どのようなケアを行っていくのかという方針を共有します。そのうえで、介護福祉士は、より具体的・専門的な介護計画（個別サービス計画）を立案し、目標の達成に向けて同職種チームで介護過程を展開します。

介護福祉士は、交代勤務をするなど、同職種とチームを組むとともに、異なる視点で利用者にかかわっている他職種と協働して利用者の生活を支え、法人や施設、事業所といった所属組織のなかでもさまざまなチームのメンバーとなり、よいケアのためのしくみづくりにもかかわりながら、常に**チーム**でケアを展開していきます。

　そして、その1つひとつのチームでのケアの展開が、利用者の望む自立した生活を実現させていきます。そして、チームで協働する意味をふまえ、ていねいな実践を積み重ねることで、チームの力は高まります。また、これにともなって、人材育成や自己研鑽、組織の目標達成のための運営管理の必要性を感じることも多くなるでしょう。

　たとえば、利用者Aさんへのケアを提供するなかで、アセスメントのプロセスにおいて、Aさんのもつ障害に対する理解不足に気づいたとします。このことは、再アセスメントの実施につながると同時に、チームとしてアセスメントの力を高めるために、Aさんの疾病・障害の勉強会を開催することや個人学習を重ねることなどの取り組みにつながります。

　さらに、組織の目標達成のための運営管理の視点からみると、Aさんの疾病・障害だけでなく、ほかの疾病や障害を含めた研修計画や介護マニュアルの充実に向けた取り組みにつながることもあるでしょう（図3－6）。

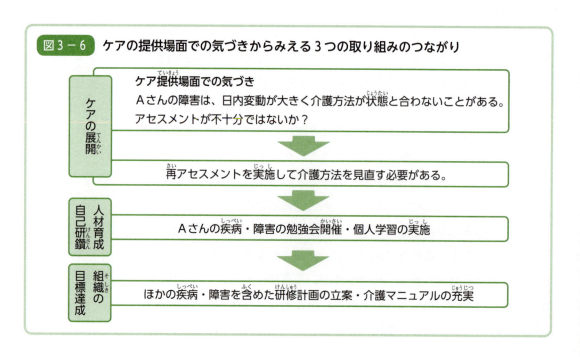

図3－6　ケアの提供場面での気づきからみえる3つの取り組みのつながり

第1節　介護実践におけるチームマネジメントの意義

> **コラム**　ケアと介護
>
> 　ここで、「ケア」と「介護」という用語について、本章における用語の使い方を整理します。
>
> > ケア：健康づくり、リハビリテーション、医療、福祉、介護等を含む言葉で、地域（施設も含む）で暮らすために必要なさまざまな「手だて」をさし、「介護」より広い意味をもつ。
> > 介護：食事、排泄、入浴、整容、移動等の生活行為の援助をさす。
> > 　　　「介護福祉士」、「介護職員初任者研修」「老老介護」の「介護」がこれにあたる。
>
> 　これらは、定義や語源を示すものではありませんが、「ケア」と「介護」は本章でもたびたび使用される用語であるため、まったく同じ意味で用いられているわけではないことをイメージできるよう整理しています。
> 　「ケア」という用語は、最近では「地域包括ケアシステム」、「緩和ケア」、「口腔ケア」、「認知症ケア」、「栄養ケア・ステーション」等、医療、保健、福祉、介護を含む、多職種による「技術・援助の総称」で使われることが多くなりました。
> 　ただし、「ケア」と「介護」の２つの用語が明確に分けて使用されているわけではなく、食事や排泄の介護を行う介護福祉職のことを「ケアワーカー」と呼んだり、介護保険制度といいながら、サービスのなかに医療系サービス（居宅療養管理指導や介護医療院等）も含んでいる等の例もあります。
> 　言葉の意味は、使う場面や職種によっても異なることがありますが、「ケア」と「介護」は２つとも、「尊厳のある自立した生活」をめざすものであり、これを実現するために、さまざまな立場の人（本人や家族、専門職等）の協働が重視されます。

（2）チームマネジメントの出発点となる取り組み

　①ケアの展開は、②人材育成・自己研鑽、③組織の目標達成の取り組みにつながっていくものであり、介護福祉士がチームマネジメントを学び、実践するためのもっとも大切な出発点といえます。
　ケアの展開・実践場面での気づきから、新しい取り組みが順に導かれる例を説明してきましたが、ケアの展開過程において個別サービス計画やサービスの利用計画（ケアプラン）をチームで検討する**ケアカンファレンス**❸は、そのものがチームマネジメントの視点からみて非常に重要な取り組みです。介護福祉職を含む多職種が集まり、利用者の意向をふ

❸ケアカンファレンス
ケアに関する会議のこと。介護の現場では、よりよいサービス提供のために利用者を含む関係者が、情報の共有や共通理解をはかるため、課題を検討・解決するために開かれる会議をケアカンファレンスという。なお、カンファレンスとは、会議や協議、検討会のことをいう。

まえながら、それぞれの立場からの意見交換や情報共有を行い、ケアの方針や内容を決定していくプロセスは、人材育成の場としても大きな意味をもちます。ケアカンファレンスには、本来の意味に加えて、専門職を育てる大きな力があるのです。

　また、組織の目標達成のための運営管理の視点からみると、法令を遵守しているか、適切なケアが行われているかを複数の立場・職種でチェックする管理機能がはたらき、充足できていないニーズに着目することで、不足している資源（人や設備、サービス等）を把握し、整備、開発していく機能もはたらきます。

　介護現場で行われているチームの取り組みの多くは、①ケアの展開、②人材育成・自己研鑽、③組織の目標達成の3つに分類できるといってよいでしょう。

　介護業務を通して目にする日常的なチームの取り組みがどのような意味をもつものなのかを考察することも、チームマネジメントを実践するうえで大切な視点です。

　ケアを展開するためのチームマネジメントについては、本章第2節で詳しく扱います。

2　人材育成・自己研鑽のためのチームマネジメント

（1）人材育成・自己研鑽とチーム

　ケアの展開プロセスをチームで1つひとつ確実に積み重ねることで、介護福祉職は多くの気づきをえることができます。

　「このケアは利用者の希望にそったものか」「利用者の体調に変化はないか」「利用者は苦痛や不安を感じていないか」等、ケアの提供によって生じる利用者の反応や変化を確実にキャッチすることができれば、利用者の望む暮らしに向けた、より効果的で効率的な介護を行うことができます。また、いくらていねいなケアを行ったとしても、根拠のないケアは利用者の望む暮らしの実現や自立支援にはつながりません。

　「反応や変化をキャッチする力」を高めるため、根拠のあるケアを行うために、介護福祉職には「学び」が欠かせません。チームとしての人材育成、介護福祉職としての自己研鑽は、介護の質を高めるための重要な取り組みです。

（2）人材育成・自己研鑽の取り組み

　人材育成・自己研鑽は、現場で実際の仕事を通しての学び（OJT）と、研修会や通信教育等、介護の現場を離れての学び（Off-JT）の2つに分けることができます。

　体系的に知識の整理や土台づくりを行うためには、Off-JTが効果的ですが、介護福祉職として仕事につくと時間的な制約も生じて、その機会は限られてしまいます。一方、仕事につくことによって、OJTで学びをえる機会は飛躍的に多くなります。

　OJTとOff-JTは、どちらも人材育成と自己研鑽のために必要な取り組みですが、OJTは実際の仕事を通して学べるので、その内容と仕事のずれは少なく、効率的な方法といえます。また、継続的なOJTを通じて、新任者やメンバーのサポートがなされたり、人間関係が構築されたりと、チームづくりも促進されます。

　しかし、OJTは、業務を行いながら指導にあたる担当者の負担が大きくなりがちです。また、マニュアルや研修計画の充実度によって指導内容にばらつきが生じることもあります。さらに、業務に合わせた訓練となるため、断片的になりがちで全体を通しての学びや整理がむずかしいという短所もあります。

　効果的な人材育成をするために、2種類の教育訓練を、それぞれの長所をいかし、短所をおぎないながら組み合わせて行うことが求められます（**表3-3**）。

表3-3　介護現場における、OJTとOff-JTの長所と短所

タイプ	長所	短所
OJT on-the-job training （仕事を通した訓練・学び）	○学びと仕事のずれが少ない ○チームの人間関係づくりが進む ○指導される側だけでなく、指導する側や、チーム全体への教育的効果も見込める	○指導者の負担が大きい ○指導者によって内容に差が出る ○業務に合わせるので、体系的になりにくい
Off-JT off-the-job training （仕事を離れての訓練・学び）	○知識の整理や土台づくり、現場にない新しい取り組みに向く ○学びのメニューが豊富でタイミングも選ぶことができる	○費用や時間がかかる ○実践とのずれが生じやすい ○効果が出るまで時間がかかる

（3）OJT、Off-JTとチームマネジメント

　また、忘れてならないのは、日々行われているOJTの短所をおぎなうには、チームでの取り組みが有効だということです。チームで効果的にOJTに取り組むことができれば、指導者の負担は軽減され、指導内容のばらつきが減る等の大きな効果をえることができます（図3－7）。

　チーム内で、指導内容の検討や研修（訓練）計画、訓練マニュアル、介護マニュアルの作成や見直し等を行うことになるため、OJTに体系的に取り組む組織では、指導する側やチーム全体へ与える教育的な効果も期待できます。みずからの介護手順や方法を見直したり、その根拠を説明するための言語化、文章化を通して、指導する側も自己研鑽のチャンスをえるのです。

　ここまで、おもにOJTにおけるチームマネジメントの必要性を述べてきましたが、最近では、Off-JTに分類される研修会やセミナー等においても、現場での実習やレポート作成を通じた学習が含まれている研修や、上司と習得目標を協議すること、現場のチームでのふり返りを行うことを要求するような研修もあります。また、多くの施設や事業所では、研修会での学びを文書にしてチームメンバーで共有していたり、学んだ内容をもとに発表や伝達研修を実施していたりします。

　どのような形態での学びも人材育成と自己研鑽につながりますが、その学びをチームで共有・活用することで、学びの効果はより大きなものとなります。効果的な人材育成・自己研鑽に、チームの力は不可欠なものだといえるでしょう。

　人材育成・自己研鑽に関するチームマネジメントについては、本章第3節で詳しく扱います。

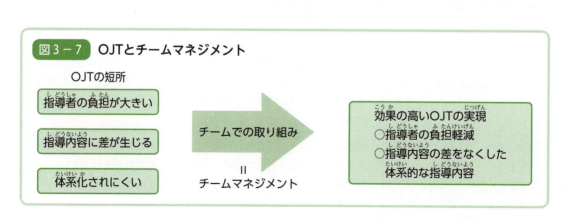

図3－7　OJTとチームマネジメント

3 組織の目標達成のためのチームマネジメント

(1) 組織の目標とチーム

　介護サービスを運営する法人や施設は、**理念**（あるべき状態についての基本的な考え）をもちます。この理念を具体化して、実現するために**目標**が設定されます。つまり、組織の理念を具体化するための取り組みとして、法人全体の目標、施設・事業所の目標、チームの目標等、さまざまなレベルで目標の設定が行われます。

　多くの場合、法人の理念や目標にそって、施設やチームでの目標を組織内、メンバーで検討して決定します。さらに、この内容にそって個人の目標管理を行う法人もあります。

　最近では、理念や目標の設定とその取り組みの重要性が広く知られるようになり、多くの法人や施設において、職員への周知や徹底はもちろんのこと、地域住民等にも、ホームページ等でその内容や具体的な取り組みを広く公表しています。

(2) 組織の目標達成のための取り組み

　組織やチームの**目標達成**のための取り組み（運営管理）が、よりよいケアを展開するために必要な取り組みとなることを、目標設定の例をみ

図3-8　組織の理念・チームの目標と介護実践のつながり（例）

■**法人全体の理念・目標**
　利用者1人ひとりの「自分らしい自立した暮らし」を実現する。

 具体化

■**施設・事業所のチームの目標**
　自立した暮らしをめざして多職種協働の個別ケアを実践する。

 具体化

■**多職種チームの目標**
　食事ケアの質の向上のため、管理栄養士、歯科衛生士等と協力して利用者全員の食事形態、口腔内の状態、ケア方法の再評価を行う。

 具体化

■**介護福祉職のチーム・個人の目標**
・口腔内の清潔保持と異常の早期発見のために口腔ケア研修へ参加する。
・口腔ケアチームに所属して口腔アセスメント票を作成し活用する。

よりよいケアの実現

ながら確認してみましょう。

図3-8に示したつながりをみていくと、組織の理念やチームの目標は、介護の質を高め、適切な介護や行動を選択する際の判断基準・方向性を示すものとして、介護実践や自己研鑽の指針となることが理解できます。このような、目標管理・達成のしくみを組織・チーム内につくっていくことも、チームマネジメントの取り組みの1つです。

組織の目標達成に関するチームマネジメントについては、本章第4節で詳しく扱います。

4 関連し合う3つのチームマネジメント

チームマネジメントの3つの取り組みは、互いに関連して、機能をおぎない合う関係にあります。

チームマネジメントの3つの取り組みの関係は図3-9のように示すことができます。「日々のケア内容を見直し、改善していくこと（A部分）」も大切ですが、あわせて、「人材育成・自己研鑽の取り組み（B部分）」や、「理念や目標の徹底をはかること（C部分）」も介護の質を高めることに大きく関係しているのです。

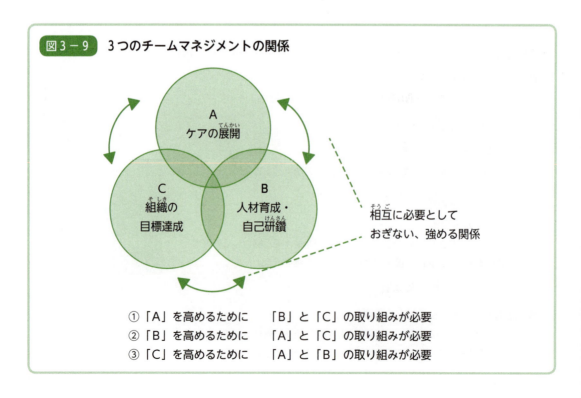

図3-9 3つのチームマネジメントの関係

◆ 参考文献

- 野口智雄『ビジュアルマーケティングの基本 第3版』日本経済新聞出版社、2011年
- 恩蔵直人『改訂版 マーケティング論』放送大学教育振興会、2008年
- フィリップ・コトラー、村田昭治監、和田充夫・上原征彦訳『マーケティング原理——戦略的アプローチ』ダイヤモンド社、1983年
- フィリップ・コトラー、宮澤永光・十合晄・浦郷義郎訳『マーケティング・エッセンシャルズ』東海大学出版会、1986年
- フィリップ・コトラー＆ゲーリー・アームストロング、恩蔵直人監、月谷真紀訳『コトラーのマーケティング入門 第4版』ピアソン・エデュケーション、2005年
- 阿部志郎編著『ヒューマンサービス論』中央法規出版、2006年
- 社会福祉士養成講座編集委員会編『新・社会福祉士養成講座11 福祉サービスの組織と経営 第5版』中央法規出版、2017年
- 川村匡由編著『施設マネジメント論——福祉サービスの組織と経営』ミネルヴァ書房、2010年
- 手塚貞治編著『マネジメントの基本——この1冊ですべてわかる』日本実業出版社、2012年
- 葛田一雄『介護管理者・リーダーのための人づくり・組織づくりマニュアル——自分で判断して・行動できる人材育成の進め方はこれだ！』ぱる出版、2011年

演習3-1　介護サービスとほかの仕事との違いについて考える

　ヒューマンサービスである介護サービスは、それ以外のモノを扱う仕事と何が違うのか考えてみよう。

1 介護サービスとモノを扱う仕事との違いをいくつかあげてみよう。

2 モノを扱う仕事と比べて、ヒューマンサービスである介護サービスで気をつけなければならないことは何だろうか。グループで意見を出し合ってみよう。

演習3-2　ケアを展開するさまざまなチームについて考える

　介護福祉職が同職種、多職種でチームをつくる意味（目的）や効果について考えてみよう。

1 同職種（介護福祉職同士）でチームをつくる場面とその意味（目的）について考えてみよう。

2 医師や看護職、リハビリテーション職、管理栄養士、相談職などと多職種でチームをつくる場面とその意味（目的）について考えてみよう。

3 同職種チーム、多職種チームそれぞれのメリット、デメリットについて考え、自分の意見を整理し、グループで話し合ってみよう。

第 2 節

ケアを展開するための
チームマネジメント

> **学習のポイント**
> ■ ケアを展開するためのチームのあり方や機能について学ぶ
> ■ チームでケアを展開するために必要な取り組みについて学ぶ
> ■ チームの力を最大化するためのリーダーシップ、フォロワーシップについて学ぶ

関連項目		
	④『介護の基本Ⅱ』	▶ 第4章「協働する多職種の機能と役割」
	⑤『コミュニケーション技術』	▶ 第5章「介護におけるチームのコミュニケーション」
	⑥『生活支援技術Ⅰ』	▶ 第1章「生活支援の理解」
	⑨『介護過程』	▶ 第2章「介護過程の理解」

1 ケアを展開するために必要なチームとその取り組み

　チームマネジメントの考え方についての理解が進んだところで、ケアを展開するためにはどのようなチームが必要なのか、チームにどんなメンバーがいるのかを整理していきましょう。

1 ケア実践の場や内容に応じて変わるチーム

　表3－4に、介護福祉士が介護実践のためにかかわる**チーム**をまとめました。
　表中に「2」「3」として示したチームには、規模によっては、チームというより組織またはネットワークと表現したほうがイメージしやすいものもありますが、そのなかで実際に中心的な役割をにない、協議や活動をするメンバーは、チームと呼べる規模で活動していることも多いため、チームの1つに含めて整理しました。
　チームや組織には、つくられた目的や果たすべき機能・役割がありま

表3－4　ケアを展開するためのチーム

	チーム等	おもなメンバー例	実際の取り組みの例
1	同職種チーム（介護福祉職）	介護福祉職	①介護施設、通所施設での介護福祉職チーム ②特定の業務や取り組みを行う介護福祉職チーム 　例：食事、排泄、入浴ケアチーム、研修委員会、レクリエーションチーム
2	多職種チーム（地域包括ケア、地域ネットワークを含む）	介護福祉職、医療職、相談職、地域の関係者等	①在宅の利用者を支えるケアチーム ②施設での看護職やリハビリテーション職、ケアマネジャーとのチーム ③特定の業務や取り組みを行う多職種チーム 　例：リスクマネジメント委員会、感染症対策委員会、身体拘束・事故・虐待防止委員会等 ④地域ケア会議、支え合いの地域会議（協議体）、地域見守りネットワーク、医療介護連携の会議等
3	法人や施設、事業所チーム	法人や施設、事業所に所属する職種	1、2であげた同職種、多職種チームに加えて、運営管理、事務や調理等にかかわる人を含めたメンバーで、法人や施設全体の取り組みを協議・実施するチーム 　例：新しい事業の検討や行事の実施、広報、求人活動の検討等

す。ケアを展開する場は、介護施設や病院、利用者の居宅など、実にさまざまですが、場所が違えば使える道具も違い、配置されている職種も違います。つまり、その場ごとの特性があるということです。そして、場の特性が異なるということは、利用者の心身の状況に応じてケアをするだけでなく、ケアを展開する場やそのケアの内容に応じた連携が必要になるということです。そのため、必要な役割を果たすメンバーが集まり、場の特性に適応したチームがつくられます。

2 チームとメンバーの相互関係

　チーム・組織の規模等とも関係しますが、チームで活動する際に、チームメンバーである個人の行動や発言は、無意識のうちにチーム全体からの影響を受けています。また、その反対に、メンバー個人の判断や行動は、チーム活動全体に影響を与えるという相互関係にあります。

第2節　ケアを展開するためのチームマネジメント

　チームとメンバーは、プラスの影響を与え合うこともあれば、その逆にマイナスの影響を与え合うこともあります（図3-10）。

　チームワークは、メンバーの活動がチーム全体に影響を与え、チームの活動がメンバーに影響を与えるという**集団力学（グループ・ダイナミクス）**❶の関係にあります。グループ・ダイナミクスをうまく活用できるかどうかが、ケアの展開の質の高低に大きくかかわってきます。

　また、「目標を達成する機能（Performance function）」と「集団行動―人間関係を維持する機能（Maintenance function）」の2つを軸にして、これらがチーム内にどのように機能しているのかを確認していくことが、チームマネジメントに有効な方法であるとして理論化されています。この理論は、2つの頭文字をとって**PM理論**❷と呼ばれています。

　チームの役割や機能は、文書化されてメンバーに共有されていること

❶集団力学（グループ・ダイナミクス）
心理学者のクルト・レヴィンによって提唱された集団力学のこと。集団力学とは、人の行動や考え方は集団によって影響を受け、また個人の行動や考え方も集団に影響を与えるという特性のことである。クルト・レヴィンは、このような集団特性のはたらきは、人の行動や考え方に影響を与える「場の力」の分析が重要であることを指摘している。

図3-10　チームとメンバーの相互関係

メンバー

行動・発言
態度・期待等

チーム

規則・役割・雰囲気
これまでの実績

互いに影響を与え合う存在

■メンバー ⇒ チーム全体へ
（プラスの影響）
利用者の思いを大切にして、生き生きと仕事にはげむメンバーは、チーム全体に、やる気や充実感などのプラスの効果を与える。

（マイナスの影響）
自分本位でやる気のない態度は、ほかのメンバーに悪い影響を与える。

■チーム ⇒ メンバーへ
（プラスの影響）
相手のことを思いやり、支え合うことのできるチームは、困難な課題に対応するときも、メンバーに大きな安心感と力を与える。

（マイナスの影響）
まとまりのないチームは、メンバーの能力を引き出すことができない。

❷PM理論
三隅二不二が提唱したマネジメント・リーダーシップの理論。①組織の目的を達成させる「職務を遂行させる機能」Performanceと、②メンバー間の摩擦や葛藤を回避し、チーム意識を醸成させる「集団を維持させる機能」Maintenanceの2つで整理し、この2つを「場の力」をよい状態に保つために必要な要素としてとらえている。

が理想ですが、必ずしも共有されているチームばかりではありません。メンバーとして与えられた業務や役割を果たしながら、チーム全体の業務や役割を理解しなくてはならない場合もあります。チームや組織そのものも、メンバーとの相互関係を通じて成長したり変化したりするものだと考えておきましょう。

3 介護福祉士がかかわるチームの取り組み

　介護福祉士は、利用者の暮らしをもっとも身近で支える専門職であることから、さまざまな規模のチーム、さまざまな目的をもつチームのメンバーとして幅広く仕事をする機会があります。

　ここで、ケアを展開するうえで必要になる介護チームの取り組みを具体的にイメージするために、法人や施設、事業所でのチームの取り組みを整理してみましょう。表3－5に示した例は、介護施設におけるチー

表3－5　介護施設におけるチームの取り組み

	分類	内容
1	介護業務等	介護業務、ユニットやチーム（委員会等）の管理、家族への支援、苦情対応、行事企画、他職域との連携、個人情報の保護、権利擁護、実地指導や監査の準備・対応、介護保険・障害福祉制度等の活用（加算要件と体制の確認）
2	設備・備品管理	設備や備品、消耗品の管理、（介護）機器・用具の点検
3	経営参画	目標の決定と管理、コスト管理、経営への参画
4	労務管理	勤務調整、勤務表の作成、健康管理（メンタルヘルス、腰痛対策等含む）、人事考課、目標管理、求人活動
5	リスク管理	介護事故・苦情・感染症対策、安全指導、災害時対応、緊急対応（停電、断水、故障等）、業務継続計画（BCP）の策定
6	人材育成・確保	研修計画立案・調整、育成とサポート、キャリア開発、研究発表、実習生の受け入れ調整
7	地域との連携	関係団体との調整・交流、地域ケア会議等への参加、見学・体験、ボランティア受け入れ
8	会議運営	各種会議の企画、参加
9	その他	届出、調査への協力

ムの取り組みですが、リーダー1人で行うものではないことがわかるはずです。チームメンバーの理解と協力により行われることで、チームとしての力が高まり、介護の質の向上につながっていくものです。

また、介護現場において、これらの取り組みは、介護チーム内の担当委員会や係がになう場合もあります。チームの取り組みをリーダーだけの業務と考えるのではなく、チーム全体の役割として全員で取り組むものだと考えましょう。いずれの取り組みも、よりよいケアを行うために、介護チームに必要不可欠なものであることをチームのメンバー全員が理解することが重要です。

2 チームでケアを展開するためのマネジメント

介護現場においてチームでケアを展開するために、「情報共有」と「役割分担」は欠くことのできないものです。職種による視点の違いやケアの方針の重要性などを通して、チームでケアを展開するためのマネジメントについて学びましょう。

1 情報を共有する

（1）情報共有の必要性を理解する

利用者へのケアは、チームによるさまざまな取り組みによって具体化されていきます。ここでは、利用者の生活課題の解決への取り組みのなかで、チームマネジメントとして何が求められるかをみていきます。

日常的なケアは、利用者と介護福祉職等との1対1の関係のなかで行われていくものです。また、それと同時に、介護福祉職に限らず、さまざまな職種・職員によって**協働**で展開されています。多職種による協働では、それぞれの職種がその役割に応じて、専門的な視点で**アセスメント**を行い、ケアを展開していることが特徴です（図3-11）。

チームの一員である介護福祉士は、介護過程を個人で展開できる力を基礎にして、チームでの協働を生み出していく実践力、つまりチームワークを生み出す力が求められます。なお、**チームワーク**とは、チームで目標を共有し、目標達成のために、チームメンバーで協働することをさします。

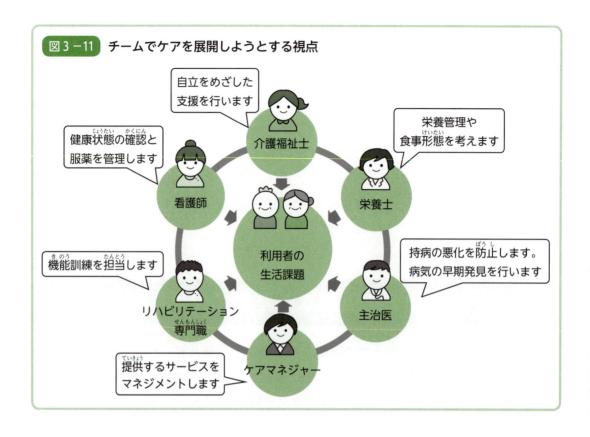

図3-11 チームでケアを展開しようとする視点

　チームで協働してケアを展開するためには、チームでの情報共有が必要不可欠です。

　情報共有では、複数の職種・職員が把握した情報をチームで共有するため、さまざまな情報がつなぎ合わさります。情報がつなぎ合わさることで、利用者の全体像をより広くみることができたり、バラバラであった利用者の生活状況を1つの生活の流れとして結びつけられるようになったりするなど、まとまりのある理解につながっていきます。つまり、今までは見えていなかった利用者の状態や課題、ケアの効果などに気づくことができるのです。

　たとえば、「夜間帯睡眠が浅く落ち着かない状態が続いている」「日中の食事量に変動がある」「排便の回数が不安定である」など、これらはすべて、情報を共有することによってみえてくることであり、日常生活の一場面だけでは把握することができません。利用者の日々のさまざまな情報をつなぎ合わせたり、比較したりすることで、はじめて意味のある情報としてとらえることができるのです。

（2）情報共有の場を活用する

　多職種チームで情報を共有する場としては、介護保険制度上で展開されるケアマネジメントを例にあげると、**サービス担当者会議**が一般的です。サービス担当者会議は、介護支援専門員（ケアマネジャー）が**ケアプラン**❸を立案するときやモニタリングをするときに開催されることが多く、サービスにかかわっているさまざまな職種が出席し、そのメンバーの1人に介護福祉職も含まれます。

　サービス担当者会議では、職種の異なるチームメンバーが、それぞれのもつ専門性による気づきなどの情報を発信し合い、チーム全体で共有することが大切です。ここで共有される情報には、利用者の情報だけでなく、利用者の家族などの情報も含まれており、まさに、利用者の生活の全体像を幅広くとらえる場になっています。サービス担当者会議は、実際に行っているケアの効果や実践上の課題をチームで検討し、今後のケアの方針を立てたり、具体的なサービス内容の修正を行ったりしたうえで、それを共有する場です。

　しかし、サービス担当者会議のような情報共有が目的の1つとされている会議は、毎日開催されるものではありません。介護現場は、事業種別に限らず、複数の介護福祉職による交代制の勤務で成り立っています。個々の介護福祉職の介護実践は、担当業務や勤務状況によっては、食事介助や入浴介助等、利用者の生活の一場面に特化した限定的なかかわりにとどまってしまうこともあります。また、たとえば訪問介護（ホームヘルプサービス）など、利用者の1日の様子を常に把握することがむずかしい介護サービスの形態もあります。

　そのため、利用者の生活を継続的に支えるために、多職種チームに限らず、同職種チームでも日々のケア実践の情報を共有する場が日常的に設けられる必要があります。

　具体的には、介護現場で行われるチームミーティングや、勤務交代時に行われる**申し送り**❹などを活用することが効果的です。なお、申し送りは、早番から日勤、遅番から夜勤等、職員個々が勤務時の担当業務によってえられる情報以外の情報が共有される機会となるため、日々の業務行動において、もっとも身近な情報共有の場といえるでしょう。

---

❸ケアプラン
サービス担当者会議で立案・修正されるケアプランは、サービス全体を網羅したプランであり、介護過程を通して作成される介護計画とは異なる。

❹申し送り
入所サービスの場合、24時間体制でケアを展開していることから、収集した情報は勤務交代時の情報共有を通して、次の勤務者へとひきつがれていく。これが申し送りである。

2 情報を統合し方針を明確にする

チームでの情報共有は必要不可欠ですが、チームのメンバーが協働するためには、チームで課題や目的を設定し、課題の解決や目的の達成に向けた実践へと展開していくことが必要です。単に情報をチーム全体で共有することで終わらせず、ケアを展開するために、情報を統合し、利用者の全体像を理解し、課題解決につながるケアの方針を明確化することが重要になります。

（1）職種による視点の違いを理解する

まず、共有した情報の意味づけは、職種等によって異なる場合があることも理解しておく必要があります。

たとえば、食事量が低下しているという情報に対する意味づけが職種によって異なる場合があることを確認してみましょう（図3－12）。看護師は、利用者の疾患や病状が食事量の低下に影響していると意味づけ

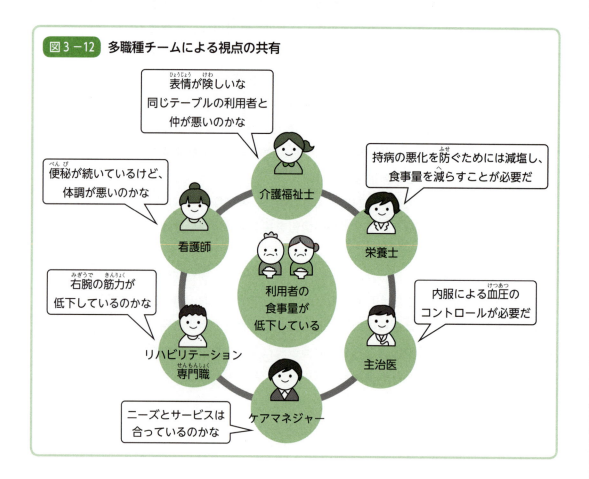

図3－12 多職種チームによる視点の共有

を行ったとします。それに対し、リハビリテーション専門職は、利用者がかかえる障害が食事動作に影響を与えていることによって食事量が低下していると意味づけているかもしれません。また、介護福祉職である介護福祉士は、利用者の食事場面における人間関係が食欲を低下させていると意味づけを行うかもしれません。

このような意味づけの違いは、専門職の視点による違いだということができるでしょう。職種による視点の違いは、どれが正しいということではありません。チームでこうしたさまざまな視点を共有し、共有した情報を統合し、利用者の生活課題のとらえなおしを行っていく作業が必要になります。

（2）方針を明確化して実践する

ケアの方針とは、たとえば、めざすべきケアのあり方、将来の状態など、具体的にイメージできるものです。

ケアの方針は、利用者が望む暮らしの実現をめざして立てられるものであることはいうまでもありませんが、チームという集団が一体となって進んでいくための「何をめざすのか」という道標になるものです。

たとえば、みなさんが就職した介護施設で、介護福祉職チームのケアの方針が明確になっていないとしたら、ケア実践のあり方はどうなるでしょうか。

それぞれの介護福祉職が思い思いのケアを展開し、個々の介護福祉職は質の高いケアを実践しているつもりであっても、チーム全体、施設全体では、めざすべき姿が共有されず、一貫性のないケアを行うこととなり、かえって利用者の生活の質を悪化させてしまうのではないでしょうか。本当の意味で質の高いケアを展開していくためには、ケアの方針を明確にし、チームで方向性をそろえたケアを行うことを前提としなければなりません。

ケアの方針を具体的なものとしてチームで共有することができれば、チーム全体で同じ方向に向かって活動することができます。ケアの方針を共有することによって、チームとしての一体感が生み出され、互いの役割を意識し合うことや、主体的な行動をとることにもつながっていきます。

3 評価・修正の機会をつくる

　よりよいケアを行うためには、チームで行ったケアを**評価・修正**する機会が必要です。

　多職種チームのケア実践であれば、サービス担当者会議やケアカンファレンス等を、ケアを評価し、修正するための機会とすることができます。こうした、業務として確立されている評価・修正の機会を活用することはもちろん必要ですが、それ以外に、日常の業務のなかでチームのケア実践をふり返ることも必要です。同職種チームであっても多職種チームであっても、勤務交代時の申し送りやチームミーティングを**ふり返りの場**として、ケアの評価・修正の機会とすることができます。そこから、職員個々のアセスメントの食い違いを解消したり、無意識のうちに展開しているケアをマニュアル化したり、さらには業務課題を発見し、チームで行うケアを改善したりします。

　質の高いケアをチームで展開するためには、同職種チームや多職種チームでのケアの評価・修正のほか、法人や施設、事業所チームというレベルで、業務マニュアル、勤務表の作成などを行い、ケアの方針にそって確実に行動できる体制を整えることが必要です。

　また、業務上に発生する課題は、体制が整っていないことだけでなく、チームメンバー個々が実施するアセスメントが十分でないなどの、介護福祉職の力量不足も影響しています。さらには、チーム内でのそれぞれの葛藤やメンバー同士の摩擦なども、チームワークに悪影響を与え、モチベーションを低下させるなど、課題につながります。要するに、利用者に対して質の高いケアを展開していくにあたっては、業務体制を整えることや、介護福祉職それぞれの力量の向上をはかることも、重要なチームマネジメントの要素になるのです。

3 チームの力を最大化するためのマネジメント

　課題解決に向けたケアの展開では、業務をになうメンバー個々の実践力やチームワークが必要不可欠です。

　どのようなチームであっても、メンバーそれぞれがもつ力を最大限に発揮し、それぞれの役割をにないながら協働することが求められます。

メンバーがそれぞれの力を最大限に発揮するには、「職種に応じた役割」や、「分担して取り組む業務内容」を明確にすることは当然必要ですが、チームの力を最大化するには、これだけでは不足しています。

チームの力を**最大化**するには、メンバー個々の力のみでは解決できない課題を、メンバー同士の連携や協働によって達成することが重要です。チームがうまく機能すれば、相乗効果を生み出すことが可能となります。

チームでは、めざすべきケアの方針や目標をメンバーで共有し、役割分担したうえで、目標達成のためにメンバーが協力する「意識」や「行動」が必要です（**メンバーシップ**❺）。

一般的に、チームの構成員には、チームをまとめ、牽引する立場にあるリーダーと、リーダーからの指示や影響を受けて行動するフォロワーが存在します。

ここでは、メンバーそれぞれがもつ力を最大限に発揮し、さらには相乗効果によってチームの力を最大化していくために求められるリーダーとフォロワーのあり方についてみていきます。

❺メンバーシップ
p.169参照

1 リーダーシップとフォロワーシップの機能

（1）リーダーシップ

リーダーが発揮すべき意識や行動を「リーダーシップ」といいます。**リーダーシップ**は、指導力や統率力等、チームをまとめる力、目標へ導く力がその中心的な機能です。リーダーシップにはさまざまな形があり、場面によっても求められるリーダーシップは異なります。

リーダーシップというと、指導者や統率者が発揮するイメージが強いと思います。しかし、リーダーシップは必ずしも指導者等の組織の上に立つ者が行うことを意味していません。

たとえば、経験の浅いメンバーが多いチームでの活動や緊急性を要するケースでは、明確で強い導きを重視したリーダーシップが効果的です。逆に、専門職が集まったチームでは、ある程度の経験をもつメンバーが多いため、メンバーそれぞれの主体性や自律性を重視した、調整中心のリーダーシップが効果的で、新しい気づきや多様性を生み、チーム全体の力を高めることにつながります。

リーダーシップは、指示や命令を出すことだけを意味するものではな

く、目標やルールをチーム内で共有・徹底すること、メンバーを支えて育成すること、時にはみずから率先して行動することを意味するものであり、チームをまとめ、目標へ導くといった広い意味をもつものなのです。

(2) フォロワーシップ

また、チームの力を発揮するために求められる役割・機能は、リーダーシップばかりではありません。リーダーシップと同じようにチームに求められるのが「フォロワーシップ」です。

フォロワーシップとは、チームの目標達成のためにフォロワーがリーダーを支える機能のことをいいます。しかし、フォロワーシップは、ただ単に「指示に従って動く」ことではなく、チームのために自発的に意見を述べ、自律的に行動をすることをさします。時には、リーダーやチーム全体の誤りを修正することも期待される重要な機能なのです。

このように、フォロワーシップは、リーダーシップと同様のはたらきを兼ね備えています。また、リーダーシップとフォロワーシップは表裏一体の関係にあり、相互に作用しながら、メンバーがもつ力を最大限に発揮していく関係や環境、雰囲気づくりにつながっていくものだと考えられています。

2 リーダーシップとフォロワーシップをバランスよく発揮する

チームのために発揮すべきリーダーシップは、リーダーだけでなく、フォロワーであるチームメンバーそれぞれももっているといえます。つまり、利用者を思い、チームといっしょに協働し、支え合おうとする姿勢のなかに、リーダーシップとフォロワーシップのどちらも存在しているといえます。

(1) 介護福祉士に求められる2つの役割

力のあるチームは、リーダーシップとフォロワーシップがバランスよく機能しているチームです。介護福祉士は、介護実践の現場において、介護福祉職チームのリーダーとしてリーダーシップを発揮することが求められます。また、多職種チームにおいては、その専門性を発揮して、

フォロワーとしての役割を果たすことが求められる場合もあります。つまり、介護福祉士には、リーダーシップ、フォロワーシップの両方の力が求められるのです。

また、図3－13は、異なる2つのチームにおける介護福祉士の「リーダー」と「フォロワー」としての役割を整理したものですが、リーダーシップとフォロワーシップは、所属するチームごとに役割が固定されているのではなく、チームでの活動場面に応じてバランスよく発揮されるものです。

言い換えると、リーダーにはリーダーシップだけでなく、チームメンバーに対するフォロワーシップが求められるとともに、チームメンバーにもフォロワーシップだけでなく、チームとメンバーをよりよい方向へ導くリーダーシップが必要になるということです（図3－14）。

大切なのは、場面や状況に応じて、リーダーシップやフォロワーシップをチームのなかでバランスよく発揮することです（図3－15）。

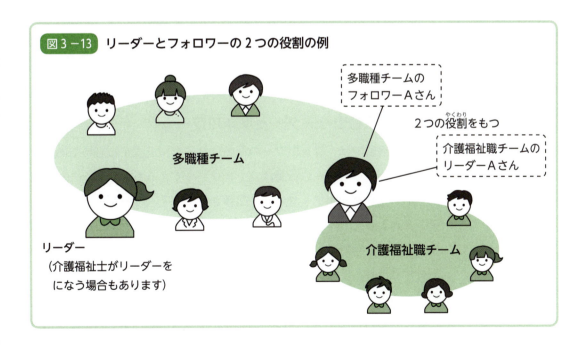

図3－13　リーダーとフォロワーの2つの役割の例

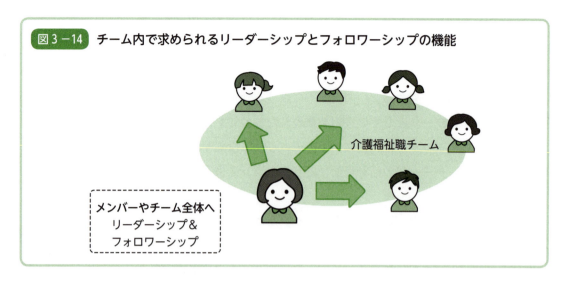

図3-14 チーム内で求められるリーダーシップとフォロワーシップの機能

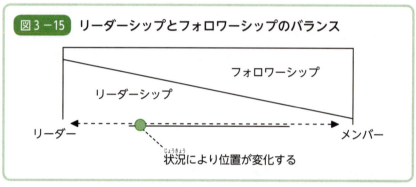

図3-15 リーダーシップとフォロワーシップのバランス

(2) 支え合うリーダーとフォロワー

　チーム活動では、**フォロワー**の行動はリーダーを支えるものであることが、また、**リーダー**の行動はフォロワーを支えるものであることが重要です。リーダーがフォロワーに信頼されてこそ、リーダーシップが発揮できるように、フォロワーもまたリーダーに信頼されてこそ、フォロワーシップを発揮できるのです。

　なお、このような、リーダーとフォロワーに共通する役割をもっとも明確にあらわした理論として、ロバート・グリーンリーフ（Greenleaf, R. K.）が提唱する「サーバントリーダーシップ（servant leadership）」があります。

　サーバントリーダーシップは、「召し使い（servant）」を意味する「サーバント」と、「リーダーシップ」を結合させたユニークな造語です。はじめて聞く人は「召し使い」という表現に違和感を覚えるかもし

れませんが、サーバントリーダーシップでは、「相手に奉仕する」という姿勢が、「互いに支え合う」というチームの行動力を高め、目標達成に大きな影響を与えると考えられています。

チームメンバーそれぞれがリーダーシップとフォロワーシップの双方をはたらかせながら、モチベーションを高め合い、メンバーそれぞれの主体性を尊重したかかわりを行っていくことが求められます。

支え合うことを通してチームワークをはぐくみ、目標達成をめざす「サーバントリーダーシップ」は、リーダーがフォロワーへはたらきかけるだけでなく、チームメンバーそれぞれがチームにはたらきかけることの重要性を示しています。

介護福祉士として、リーダーシップ、フォロワーシップの双方の意義を理解し、必要な力を備えることは、1人ひとりのメンバーがみずから考えて行動できるチームをつくることにつながります。また、そのことが、チームワークを通して相乗効果を生み出すことにつながるのです。

(3) リーダーシップとフォロワーシップの実際

具体的な業務の例を通じて、チームにおけるリーダーとフォロワーの役割や協力関係を確認してみましょう。

図3-16は、ケアを実践するチームの業務を、リーダー的な業務とフォロワー的な業務に分けて整理したものです。互いの協力関係をみるために、一体的に行われる業務もあえてどちらかに分類しています。実際の業務として分類してみると、リーダー的な業務とフォロワー的な業務は互いに支え合うものとなっていることがわかります。チームでケアを行ううえでは、リーダーとフォロワーがそれぞれ互いに支え合う関係にあることを理解し、意識して行動することが重要です。

リーダーシップとフォロワーシップは、チーム内の見えない「役割」ではありません。

リーダーシップとフォロワーシップの実践は、メンバー各自がそれぞれの役割を意識して、確実な介護実践、業務を積み重ねることで、メンバーそれぞれの役割を強化し、チームの力を高めることにつながります。日々の積み重ねは間違いなく介護の質を高め、利用者の望む暮らしの実現へ発展していくことでしょう。

リーダーシップとフォロワーシップは別々に存在するのではなく、チームワークに必要な一体的な機能として存在します。チームのなかで

図3-16 介護チームにおけるリーダー的業務とフォロワー的業務の例

3つの柱	リーダー的な業務	フォロワー的な業務
ケアの展開	① 介護実践の流れ・しくみ（カンファレンス等含む）の構築 ② 家族や外部の専門職との調整 ③ リスクマネジメント・苦情対応 ④ ケア手順（マニュアル）のまとめ ⑤ 実践評価・介護の質の改善 ⑥ 新しいニーズへの対応	① 介護や役割であるチーム活動等 ② 介護に必要な情報収集 ③ リスクの早期発見、適切な対応 ④ 介護関係の記録、申し送りの確実な実施 ⑤ カンファレンスへの参加、記録 ⑥ 新しいニーズの発見
人材育成・自己研鑽	① 研修計画や学びのしくみづくり ② メンバーの能力開発と育成 ③ リーダーとしての自己研鑽 ④ 実習・見学プログラム立案 ⑤ 新しい知識の発信	① 研修企画の提案・研修ニーズ発信 ② メンバーとしての自己研鑽（業務に必要な知識を習得する） ③ チームメンバーとの支え合い ④ 新任職員の育成、実習生指導
組織の目標達成	① チーム目標設定と具体化 ② チーム内の役割分担 ③ 業務の優先順位や基準づくり ④ 規則の徹底・維持（運営基準、職場規則） ⑤ 職員管理（評価や勤務表の作成・出退勤管理等） ⑥ 安全・衛生管理（生活の場、職場としての点検や管理） ⑦ 会議の運営・記録の管理 ⑧ その他の調整（チーム内・外）	① チーム目標への貢献（個人目標の設定・達成） ② チームや担当業務の実施 ③ 職場規則を守る（報告・連絡・相談含む） ④ 整理整頓、清掃、身だしなみの徹底 ⑤ 物品管理（用品、備品、消耗品の発注・補充等） ⑥ 勤務変更の調整、協力 ⑦ 会議への参加、改善提案 ⑧ その他の調整（チーム内）

「リーダーシップとフォロワーシップの双方をどのように効果的に高めていくのか」を考え、実行していくことがチームマネジメントです。

第 2 節　ケアを展開するためのチームマネジメント

◆ 参考文献
- 福山和女・田中千枝子責任編集、日本医療社会福祉協会監『介護・福祉の支援人材養成開発論——尊厳・自律・リーダーシップの原則』勁草書房、2016年
- 武村雪絵『ミッションマネジメント＝MISSION MANAGEMENT——対話と信頼による価値共創型の組織づくり』医学書院、2016年
- 小野善生『最強のリーダーシップ理論集中講義＝LEADERSHIP THEORY——コッター、マックス・ウェーバー、三隅二不二から、ベニス、グリーンリーフ、ミンツバーグまで』日本実業出版社、2013年
- 田尾雅夫『有斐閣ブックス 組織の心理学 新版』有斐閣、1999年
- 勝原裕美子『組織で生きる——管理と倫理のはざまで』医学書院、2016年
- アイラ・チャレフ、野中香方子訳『ザ・フォロワーシップ——上司を動かす賢い部下の教科書』ダイヤモンド社、2009年
- 池田光編著、中西孝二・栗原晴生・田中初正『きほんからわかる「リーダーシップ」理論：図解』イースト・プレス、2011年
- ロバート・K.グリーンリーフ、金井壽宏監訳、金井真弓訳『サーバントリーダーシップ』英治出版、2008年
- 医療法人社団・社会福祉法人青洲会編『介護施設版仕事内容・能力メニュー表全書——介護施設で働く介護リーダー・スタッフ、看護師のための一目でわかる——品質保証されたサービスを提供するために能力別に仕事の期待基準像を明示』産労総合研究所出版部経営書院、2009年

演習3−3　情報共有の場について考える

どのような情報共有の場があるか考えてみよう。

1. たとえば実習先で、ケアに関する情報共有の場としてどのようなものがあったか次の項目にそって整理してみよう。
   ・施設・事業所種別
   ・会議名称
   ・参加メンバー
   ・共有する内容
   ・共有の方法
   など

2. 1でほかの施設・事業所について整理した人とグループをつくり、報告し合ってみよう。

演習3−4　リーダーシップ・フォロワーシップについて考える

リーダー的役割とフォロワー的役割について考えてみよう。

1. 実習場面などを材料として、介護場面での業務をリーダー的役割とフォロワー的役割に分けてみよう。

2. 1であげたリーダー的役割とフォロワー的役割が、どのように関係し合うのか、グループで話し合ってみよう。

第3節 人材育成・自己研鑽のためのチームマネジメント

学習のポイント

- キャリアに応じて求められる実践力、チームケアのために必要な実践力とは何かを学ぶ
- 実践力を向上させるために必要な、OJT・Off-JTをはじめとする人材育成のしくみを学ぶ
- 自身のキャリアを想定した自己研鑽のあり方・姿勢について学ぶ

関連項目
③『介護の基本Ⅰ』　▶第2章「介護福祉士の役割と機能」
⑤『コミュニケーション技術』　▶第5章「介護におけるチームのコミュニケーション」

1 介護福祉職のキャリアと求められる実践力

　本章第1節、第2節でも述べているように、よいケアを継続して行うためには、チームでケアを行うという認識が欠かせません。

　介護福祉職は、ケアを実践する場や内容に応じて変わるチーム編成のなかで、みずからの役割とほかのチームメンバーそれぞれの役割を理解して活動にあたることが必要です。

　また、チームメンバーの役割がいくら明確化されていても、メンバー個々に実践力がついていなければ、質の高いケアどころか、日々の基本的なケアすら十分に行うことはできません。

　よりよいケアを行うためには、介護福祉職個々の**実践力**を高めていくことが必要不可欠です。

1 キャリアをイメージする

　介護福祉職には、ケアを展開する場やチーム編成によってだけでな

> ❶キャリア
> 職業・技能上の経験・経歴。

く、**キャリア**❶に応じてもさまざまな能力が求められます。介護福祉職は資格の取得がゴールではなく、**キャリアに応じた実践力**をはぐくみ高めるための自己研鑽が必要です。そのためには、自分自身のキャリアについてイメージをもつことが必要です。

自分自身が介護福祉職として、これからどのような実務を経験するのか、また、そこで求められる実践力やチームマネジメントとはどういったものかを学んでいくことにしましょう。

では、介護施設に勤める介護福祉職を例として、初任期、中堅期、ベテラン期において、どのような業務をになうことになるのか、そこで必要となる実践力とはどういったものかをみていくことにしましょう。

2 初任期に求められる実践力

入職直後〜2年程度の**初任期**は、介護実践に必要となる知識・技術や基本業務を習得することに重きがおかれます。

介護実践に必要な知識・技術や基本業務とはどういったものでしょうか。まず、知識・技術という点では、移動の支援や入浴介助、排泄介助等、日常生活にかかわるさまざまな支援に、養成校などでも学ぶ基礎的な知識・技術が必要になります。基本業務は、勤務交代時の申し送りや、チェック表の記入、家族との面談、委員会への参加やそれにともなう報告書の作成など、実にさまざまです。こうした基本業務を理解し、実践するためには、組織体制や指揮命令系統の理解、また、そのなかでの役割の理解が求められます。

基礎的な知識・技術は、すぐさま業務を行ううえでの実践力として発揮されるわけではありません。

（1）生活支援に関する知識・技術

生活支援に関する知識・技術は、介護福祉職として基本かつ必須です。ベッドや車いす利用時の移乗支援では、いかに利用者に安心してもらえるか、自立を支援できるかが、介護福祉職の力量にかかっています。**生活支援**は、食事・排泄・入浴等、生命に直結する行為です。利用者の尊厳と深くかかわる行為でもあり、その実践は、動作の手順だけを把握していればよいというものではなく、ケアの理念も深く理解したうえで行う必要があります。

また、生活支援に関する技術は日進月歩で進化しているため、継続した学びが必要不可欠です。

（2） 基本的な接遇・マナー

対人援助を専門とする介護福祉職に、基本的な接遇・マナーは欠かせないものです。利用者やその家族、他職種やほかの施設の職員等に応対するとき、1人の職員が失礼なふるまいをしてしまうと、チーム全体・職場全体の評価を下げることにもつながります。

言葉づかいや電話応対の仕方など、社会人として基本的な接遇・マナーを身につけることが大切です。

（3） 利用者とのかかわり

利用者とかかわるうえで、コミュニケーション技術は必須です。身体的な介護や記録作成、その他の業務で現場は多忙ですが、利用者との日々の「対話」こそが、介護福祉職としての腕の見せどころです。

支援者のかかわり方や言葉の使い方1つで、利用者の安心の度合いは大きく変わります。極論をいえば、あなたの一言やそのかかわりが利用者にとって「人生の最後に聞く言葉・かかわり」になるかもしれません。利用者の暮らしを支える専門職として、利用者の人生に寄り添う支援をになう誇りや覚悟をもって利用者とかかわることが大切です。

（4） 他職種との協働

介護福祉職同士だけでチームを組めばよいというわけではなく、他職種と連携して、多職種で協働して利用者を支えていく必要があります。介護福祉職には介護福祉職の、看護職には看護職の専門的な知識・技術や視点があります。互いの専門性を尊重しながら、ともに利用者を支えていくことで、よりよいケアが生まれていきます。

基礎的な知識・技術を実践力として発揮するためには、実務を通して、どのような知識・技術がどのように活用できるかを確認することが必要であり、それは実務経験を通してでしか確認できないともいえるでしょう。また、求められる知識・技術、基本業務は働く場によっても変わります。実際のケア場面で、教科書での理解や実習での経験は間違いなくいかされますが、対象者の個別性に応じて、そのときに必要なケアを判

断し、柔軟に変化させていくには、**実務経験**が必要です。

また、単に経験するだけでなく、必要となる知識・技術について、先輩や上司に指導を受けるなど、OJT（on-the-job training）の機会が重要になります。

こうした初任期における実務経験やOJTによって、養成校などで獲得した基礎的な知識・技術を実践力に変えていくのです。

初任期には、専門職として自律的に介護過程の展開や生活支援の技術が実践できる力を獲得すること、関連領域の基本的なことを理解し、専門職者としての正しい姿勢・態度をもって他職種との連携・協働によるチームケアを実践する力が求められます。

3 中堅期に求められる実践力

ある介護福祉職についての実態調査では、「自分よりも経験の浅い新任職員が入った」時期が、自分が初任期を脱した時期だという結果が明記されていました。初任者等への指導をになうことで、いつまでも初任者ではいられないという自覚も高まり、自分を中堅だと認識するようです。

中堅期は、利用者に対するケアだけでなく、家族との面談や相談に的確に応じることが求められるようになります。また、ケアにかかわる基本業務以外の役割として、指導係だけでなく、ユニットリーダーなどの小集団のチームリーダーをになうことが求められ、リーダーシップを発揮することも必要になります。

利用者の家族からの相談への対応や初任者等への指導、チームマネジメントに必要なリーダーシップの発揮などを可能にする具体的な実践力とは、本人や家族、チームとのコミュニケーション力や、後輩や部下を指導する力、的確な記録・記述ができる力です。

（1）会議を円滑に進行し意見をまとめる

中堅期は、**会議の進行役**をまかされることが増えていきます。事業所内の会議であっても、家族や他事業所の人との会議であっても、会議が円滑に行われるかどうか、効果的な会議になるかどうかは、進行役の進め方と下準備に大きく影響を受けます。

よい会議とは、チーム内の意見を活性化し、それらを目的に応じて集

約しながら、さらに発展させていくことができる会議です。

（2）後輩や部下の実践力を高める指導を行う

　入職して数年が経つと、職位が上がらなくても後輩や部下の指導をまかされる機会が出てきます。その後輩や部下が、介護福祉職として成長しつづけられるかどうかは、指導者しだいでもあり、指導者は、人材を育成する責任をもって取り組む姿勢が求められます。

　また、リーダーになると、スーパーバイザーとしての専門的な指導業務もまかされるようになることでしょう。OJTやOff-JT（off-the-job training）、スーパービジョンなど、指導に関する実践理論を活用できる力を身につけていくことが大切です。

（3）計画や記録を作成・活用する

　計画や記録の作成・活用は、ケアの質を高めるために必要なことであり、技術を要するものの1つです。チームでの情報共有やケアの統一化のためには、介護計画や介護記録を作成することは必須であり、その重要性から、制度上でも、必要な書類として位置づけられています。

　しかし、介護記録も、ただやみくもに記録すればよいというわけではなく、ほかの人と情報が共有できるように作成しなければなりません。その記録を活用して、ケアの見直しや業務課題の改善につなげるのです。

　記録は「書く」力だけでなく、「活用する」力も必要になります。また、指導するうえでは、文章力や語彙力も重要になるため、日ごろから多くの活字にふれることが大切です。

　初任者への指導には、伝える・教えるという行為が必要ですが、一方的に教えるのではなく「なぜ？」「どうして？」などの疑問をともに解消するかかわりや、気づきがえられるような経験をうながす指導が必要です。また、利用者や家族の相談に応じるうえでは、専門用語をわかりやすく言い換えるなどの技術も必要です。さらに、チームで方針や課題を共有し、チームワークを生み出すはたらきかけが必要です。時には、チームメンバーが抱く思いや葛藤に向き合い、モチベーション❷を維持し、高めるためのサポートをすること、つまりモチベーションマネジメントも必要です。

❷モチベーション
物事を行う意欲。やる気。また、動機づけ、誘因のことをいう。

こうした中堅期の実践には、**スーパービジョン**やリーダーシップなど、チームマネジメントにかかわる実践理論の活用が有効です。なお、実践理論は、知識を獲得するだけでは活用できないため、**生涯研修**[3]などを通じて、これらの実践理論をあらためて学習し、実践的なレベルに落としこんでいくことが必要です。つまり、研修をうまく活用することが、とくに中堅期には求められます。

　たとえば、ユニットリーダー研修や、認知症実践リーダー研修、実習指導者講習会などは、いずれも職員や実習生を対象に、ケアを実践するうえで必要なチームマネジメントやリーダーシップを扱う研修です。

　中堅期には、チームマネジメントに必要な実践力をはぐくむために、研修を通じた自己研鑽の姿勢がより求められることになります。

❸生涯研修
職能団体などによる、生涯にわたって自己研鑽するしくみとして設けられている研修制度、またその体系のこと。公益社団法人日本介護福祉士会は生涯研修体系を整備している。

4　ベテラン期に求められる実践力

　経験を重ねるにつれて、ケアを実践するための知識・技術はみがかれ、状況に応じて柔軟にケアを変化させて実践できるようになっていきます。そういった、ベテランと呼ばれるようになる時期には、介護者・利用者という1対1のケア実践だけでなく、多職種チームでのケア実践や、施設や在宅に限定しない地域でのネットワークづくりなど、介護サービスの質の向上に向けたさまざまな取り組みを、チームワークを通して実践していく力が求められます。

　たとえば、介護事業所の管理者などには、事業を組織化し、運営する役割があります。事業を運営するためには、勤務表の作成や業務調整、リスクマネジメントなど、幅広い業務をになうことが必要になります。

　介護ニーズは、年々複雑化、多様化しています。そのため、提供する介護サービスも高度化させていかなくてはなりません。それには、チームを動かすリーダーシップだけでなく、制度を理解し、地域や社会のニーズに対応できる組織やしくみをつくる実践力が必要です。みずからの事業所に所属する職員だけでなく、家族や地域住民等も含んで、地域ニーズ、社会ニーズに対応した組織づくり、しくみづくりをしていくことが求められるのです。専門職だけでなく、地域で暮らす人々のエンパワメントを重視した取り組みを行う力も求められることになります。

　以下、管理職者を例に、**ベテラン期**に必要とされる実践力を具体的にみていくことにしましょう。

第3節　人材育成・自己研鑽のためのチームマネジメント

(1) 利用者・職員を危険や危機から守る（リスクマネジメント）

　人の生活を支えるという介護サービスの特性上、事故や感染症等のリスクは避けられません。近年は災害も多発しており、いつ自分のまちが被災地になるか、わかりません。大事なことは、事故や感染症、災害の被害を最小限にとどめることです。

　事故や感染症は、適切な体制をとることで発生率を下げることができます。また、災害も事前に対策を立てておくことで、緊急対応ができます。管理職者として、事故や感染症といった危険や、災害といった危機から利用者や職員を守るための体制づくりを進めることが必要です。つまり、**リスクマネジメント**が必要になります。

(2) 職員の精神的健康を守る（ストレスマネジメント）

　介護の仕事は、感情労働という側面もあり、時には利用者や家族から厳しい言葉を投げつけられることもあります。福祉・介護に限ったことではありませんが、管理職者には、職員の健康、とくに精神面の健康を守る責務があります。

　職員が負のストレスに追いこまれ、**バーンアウト**[4]することがないように、人や環境を調整することが求められます。つまり、職員の精神的健康を守るための**ストレスマネジメント**[5]が必要になります。

(3) 職員を育てる組織づくり

　職場全体の人材育成のレベルは、そのままケアのレベルにもつながっていきます。そのため、管理職者には、**人材育成**に関する職場全体の体制づくりが求められます。つまり、管理職者になると、職場全体の人材育成システムを構築し、運用する力が求められるのです。

(4) 地域に貢献する組織づくり

　近年、社会福祉法人や介護事業所には、地域への貢献が求められています。施設のスペースを開放し、地域住民の交流拠点にすることや、住民向け講座を開催することなど、管理職者として、**地域貢献**のための手法を考え、そのための組織づくりをすることが求められています。

---

[4] **バーンアウト**
燃え尽き症候群。仕事・学習などに熱心に打ちこんだあと、突然、意欲の喪失、無気力・無感動、自責の念にかられるなどの症状を呈すること。

[5] **ストレスマネジメント**
職場の人間関係や仕事内容などのストレスに対処し、健康状態を維持するために、さまざまなスキルを活用して適度なストレス状態へとコントロールすること。自分のストレス管理に加え、組織体のストレス管理もストレスマネジメントとされている。

(5) 職場の経営状況を理解し管理する

管理職者には、財務管理や経営管理を行い、事業や職場そのものを安定的に継続させていく役割が求められます。管理職者は、介護実践のことだけでなく、**経営・運営管理**に関する知識を身につけることも必要になるのです。

(6) 法令、基準等を理解し遵守する

介護保険法をはじめ、施設やサービスに関する基準や介護報酬は数年に一度見直されます。事業や組織を維持するには、法令や基準を遵守する必要があるため、行政の説明会や集団指導などに出席し、常に最新の情報を把握しつづけるとともに、法令や基準からはずれた人員体制、介護サービスとなっていないかを自己評価し、外部評価を受けながら、確認・改善していくことが必要です。

このように、ベテラン期には、チームをつくり、チームを動かすという、**組織づくりやしくみづくり**のマネジメント、リーダーシップの力が求められます。

2 介護福祉職としてのキャリアデザイン

介護福祉職のキャリアと求められる実践力についてイメージをえたところで、次にこれらの実践力をどのように計画的・段階的に開発・獲得していくことができるのかをみていくことにしましょう。

1 キャリアパスとキャリアデザイン

キャリアに応じて求められる実践力を把握し、その実践力を高めること、つまり**キャリアの支援・開発**は、介護福祉職それぞれの自己研鑽の姿勢だけにまかされるものではなく、介護事業所や介護施設といった組織に与えられた責務ともいえます。これをふまえ、現在、介護福祉職のステップアップを支援し、長く働きつづけられる体制づくりの1つとして、介護事業所等において**キャリアパス**を策定することが推奨されています（図3−17）。

---

❻**キャリアパス**
昇進・昇格のモデル、あるいは人材が最終的にめざすべきゴールまでの道筋のモデル、仕事における専門性を極める領域に達するまでの基本的なパターンのこと。

第3節　人材育成・自己研鑽のためのチームマネジメント

　キャリアパスとは、キャリアに応じて必要な能力や経験を記したもので、職位・職責・職務内容に応じた任用要件と賃金体系を明文化したものです。国は、こうしたキャリアパスの策定を条件に、**介護職員処遇改善加算**❼を打ち出し、介護福祉士の給与体系の向上を含めた職場環境の改善に取り組んでいます。また、社会福祉法人全国社会福祉協議会では、「福祉職員キャリアパス対応生涯研修課程」を開発し、多くの都道府県で開催しています。この研修課程は4階層に分かれており、「初任者」「中堅職員」「チームリーダー」「管理職員」の各キャリア段階で必要な基本的な能力の習得や自分自身のキャリアイメージをえることを目的としています。

　介護福祉職の**キャリアデザイン**❽の出発点として、介護福祉士資格の取得があります。国家資格を有する専門職として、専門性をみがき、能力を開発することは、生涯を通じて継続されていかなくてはなりません。

　このような生涯を通じた能力開発の取り組みを、「キャリア開発」と呼びます。**キャリア開発**は、長期的で計画的な能力開発を行うことをめざすものであり、それにはみずからがそれに向かってはげむ自己研鑽の姿勢が必要です。

❼介護職員処遇改善加算
介護職員の安定的な処遇改善をはかるための環境整備とともに、介護職員の賃金改善にあてることを目的として介護報酬上で設けられた加算。

❽キャリアデザイン
職業人生をみずから設計すること。また、その設計。

2　キャリア開発を支える「生涯研修制度」

　公益社団法人日本介護福祉士会では、介護福祉士の自己研鑽によるキャリア開発を支えるために、「生涯研修制度」を整備しています（図3-18）。**生涯研修制度**は、介護福祉士資格取得後の能力開発を、生涯を通じて支えることを目的に、段階的な研修として体系化されているものです。①実務経験2年未満の初任者を対象にした「介護福祉士基本研修」、②基礎的な業務に習熟した介護職員を対象に行う「介護福祉士ファーストステップ研修」、そして、③介護福祉士の上位資格として一般社団法人認定介護福祉士認証・認定機構が認証・認定を行う「認定介護福祉士養成研修」という3層の段階で、介護福祉職のキャリアに応じた研修を体系的に整備しています。

　3つの研修のそれぞれの目的には、介護福祉士のキャリア開発に必要な視点があらわれています。具体的に述べると、①介護福祉士基本研修では、基本に立ち返り、介護実践、介護過程を専門的にとらえなおすと

図3-17 介護施設におけるキャリアパス表（例）

職分	等級	職位	組織図（役職）	職責（役割）	求められる能力（必要な能力）
管理職	5	統括管理職	苑長／施設本部長／施設長／副施設長	・経営幹部であり、最終的な経営責任者	・経営能力の形成・確立
管理職	4	管理職	事務長／部長／次長／施設長代理〈部門間異動〉	・部門運営の管理責任者	・管理能力の形成・確立
指導職	3	指導監督職	課長／課長／通所介護、在宅支援 地域包括 センター長・課長・管理者／統括主任／主任 看護職員 主任ケアマネ 社会福祉士 介護支援専門員 専門職	・運営の管理監督者	・専門分野の確立 ・管理能力の形成
指導職	3	指導職	主任／副主任（専門職）／相談員／ユニットリーダー／コーディネーター	・チームやユニットを管理・運営している者 ・業務全般に精通し、指導できている者	・専門分野の形成・確立（後期） ・指導能力の形成（後期）
担当職	2	専門職・専任職／上級	看護職員／介護支援専門員／コーディネーター	・難解な業務をこなしている者 ・仕事の計画立案と部下指導をしている者	・専門分野の形成・確立（前期） ・指導能力の形成（前期）
担当職	2	中級	事務員／介護職員／介護職員／介護職員	・通常業務の計画、実施、点検チェックができ、後輩の指導をしている者	・業務処理の確立
担当職	1	初級	事務員／介護職員／介護職員／介護職員	・介護の通常業務を確実に実施している者	・担当スキルの習得

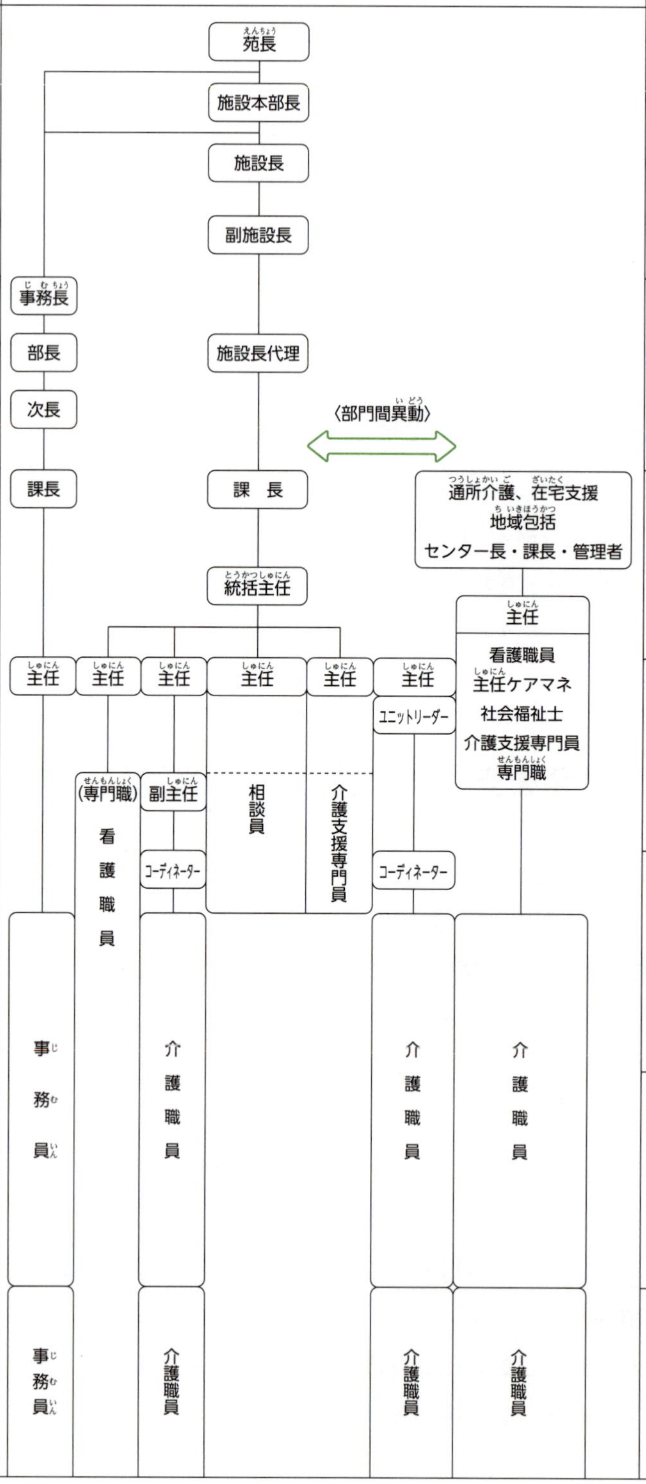

第3節　人材育成・自己研鑽のためのチームマネジメント

職務内容 (具体的職務)	任用の要件			能力開発のねらいと着眼点	月額所定内賃金幅 (各等級) 基本給金額ベース
^	習熟に必要な業務教育	資格 免許	経験 年数	^	^
・中・長期経営目標の立案、実施統括 ・経営資源把握と調整戦略の策定 ・方針の明示、浸透 ・施設計画の進捗管理 ・管理職育成業務 ・行政との連携 ・経営指標にもとづく判断 〔施設長資格認定講習課程修了 　社会福祉事業(実務)2年以上従事 　社会福祉主事任用資格〕	・戦略策定研修 ・戦略・方針実践研修 ・経営指標管理研修(上級)		特級適性	・法人全体の経営方針を具現化できる総合能力 ・状況に即応した意志決定能力 ・経営幹部としての人格と識見 ・行政や地域等の対外的な調整・連携能力	(5等級) 給与規定に準ずる
・年次業務計画の立案、実施管理 ・部門管理・調整 ・部門の経営指標把握 ・指導監督職育成業務 ・業務内容検証・改善 ・地域・他組織との連携 ・経営指標にもとづく判断	・業務管理研修 ・実力管理者研修 ・コーチング上級研修 ・財務研修	介護支援専門員	特級適性	・中・長期の部門方針を立案・具現化できる総合能力 ・経営管理上の総合的問題解決能力 ・指導監査職以下に対する育成・指導能力とリーダーシップ能力	(4等級) 給与規定に準ずる
・月業務計画の立案、勤務実績管理 ・チームの管理・調整 ・チームの経営指標把握 ・指導育成業務 ・リスクマネジメントと緊急対応 ・欠員時のサポート ・地域・他組織との連携	・部下指導育成研修 ・リスクマネジメント研修 ・経営指標管理研修(中級) ・地域連携研修 ・管理者研修	^	15年以上	・部門方針にもとづく実行計画を立案・実施できる総合能力 ・担当部門の広範な専門知識と関連知識 ・指導職の育成・指導能力とリーダーシップ能力 ・法人内外の事業所との調整・連携能力	(3等級) 給与規定に準ずる
・日次・週次業務計画の立案、実施管理 ・勤務調整管理 ・ケアおよび支援内容品質管理 ・家族対応、連絡調整 ・フロア、ユニット単位での他職種との連携 ・上級職育成業務	・労務研修 ・実力管理者研修 ・コーチング(中級)研修 ・リーダー研修	^	10年以上	・担当部門(部署)の実行計画と実施できる能力 ・担当部署の専門知識と豊富な実務経験 ・担当職以下の育成・指導能力とリーダーシップ能力 ・法人内での調整・連携能力	(2等級) 給与規定に準ずる
・仕事の立案、実施管理 ・ショートステイ業務 ・個別援助の計画指導、支援 ・ケアおよび支援の業務改善 ・中級職育成業務	・実力管理者基礎研修 ・後輩指導研修 ・業務改善研修 ・労務研修 ・マネジメント・リーダーシップ研修 ・個別ケア推進研修 ・コーディネーター研修 ・実習指導者研修	介護福祉士・社会福祉士・看護師	5年以上	・実行計画にもとづき、担当業務を効果的に推進できる能力 ・担当業務の豊富な専門知識と豊富な実務経験 ・中級以下に対する育成とリーダーシップ能力 ・部署内での調整・連携能力	(1等級) 給与規定に準ずる
・仕事の立案、実施 ・日常活動援助 ・個別援助計画の作成および参加 ・報告・連絡・観察・記録 ・委員会活動 ・初級職員育成業務 ・ケアおよび業務の実施 ・ケアおよび支援に関する他職種との連携	・認知症ケア研修 ・報告・連絡・相談研修 ・個別支援計画研修 ・基本介護、健康管理 ・介護技術チェックリストによる研修 ・個別ケア推進研修	^	3年以上	・実行計画にもとづき、担当業務を効果的に達成できる能力 ・担当業務の専門知識と実務経験 ・部署内での連携能力 ・初級以下に対する育成とリーダーシップ能力	^
・仕事の実施 ・日常活動援助 ・行動の補佐 ・個別援助計画の作成および参加 ・ケアおよび支援に関する他職種との連携 ・報告・連絡・観察・記録 ・新任職員育成	・接遇研修 ・基本業務研修 ・基本介護 ・健康管理 ・スーパービジョン研修 　(プリセプターシップ) ・介護技術研修	^	2年以上	・実行計画にもとづき、担当業務を達成できる能力 ・担当業務の基礎知識と実務経験 ・新人職員の育成とリーダーシップ能力	^

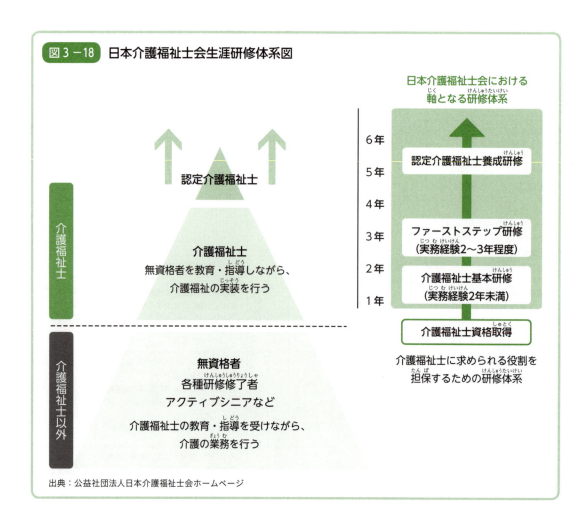

図3-18 日本介護福祉士会生涯研修体系図

出典：公益社団法人日本介護福祉士会ホームページ

いう視点、②介護福祉士ファーストステップ研修では、小規模チームのリーダーとしての役割、初任者等の指導係としての役割をになうことができる能力の開発をはかるという視点、そして、③認定介護福祉士養成研修では、多様な利用者や多様な環境に対応できる知識やスキルを習得したうえで、それらをサービスの質の向上や介護福祉職の指導につながるスキル・実践力としてみがくという視点です。

　このようなキャリア開発に必要な研修として、前述した全国社会福祉協議会の「福祉職員キャリアパス対応生涯研修課程」なども存在します。自分自身のキャリアに応じて必要な実践力や課題は異なります。目標を定めながら、計画的に研修を活用することも、よいケアを行うためのマネジメントだということができるでしょう。

　介護人材の不足が指摘される現代において、介護人材の量的な確保を

めざす必要があることはいうまでもありませんが、人数が増えればよいという問題ではありません。介護福祉職として身につけておくべき知識や技術、倫理観をもち、それらを自身のキャリアに応じた実践力として生涯を通じて高めていくことが大切なのです。

3 介護福祉職のキャリア支援・開発

　介護福祉職のキャリア支援・開発、言い換えると、人材育成は、おもにOJT[9]（職務を通じた教育訓練）やOff-JT[10]（職務を離れた教育訓練）を通して行われます。それぞれに特徴があるため、それぞれのメリットをいかし、デメリットを補完して、効果的に教育訓練を受けることが重要となります。また、介護の現場では、学ぶ気持ちがあれば、自分自身の能力開発をする機会は数多くあります。そういった機会をとらえ、自己研鑽をすることがキャリア開発には欠かせません。

　さらには、スーパービジョンやコンサルテーションなどによって、人材育成や自己研鑽の質が高められることになります。

[9] OJT
p.197参照

[10] Off-JT
p.197参照

1　OJT（職務を通じた教育訓練）

（1）OJTとは

　OJTは、上司や先輩が部下や後輩に対して、日常業務を通して実務上の知識や技術を伝達する指導教育であり、1人ひとりの能力や個性に応じた実践的指導を行うことができます。介護現場では、業務を通じて学ぶ経験学習が効果的であり、OJTはキャリア支援・開発の基本となります。

　OJTは、日常的な機会をとらえて適宜行う日常指導と、意図的・計画的に場面を設けて行う計画指導が行われています。また、1人ひとりに個別的に指導することを基本にしながら、チームを育成するために、会議やミーティング等を活用した集団的指導も活発に行われています。さらには、ティーチング[11]やコーチング[12]といった方法が使い分けられながら行われています。

　OJTの特徴には、実務と直結していること、「できた」「できている」という成果がえられやすいこと、自分自身の成長を実感しやすいことな

[11] ティーチング
p.174参照

[12] コーチング
p.174参照

どがあります。また、OJTは、職場内の先輩や上司から指導・助言を直接受けるものであるため、上司（先輩）と部下（後輩）の信頼関係づくりに役立ち、働きやすさにつながります。つまり、OJTは安心感につながり、働く意欲を高める効果があるのです。

(2) OJTのプロセスと役割

私たちは、介護現場で個別に利用者に介護を行うとともに、チームで介護を行います。そのため、**チームメンバー相互のコミュニケーション**がきちんととれていることが重要です。OJTは、上司（先輩）と部下（後輩）の信頼関係を築き、相互の意思疎通を活発にする重要な役割を果たします。

とくに、利用者の介護実践における介護理念や方針といった介護の価値観は、身近にいる上司（先輩）の介護実践を実際に見ながら、上司（先輩）による手とり足とりの指導教育を受けるなかで理解できていきます。OJTは、単なる業務上の知識や技術を伝達する手段ではなく、介護理念をチームメンバー間に浸透させるために不可欠なものといえます。

OJTは、日常業務のなかで、上司（先輩）から部下（後輩）へ職務に必要な価値観や知識・技術などを指導教育するものであり、同時に、上司（先輩）と部下（後輩）の共同作業でもあります。図3-19はその関係をあらわしたものです。この共同作業のプロセスの相互行為が盛んなほど、よい成果がえられます。

こうした共同作業を通して、部下（後輩）は自分の成長をいっしょになって喜ぶ上司（先輩）の存在にはげまされ、チーム・組織への帰属意識を高めます。また、専門職としての誇りや**自己効力感**[13]を高め、エンパワメントされていきます。

上司（先輩）のリードで介護実践をふり返るという経験を積み重ね、自分自身の成長を実感しながら、介護という仕事のやりがいや喜びを実感していくのです。

(3) OJTを通じた「独り立ち」

図3-20は、学びの深さをレベルで示したものです。私たちは、上司（先輩）の指導教育によって、この学びの深さの尺度を自分自身に内在化していくことになります。私たちの知識・技術には、「知っているつ

---

[13] **自己効力感**
人が何らかの課題に直面した際、こうすればうまくいくはずだという期待（結果期待）に対する、自分はそれが実行できるという期待（効力期待）や自信のこと。

第 3 節　人材育成・自己研鑽のためのチームマネジメント

図3-19　ケアの指導場面におけるOJTのプロセス

上司（先輩）

①計画する
- 何を、どの程度、どの場面で、どのように行うのか研修の目標を確認する
- わかりやすく説明するための資料などを用意する

②やってみせる
- やってみせる
- わかりやすく説明する

③説明する
- 実演した手順や方法を説明する
- 重要ポイントを強調する
- 具体的に何がわからないのかを確認する
- 何の目的で行うかを意識させる

④取り組みをうながす
- やらせてみる
- 説明をどれだけ理解しているかを確認する
- わかったとわかるまで確かめる

⑤評価する
- ふり返りを行う
- できている点とできていない点を確認する
- 不足部分や理解できていない箇所を追加指導する
- 次の課題を示す

部下（後輩）

①習う心構え
- 指導を受けるために真摯な態度でのぞむ
- これから何の仕事を行うかを確認する
- その仕事についての理解度・習熟度を自分自身ではかる
- その仕事の意義や目的を考える

②観察する
- 上司の実演を確認する
- 一連の手順や方法を分解して理解する
- 一連の手順と全体の流れのメモをとる
- 重要なポイントは何かを考える

③説明してもらう
- 手順や方法を細かくていねいに説明してもらう
- 一連の手順と全体の流れを理解する
- 重要ポイントを確認する
- しっかり理解するまで説明を聞き、質問する

④取り組んでみる
- 理解不足や間違いを指摘してもらう
- 実行しながら手順を説明してみる
- うまくいかなかったことなどを再度やり直し、できたかチェックしてもらう

⑤1人で行う
- 実際に自分1人でやってみる
- わからないことや確認したいときの手続きを確認しておく
- わからないときに報告・連絡・相談できる人を確保する

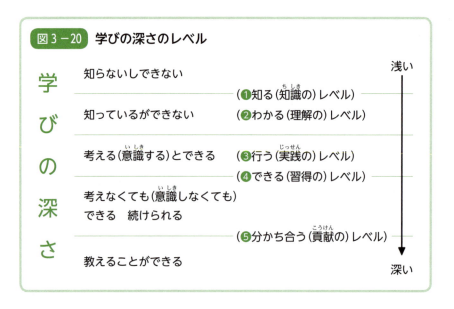

もり」のものから実践的に使えるものまでの段階があります。

すなわち、❶知る（知識の）レベル、❷わかる（理解の）レベル、❸行う（実践の）レベル、❹できる（習得の）レベル、❺分かち合う（貢献の）レベルの５つの段階です。❶から❺に向かって学びの深さは深くなります。

自分自身の理解と実践にギャップがないかを自分自身でふり返ってみることは、自分自身の能力や身につけた知識・技術などの習熟度をはかるのに大変役立ちます。このことを通して、私たちは自分の実践を客観的にふり返り、よりよい介護実践のために自分はどうすべきなのかを考え、積極的に改善点を見つけ、１人で、①自分の行動目標を定め、②自分の行動を分析し、③自分自身の改善点や課題を整理し、④自分の行動を修正し、⑤その行動の結果をふり返り、必要があれば上司（先輩）に助言をみずから求め、次の課題につなげていくということができます。そして、ごく自然に職業上の習慣として行えるようになっていきます。

このように、主体的に考える習慣を獲得するということが、OJTの重要な目標である「独り立ち」なのです。

言い換えれば、「独り立ち」とは、自分自身の介護実践をふり返り、みずからを改善し、自分を成長させる力を獲得することだといえます。この自分で成長する力は、生涯にわたって自分自身のキャリアを形成していくうえで重要な資質となります。

介護福祉職がキャリアを形成していく過程で、求められる知識や実践

力も大きく変化していきます。経験年数や職員に合わせた介護実践が要求され、業務知識や技術も段階的に深めていく必要があります。

そのため、事業所・法人は、職員の職業人生を通じてOJTを継続的・計画的に行っていく必要があります。

2 Off-JT（職務を離れた教育訓練）

(1) Off-JTとは

実際の業務を通して現場で行うOJTに対して、現場を離れて行う教育訓練のことを**Off-JT**といいます。Off-JTのうち、職務命令で行われるものは、体系的・継続的な人材育成と組織開発を目的に、事業所の研修ニーズに応じた年間研修計画にもとづいて計画的に行われます。

Off-JTは、講義形式、討議方式、事例研究、ロールプレイング、教育ゲーム、自己診断法、理解促進討議法、見学や実習など、目的に合わせて多様な形式・方法で行われています。

Off-JTの内容は、基本的な知識や技術を伝達するもの、全体で理念などの理解促進をはかるもの、職位や職務内容に応じて行う階層別・職種別研修、さらに専門的知識や技術を学ぶ専門研修、特定のテーマについて行う課題別研修など、さまざまなものが設定されます。また、最近では、通信教育やe-ラーニングなども盛んに利用されています。

(2) Off-JTの役割

Off-JTはOJTに比べ、新しい知識や技術を集合教育でいっせいに伝達できる点で優れています。また、新たな介護の知識・技術の導入や標準化、さらには現場で発生する組織・チームの運営上の課題改善に向けた手法の導入を目的とした研修プログラムが定期的に行われています。

Off-JTには、職場内で行われるものと職場外で行われるものがあります。職場外で行われるものは、職員を派遣し、新しい知識や技術を導入するという役割があり、職場内で行われるものは、その導入した知識・技術の定着化をはかるという重要な役割があります。

また、職場外の**集合研修**では、ほかの職場から来た受講者との交流や情報交換などによって、相互啓発や視野の拡大につながります。さらに、現場から離れることでリフレッシュ効果も期待できます。

課題を発見し、課題を解決するためには、OJTとOff-JTの双方のし

くみを整え、キャリア支援や開発としてうまくはたらかせていくことが大切です。キャリア支援・開発は1人で行われるものではなく、介護福祉職が、管理・指導するという立場にも、それらを受ける立場にもなりながら、双方の経験を通して実践されていくものです。このような双方の経験が、みずからのキャリア開発につながっていくのです。

3 自己研鑽を支える体制

　介護福祉職の能力開発は、キャリアパスや生涯研修体制にそって計画的に実施することが大切であり、自己成長を続けていくには、自分のキャリアステージに合わせ、OJTによって質の高い経験学習を積み、Off-JTによって効果的に体系的な知識・技術を習得していくことが重要になります。また、同時に、介護実践を通じ、**自己研鑽**する専門職として自立することが重要です。

　介護現場では、学ぶ気持ちがあれば、自分自身の能力開発をする機会は数多くあります。そして、それを支援するしくみとして、スーパービジョン（SV）やコンサルテーション、SDS（セルフ・ディベロップメント・システム：自己啓発援助制度）などがあります。

（1）スーパービジョン

　スーパービジョンは、ごく簡単にいえば、介護福祉職などの対人援助を専門とする職種が指導者から受ける指導機会、指導過程や指導関係のことです。指導する側を**スーパーバイザー**、指導を受ける側を**スーパーバイジー**と呼びます。

　スーパービジョンは、職場内外の指導関係をもとに定期的に面接や指導訓練を行うことで、対人援助実践に必要な技術の習得や業務に必要な能力の開発のサポートを行います。職場の上司と部下がそれぞれスーパーバイザーとスーパーバイジーになることもありますが、スーパービジョンの指導関係は、職場のなかに限られるものではありません。

　なお、スーパービジョンと類似のものとして、コンサルテーションがあります。**コンサルテーション**は、人材育成に限らず、組織体制や事業運営全般におよぶ課題や問題の解決にかかわる、専門的な相談、助言・指導やその過程のことをいいます。そのため、特定の領域の専門家などの異業種によるかかわりが多いことも特徴になっています。

第3節 人材育成・自己研鑽のためのチームマネジメント

1 介護実習とスーパービジョン

　学生であるみなさんにも身近なスーパービジョンが存在します。それは**実習指導**です(『介護総合演習・介護実習』(第10巻)参照)。

　介護実習は、まず、実習を行うために必要な基礎的学習を学校での教員集団との指導関係のなかで行っていきます。そして、実習を始める前には、教員との個別の指導関係のなかで、実習課題を明確にしたり、実習のために理解しておかなければならないことを確認したりします。

　次に、実習先では、実習指導者といわれる現場職員の指導のもとで、実習課題達成のためのさまざまな経験をしながら支援や指導を受けることになります。そして、実習後には、実習経験を教員集団や学生全体と共有し、学びを深めることになります。

　この介護実習のプロセスは、みなさんの「気づき」や「わかり」を支える複数の登場人物との関係性によって成り立っています(図3-21)。

2 スーパービジョンの特徴と形態

　スーパービジョンは、単独で行うものではありません。介護実習を例にとっても、学習段階に応じたさまざまな指導関係を通して行われていくことが特徴です。そのため、スーパービジョンにおけるスーパーバイ

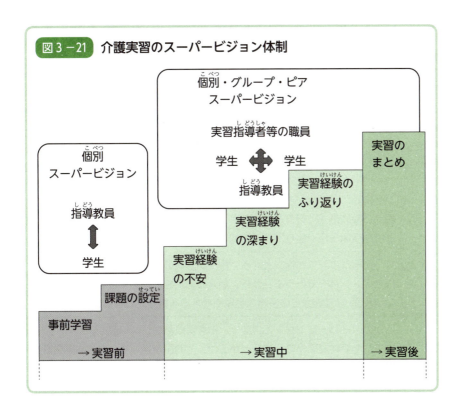

図3-21 介護実習のスーパービジョン体制

ザーは、必ずしも教員や実習指導者に固定されるわけではありません。学習状況に応じて必要なかかわりは変わり、同じ実習仲間や職場の同僚などがスーパーバイザーとなる場合も考えられます。

たとえば、教員と学生という関係では、学習内容の理解ができているかを確認する、介護実践に対する不安を相談・確認するなど、指導する・される関係が明確な個別のかかわりが有効といえるでしょう。また、介護現場での実習指導者と実習生との関係では、実習指導者1人から実習生数名が同時に指導を受ける、グループ形式のかかわりが有効な場合があります。さらには、同じ実習メンバー同士など、疑問や悩みを共感しやすいメンバーで集まり、そこに指導者などを交えずに行うかかわりが、問題解決や学習に有効な場合があります。

このように、必要なかかわりに応じてスーパービジョンの形態も変化します。具体的には、①個別スーパービジョン、②グループスーパービジョン、③ピアスーパービジョンといった形態があります（表3－6）。

3 スーパービジョンの機能

スーパービジョンは、おおむね「教育」「管理」「支持」という3つの機能で整理されます。この3つの機能が人材育成をはかるうえで効果的だと考えられているのです。ここでは、介護実践の指導を受けるスーパーバイジーの立場から、3つの機能の目的や視点を解説します（表3－7）。

表3－6 スーパービジョンの形態と特徴

形態	特徴
個別スーパービジョン	スーパーバイザーとスーパーバイジーが1対1で行う形態のスーパービジョン。 個別の面談形式で行うことが多く、スーパーバイジーの自己覚知を含む個別の課題を深く掘り下げて展開できる。
グループスーパービジョン	スーパーバイジーが複数となるグループ形態のスーパービジョン。 複数のメンバーで行うことから、個人の課題を深めることなどがむずかしい反面、参加者からの多様な意見や考え方を取り入れることができる。
ピアスーパービジョン	ほかのスーパービジョンと異なり、指導者が参加しないタイプ。 学生同士や仲間関係で行うことから、上下関係が生じず、率直な意見交換などの対話を展開しやすい。

第3節　人材育成・自己研鑽のためのチームマネジメント

① 教育的機能

教育的機能は、介護を実践するために必要な知識や技術についての不足や課題を中心に、スーパーバイザーである指導者とともに課題解決に向けていっしょに考えていくなどの教育的効果が期待される機能です。

介護の対象者を理解するためには、疾患や障害についての知識が必要です。また、支援を提供するためには、各種の制度やそれらを有効に活用する方法、生活支援に関連するさまざまな技術も必要です。このように、介護を実践するうえで課題となっている知識や技術の不足を見極め、課題解決のために必要な指導教育をする、不安を解消するといったことが、スーパービジョンにおける教育的機能として果たされます。

② 管理的機能

管理的機能は、職務や職責などに応じた役割を理解し、業務を、みずからが主体的に計画・実行・評価することができるようになるために必要な機能です。

組織（チーム）のなかで自身の役割を自覚して行動するためには、チーム全体を見渡しながら、自己の行動がチームにどのような影響を与えているかをふり返ることが必要です。目標に向かってどこまで進められているか、自分の役割はしっかりと果たせているかなど、管理的機能の視点となるものは多岐にわたります。このようなふり返りから、目標達成に向けての評価や修正をはかり、チームにおける自身の

表3-7　スーパービジョンの機能

機能	ねらい・視点
教育的機能	介護を実践するために必要な、知識や技術についての不足や課題を発見し、スーパーバイザーである指導者とともに課題解決に向けていっしょに考えていく。
管理的機能	職務や職責などに応じた役割を理解し、業務を、みずからが主体的に計画・実行・評価していく。
支持的機能	みずからの課題や疑問をスーパーバイザーに共有してもらうことで、介護実践のなかで発生、経験するさまざまな不安や葛藤を軽減・解消していく。

役割や行動を再確認することをめざします。

③ 支持的機能

支持的機能は、介護実践のなかで経験するさまざまな不安や葛藤の解消が期待される機能です。

介護実践に失敗はつきものであり、失敗から学ぶ姿勢は大切です。しかし、自己の失敗経験がチームに影響を及ぼす場合もあります。自分の失敗を責めつづけるような苦しみがともなうかもしれません。こうしたとき、みずからの不安や葛藤をスーパーバイザーに共有してもらい、支持をえることで、不安や葛藤に立ち向かうエネルギーや勇気につなげます。失敗経験を、自分1人で成長や課題解決につなげていくことは、本当にむずかしいものです。

スーパービジョンにおける教育的機能や管理的機能は、解決に向けた具体策を見いだすうえで、きわめて効果的なはたらきをもちますが、スーパーバイジーが行動を起こすためには、この支持的機能がきわめて重要であり、かかえる不安や負担を共有してもらえるスーパーバイザーの存在とさまざまな支えが必要不可欠です。

このように、スーパービジョンでは、スーパーバイザーとスーパーバイジーが互いに信頼関係をもってかかわり、みずからの経験や失敗をふり返る勇気をえて、自己研鑽をはかる力、前に進む行動を生み出していくのです。

（2）SDS（自己啓発援助制度）

自己研鑽は、本人の研究心や問題意識に直結するため、職員の主体性や満足度が高められ、職場の活性化や学びの環境づくりに役立ちます。

その一方で、職務命令ではなく自主的に行うものであることから、研修費用の負担や研修会場や学習室の用意、勤務調整などが個人にまかされることになります。

そこで、職場では、SDS（セルフ・ディベロップメント・システム）と呼ばれる、自己啓発・自己研鑽を組織的に支える体制を整備し、個人の学習を支援しています。SDSとしては、外部研修の期間中の賃金を保障したり、研修費用を施設で負担したりするなどの経済的支援が行われます。また、個人や仲間同士で行う学習サークルのための会場や学習室を用意するといった物理的支援が行われます。さらに、研修時間を業

務時間として保証する時間的支援、職員が外部研修に参加しやすいように勤務調整などを行う業務調整支援など、さまざまな支援が行われます。

そのほか、施設で専門書やDVD教材を購入すること、資格取得を推奨すること、特徴のある研修を案内すること、通信教育やe-ラーニングなどを紹介することなど、個人のキャリアパスや関心・目的に合わせて職員が活用できる研修資源の提供、情報の提供をすることなどが、SDSとして重要になります。

SDSでは、介護福祉職の自己啓発・自己研鑽意欲を高めること、また、仲間同士で学び合う共同体を形成していくことを支援するのです。

4 自己研鑽に必要な姿勢

みなさんがめざす介護福祉士には、専門職・プロとしてよいケアを行うために、継続的な自己研鑽が求められます。自己研鑽は、自己啓発とよく似た言葉ですが、みずからの立場や役割を自覚することに力点をおいていることが特徴です。「研鑽」という言葉を辞書で調べてみると、「学問を究める」「学問などをみがき深める」などと説明されているものが多くあります。つまり、自己研鑽では、自身の立場や役割に応じた知識や技術を、学問を通して獲得していくことを重視しています。

ここからは、自己研鑽が求められる理由や、自己研鑽の方法についてみていきます。

1 サービスの質を向上させる

介護福祉士という国家資格の取得は、1つの目標達成であると同時に、みなさんのキャリア形成のスタートです。

国家試験に合格し、資格を取得できたとしても、そこで自己研鑽が終わるわけではありません。2007（平成19）年の社会福祉士及び介護福祉士法の改正において、「資質向上の責務」が追加され、資格取得後の自己研鑽が法的にも位置づけられています。また、介護サービスの運営費用や職員の給与は、利用者や家族が支払う利用料はもちろん、多額の税金や介護保険料が充当されています。その点では、顧客は社会全体であ

るといえます。介護福祉士は、お金を支払っているすべての人に対して、プロとして恥じない専門職としての資質・能力を、生涯みがきつづける社会的な責務があるのです。

本章第1節でも述べているように、介護サービスは、商品そのものを販売する仕事ではなく、人が人の生活を支える仕事です。介護福祉士のケアの内容、方法、視点、知識そのものがサービス内容となります。商品を販売する仕事では、仕事の質の差は商品の性能差に大きく影響を受けますが、介護サービスにおいては、介護福祉士個人の力量や介護チームの力量の差が仕事の質の差に直結します。そして、介護サービスにおける個人やチームの力量の差は、そのまま利用者の生活の質の差となります。

以上のことから、介護福祉士にとって自己研鑽は、専門職・プロとしての責務であるといえます。

また、介護福祉士の社会的地位を向上させるためにも、自己研鑽は必須であるといえます。ほかの専門職も、研究や学会発表、論文執筆をあたりまえのように重ね、専門職としての社会的地位の向上に努めてきました。介護福祉士も、みずからを「専門職」であると意識し、研究に取り組み、みずからの実践を科学的に評価し、価値を示していく必要があります。また、研究に必要な文章力や分析力、プレゼンテーション力は、記録や会議等のふだんの実践にも活用できます。研究に取り組むことは、実践力の向上にもつながっていくのです。

「介護福祉士の社会的地位を向上させるのは自分たち自身である」。そう決意し、自己研鑽を継続し、専門職としてのキャリア開発に努めていきましょう。

2 研修を活用する

質の高いサービスを提供するための実践力を獲得していく方法としては、Off-JT、とくに外部研修の活用が有効です。チーム全体として、質の高いケアを行っていくためには、リーダーシップやフォロワーシップなどのチームをマネジメントする力はもちろん必要ですが、個々の実践力が不可欠です。職務を離れ、外部研修を受講することで、多くのスキルを身につけることができます。

ここでは、各キャリア段階に応じた実践力を獲得するための研修の例

表3-8 初任期に必要な実践力とそれに対応する研修例

	必要な実践力	研修例
1	移動支援、入浴・排泄等の介助の実践力	介護技術講座、排泄ケア講座
2	申し送り、記録を作成する力	介護記録の書き方講座
3	基本的なマナー	接遇マナー講座
4	利用者と対話し、支える力	コミュニケーション講座
5	認知症介護の基本的な知識	認知症介護基礎研修
6	福祉の仕事の基本的理解、キャリア開発に向けた自己分析と自己目標の設定	福祉職員キャリアパス対応生涯研修課程 初任者コース
7	フォロワーとしての業務遂行力、業務課題の発見と解決の過程	

表3-9 中堅期に必要な実践力とそれに対応する研修例

	必要な実践力	研修例
1	会議を円滑に進行し、意見をまとめる力	会議力向上講座
2	部下や後輩の実践力を高め、引き出す指導力	OJT講座、スーパービジョン講座、コーチング講座
3	チームの現状分析、チームの実践力の向上	チーム力向上講座
4	施設内外の多専門職と協働する力	多職種連携講座
5	認知症介護の専門職としての実践力	認知症介護実践者研修
6	認知症介護現場でのチームマネジメント、実践者への指導力	認知症介護実践リーダー研修
7	キャリア開発に向けた自己分析、自己目標の設定	福祉職員キャリアパス対応生涯研修課程 チームリーダーコース・中堅職員コース
8	チームリーダーとしてのリーダーシップ、リーダーや管理者の補佐能力、業務課題の発見と解決の過程	

注：その他、介護支援専門員など職務に応じた研修を受講していく必要がある。

表3-10 ベテラン期に必要な実践力とそれに対応する研修例

	必要な実践力	研修例
1	利用者・職員を危険や危機から守る力	リスクマネジメント講座、感染症講座、災害対策講座
2	職員の精神的健康を守る力	ストレスマネジメント講座
3	職員を育てる職場を体系的につくる力	研修活用・人材育成講座
4	地域に貢献する職場をつくる力	地域貢献講座
5	よい人材を獲得する力	採用担当者研修
6	職場の経営状況を理解し、管理する力	経営・運営管理講座
7	職員の勤務や労働環境をつくる力	人事・労務管理講座
8	法令、基準等の正確な理解	行政が行う集団指導など
9	キャリア開発に向けた自己分析、自己目標の設定	福祉職員キャリアパス対応生涯研修課程　管理職員コース
10	管理職員としてのリーダーシップ、職場・チームのマネジメント力、業務課題の発見と解決の過程	

注：1～4は、チームリーダー・中堅職員にも必要な実践力・研修である。

を紹介していきます（表3-8～表3-10）。この例を参考にしながら、研修を活用した実践力の向上とキャリア開発をイメージしてください。なお、各キャリア段階に明確な線引きはないため、あくまでもイメージとして参考にしてください。専門職として自己研鑽していくためには、研修情報へのアンテナを張っておくことも大切です。日ごろから、自分の課題やキャリア段階を意識し、それに見合った研修がないかアンテナを張りめぐらし、チャンスを逃さないようにすることが大切です。

（1）初任期

初任期には、介護福祉士としての基礎的な実践力を身につけていくこととなります。基礎的な介護技術や記録、マナーやコミュニケーション力、認知症等についての専門的な知識は、専門職としての基盤となります。

これらの一部は、日ごろのOJTで指導を受けることもありますが、

表3-8に示したような研修を活用することも有効です。外部の講師による講義では、より新しい知識や別の視点をえることができます。また、グループワークなどを通して他施設に勤務する職員との情報交換をすることもでき、自施設での職務を客観的に見つめなおすことができます。

(2) 中堅期（チームリーダー、初任者への指導係）

キャリア段階や職位が上がるにつれ、後輩や部下への指導力やチームマネジメント力などの、初任期とは違ったスキルが必要になってきます。中堅期には、表3-9に示したような研修も活用しながら、初任期に必要なスキルを継続して高めつつ、リーダーとしてのスキルを身につけていきます。

(3) ベテラン期（管理職者）

介護福祉士として必要な実践力をみがきつづけ、ベテランと呼ばれる時期に入ると、リーダーとしてのマネジメント力を身につけ、運営管理や職場全体としての人材育成システムづくりをになう実践力を身につけることが求められます。表3-10に示したような研修を活用しながら、事業所を運営管理していく管理職者に求められる実践力を身につけ、利用者はもちろん、職場そのものや職員を守っていく責務を果たすこととなります。

3 キャリア開発・キャリア支援に対する姿勢
──自己研鑽の効果を高めるための意識とサイクル

ここまでOJTやOff-JT、スーパービジョンやSDSを通じた実践力の向上、自己研鑽について述べてきましたが、これらに「なんとなく」や「言われたから」という姿勢や意識で取り組んでしまうと、その効果は薄くなってしまいます。自己研鑽には、受け身ではなく、積極的に取り組む姿勢が大切です。

また、取り組む前にあらかじめ現状や目標を意識しておくことで、自己研鑽の効果は高まります。効果的に自己研鑽の機会を活用し、専門職として成長していくためには、図3-22のようなイメージをもっておくことが重要です。逆にいえば、これをきちんと意識しておく作業そのも

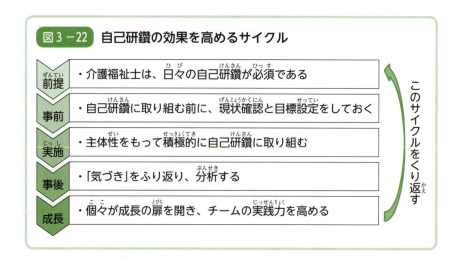

のが、主体的な姿勢づくりにもつながっていきます。

　自己成長・自己変革のチャンスを最大限にいかし、キャリア開発を続け、成長した未来の自分をつかみとりましょう。

　ここからは、図3−22にもとづいて、キャリア開発・キャリア支援を支える自己研鑽の効果を高める意識とサイクルについて、おもに研修受講をイメージして示します。

（1）【前提】介護福祉士は、日々の自己研鑽が必須である

　前述してきたとおり、介護福祉士は「専門職として自己研鑽、資質向上に取り組みつづける」ことが必須です。自己研鑽は、自身やチームのケアの質を高めるため、ひいては利用者の生活の質の向上のために必要なことです。このことを理解していることが、自己研鑽の効果を高めるサイクルの前提であり基盤となります。

（2）【事前】自己研鑽に取り組む前に、現状確認と目標設定をしておく

　自己研鑽に取り組む前には、実践上の課題をふまえて事前に自己スキルの現在地点を確認し、目標設定を行うことが大切です。

　OJT、Off-JTのどちらにおいても、指導者・講師の側には「何を伝えるのか」「どのように伝えるのか」ということを事前に計画しておくことが求められています。同じように、受ける側に立ったみなさんも、事前に「自分がなぜその研修に取り組むのか」「研修受講後にどのようになりたいのか」を事前に確認し、意識しておくことがとても重要です。

（3）【実施】主体性をもって積極的に自己研鑽に取り組む

　自己研鑽の機会に恵まれた際には、受け身ではなく、積極的にみずから成長しよう、変わろうという主体的な意識をもっていることが、自己研鑽の効果を高めることにつながります。なぜなら、人は主体的に行動したときこそ、成長できるからです。

　指導者や講師にできることは、みなさんみずからが「変わる」「成長する」きっかけを提供することです。自己研鑽の意味や目的を理解したうえで主体的に取り組む意識をもちつづけ、みずからを成長させるチャンスをものにしましょう。

（4）【事後】「気づき」をふり返り、分析する

　自己研鑽の取り組み後には、できれば上司とともに「ふり返り」を行い、ノートなどに書きとめておくようにしましょう。自分は何を学び、気づき、それを今後どのようにいかすのかについて、しっかりとふり返っておきましょう。とくに、みずからの気づきを文章化しておくことが大切です。そして、自分がどうしてそのように感じたのかを自己分析しておくことが成長につながります。なお、介護福祉士には、専門職として言語化・可視化する力も重要であり、文章化や自己分析は、その鍛錬にもなります。

　そして、一番大事なのが、「どのようにいかすのか」という視点です。とくに、「やり方」ではなく、「考え方」を学んだときには、それを自分やチームの実践におきかえることが前提となるため、この視点が必須となります。学びを現場の実践でいかせるか、理想論で終わらせてしまうかは、みなさん次第です。

（5）【成長】個々が成長の扉を開き、チームの実践力を高める

　自己研鑽を通じての個々の成長やキャリア開発を、「扉を開ける」ことにたとえると、イメージしやすいかもしれません。新たな知識や考え方、視点をえることは、新たな世界へ足をふみ入れるチャンスです。自己研鑽を通じて、今まで自分がもちえなかった視点をもつことで、自分のなかにある、それまで見えなかった扉の存在に気づきます。その扉を開き、扉の向こうにある新たな風景が見えてくると、大きな成長につながります。

このように、自己研鑽の機会の活用が、個々の実践力を高めていくことになります。また、個々の成長の積み重ねが、チームや組織全体の実践力を向上させていきます。そして、チームの力が向上していくことは、ケアの質、利用者の生活の質を高めることにつながります。だからこそ、介護福祉士にとって、また、チームマネジメントにおいて、人材育成や自己研鑽は価値がある、必須の責務なのです。

◆ 参考文献
- 日本介護福祉士会編『介護実習指導者テキスト 改訂版』全国社会福祉協議会、2015年
- 北川清一・相澤譲治・久保美紀監、相澤譲治『スーパービジョンの方法』相川書房、2006年
- 日本社会福祉教育学校連盟監『ソーシャルワーク・スーパービジョン論』中央法規出版、2015年
- アルフレッド・カデューシン＆ダニエル・ハークネス共著、福山和女監、萬歳芙美子・荻野ひろみ監訳、田中千枝子責任編集『スーパービジョンインソーシャルワーク 第5版』中央法規出版、2016年
- 鈴木俊文「実務に伴う『実践感覚』を経験した介護福祉士の能力開発のプロセスと構造」『福祉社会開発研究』第13号、2018年

演習3-5　介護福祉士としてのキャリアをイメージする

介護福祉職として働きだした自分をイメージしてみよう。

1. 働きだした自分、5年後の自分をイメージして、どんな介護福祉士になりたいか考えてみよう。

2. 理想の介護福祉士に近づくために、職場にどのような人材育成のしくみがあったらよいか、自己研鑽の方法として何が考えられるか、グループで話し合ってみよう。

演習3-6　スーパービジョンの機能について理解する

スーパービジョンの機能がどのような効果をもたらすのかを、スーパーバイジーの立場から考えてみよう。

第 4 節

組織の目標達成のためのチームマネジメント

> **学習のポイント**
> ■ 質の高い介護サービスは組織的に支えられていることを理解する
> ■ 組織がどのような役割・機能を果たしているかを学ぶ
> ■ 組織がどのような構造になっているか、どのように管理されているかを学ぶ

関連項目
- ④『介護の基本Ⅱ』　▶第3章「介護における安全の確保とリスクマネジメント」
- ④『介護の基本Ⅱ』　▶第5章「介護従事者の安全」
- ⑤『コミュニケーション技術』　▶第5章「介護におけるチームのコミュニケーション」

1 介護サービスを支える組織の構造

「ケアの質が高い」と評判のよい施設があったとします。その施設での質の高い介護サービスは、優れた介護技術をもつ介護福祉士が1人いれば実現できるでしょうか。

もしかしたら、今日1日だけなら実現できるかもしれません。しかし、介護サービス、とくに施設サービスでは、24時間365日の連続したサービス提供が求められます。そのため、介護サービスを提供するうえでは、交代勤務や連携によるチームでの実践が欠かせません。

そしてさらに、「質の高い」介護サービスを連続して提供するには、職員の確保や配置、また、介護サービスを提供するのに必要な設備や物品の確保等々、すぐに思いつくだけでも計画的な準備が必要になります。

そう考えると、質の高い介護サービスを持続的に提供するには、介護サービスを直接的、間接的に支える施設、つまり組織の運営管理がどうしても必要になります。

ところで、組織[1]とは何でしょうか。集団と組織ではどこが違うのでしょうか。いろいろな表現がありますが、①共通の目的があること、②共通目的達成のために協力する意思があること、③共通目的のためにコミュニケーションをとろうとすることが、単なる集団との違いだといわれています。介護サービスの提供を前提としていえば、「福祉や介護に対して同じ目的や志をもち、その実現のために協力し合う人々の集まり」が組織だといえます。

そうすると、組織は、質の高い介護サービスを持続的に提供するために存在しているともいえます。

そこで、本節では、「組織」がどういうものであるか（構造）を確認したうえで、組織のしくみ（機能と役割）を確認し、組織が介護サービスをどのように支えているのか（管理）をみていくことで、組織の目標達成のためのチームマネジメントについて考えていきます。

[1] 組織
p.164参照

1 組織の理解──法人の理解

組織を代表するものとして、法人、なかでも社会福祉法人と介護サービスを提供する事業所（以下、事業所）の関係を取り上げながら、組織について確認しましょう。

なお、本節では、特別養護老人ホーム等の「施設」も「事業所」に含まれるものとして扱います。

（1）さまざまな法人

社会のなかで個人に人格や名前が与えられているように、集団や団体にも「法人格」という人格が与えられています。また、その集団や団体には「法人名」として名前がつけられます。

法人は、法人格をもち、法人理念や経営方針をかかげて事業活動（たとえば、介護サービス事業）を行うことで、その事業活動に対する社会的信用を高めることができます。

日本では、社会福祉基礎構造改革が行われ、2000（平成12）年に社会福祉事業法が社会福祉法に改正されるなど、いくつかの法律の改正が行われました。同時に介護保険制度もスタートしています。こういった改革により、介護サービスを含む福祉サービスは、行政による「措置」として行われるものから、利用者が選択して対等な「契約」によって利用

表3-11 さまざまな法人

営利／非営利	法人の種類
非営利法人	社会福祉法人、医療法人、特定非営利活動法人（NPO法人）、生活協同組合、農業協同組合等
営利法人	株式会社、有限会社、合名会社等

するものになったといわれています。

　介護サービスを提供することも、介護保険制度が始まる以前は、おもに公的機関（県営、市営等）や社会福祉法人等に許可されていましたが、介護保険制度の創設によって、民間企業を含むさまざまな法人でも事業所の運営ができるようになりました（表3-11）。

（2）事業所を運営・管理する法人

　では、法人とはいったい何でしょうか。法人とは、事業所の経営母体のことです。複数の事業所を一括して管理・運営しているのが法人です。

　みなさんは、法人という存在を意識したことがあるでしょうか。介護福祉職の外部研修会等では、自己紹介の場面で自分が所属する事業所名を名乗っている場面はよく目にしますが、法人名を紹介している場面はほとんど見かけません。法人は、事業所に比べて所属しているという意識が薄いのでしょう。

　法人が複数の事業所を運営している場合は、人事異動（勤務する事業所や部署が変わること）があれば、法人の代表名で辞令が出されるため、そのときに法人を意識するでしょう。

　なお、法人内の人事異動も、質の高い介護サービス提供を支える1つの方法です。たとえば、入所施設で、出産による休職者が出たときに、人事異動によって、在宅サービス事業所から人員を移し、入所施設での介護サービス提供に支障が出ないようにするといったことがあります。

2 組織の階層構造──3つの部門

　さまざまな法人・事業所が、介護保険制度のなかで事業を運営・管理し、介護サービスを提供しています。ここでは、法人組織の構造を階層

的にみていきましょう。

法人は、大きく分けると、経営・管理部門、中間管理部門、現場部門という3つの部門に分かれています。

(1) 経営・管理部門

法人が関係するすべての事業の経営と管理について責任をもつ部門が、経営・管理部門です。事業を行ううえでの資源である「ヒト・モノ・カネ」について、年度計画だけではなく、将来に向けた新たな事業計画の検討といった中・長期的な計画策定も行います。

経営・管理部門の仕事は、理事長、各事業所の長（施設長）や管理者、部長といった職位の人がにないます。

(2) 中間管理部門

経営・管理部門と現場部門を円滑につなぐ機能と役割を果たすのが、中間管理部門です。中間管理職は、実際の介護サービスにもたずさわりながら、同時にその管理にも責任をもつ立場になります。

経営・管理部門の方針や指示・命令を的確に現場部門に伝える、逆に現場部門の課題を経営・管理部門へ建設的に提言するといった重要な責任があります。各部門や各職種の責任者（介護主任、看護主任、主任相談員等の職位）クラスの人が中間管理部門の仕事をにないます。

(3) 現場部門

介護サービスに直接かかわるのが現場部門です。個別のサービス提供の役割を果たし、日々の介護サービスの継続性・連続性に責任をもつ部門です。同時に、経営・管理部門の方針や指示・命令を中間管理部門から受け、法人や事業所の一員であることを自覚して介護サービス業務にあたることになります。

このように、3つの部門では、それぞれの機能と役割に応じた運営・管理が行われています。そして同時に、3つの部門は指揮命令系統でつながっており、組織として一体を成しています。

3 職種・職位

　法人では、職員を職種と職位の2つのカテゴリーで管理しています。
　介護サービスを提供する施設でいえば、**職種**とは、介護福祉職、看護職、相談員、栄養士、事務職といった専門分野による職員分けです。
　また、**職位**とは、施設長、介護主任、副介護主任といった地位による職員分けです。一般的には、職位の高い人をまとめて役職者と表現しています。
　役職者には、専門分野の業務に加えて、それぞれの役職（職位）に応じた業務や役割があります。そして、業務や役割を遂行するための権限と責任を法人から預かっています。
　また、介護福祉職の**キャリアパス**[2]を作成している法人・事業所では、職位とキャリアパスが連動しています。キャリアパスとは、職員の経験年数や求められる能力、取得すべき資格等、職位ごとに求められる水準を示すことで、キャリアアップの道筋を明示し、職員のモチベーションを上げるためのしくみです。また、同時に、法人・事業所が職員の人材管理をするためのしくみでもあります。

[2] キャリアパス
p.228参照

4 組織図――指揮命令系統の「見える化」

　組織図には、法人が関与しているすべての事業や部門、職位が記載されており、組織の部門と担当者が一目瞭然になっています（図3-23）。つまり、組織に階層があり、それが**指揮命令系統**でつながっていることを目に見える形で示したものが組織図です。なお、職位による権限と責任の範囲も、おおむね組織図から読み取ることができます。
　たとえば「現場の新たな課題」を解決していく場合に、どの部門がその課題を扱うのか、どこの部門の会議でそれを検討し、どの職位の人が決定を下すのか、といったことを組織図から読み取ることができます。
　また、自分はだれに「報告（ホウ）・連絡（レン）・相談（ソウ）」すべきなのか、逆にだれから指揮命令を受けるのか、つまり、自分の上司はだれなのかがラインで示されています。さらにいえば、理事長の考えがどのようなルートを経て自分まで届くのか、自分の意見がどのようなルートを経て理事長まで届くのかを、たどれるようになっています。

第4節 組織の目標達成のためのチームマネジメント

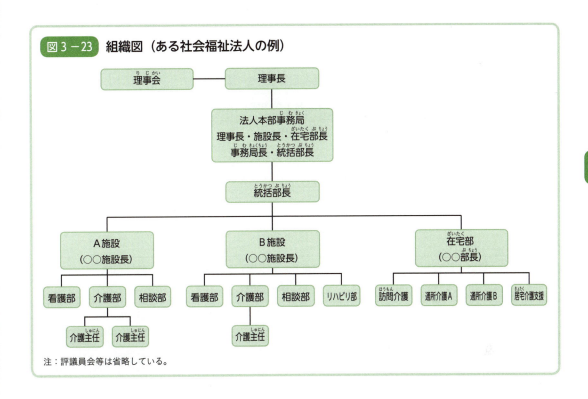

図3-23 組織図（ある社会福祉法人の例）

注：評議員会等は省略している。

5 事業計画

組織の大きな役割は、事業計画を作成することと、作成した事業計画をPDCAサイクル[3]で回すことにあります。

（1）事業計画とは

事業計画とは、法人全体で、今年度どのようなことを、どういった内容で、いつごろ実施するのかを示したもの、つまり、「いつ」「どこで」「だれが」「何をする」という事業の予定を示した管理表です。

事業計画には、3～5年を想定した中期計画や、それ以上の期間を想定した長期計画もありますが、一般的に事業計画というときには、年間計画をさします。法人では、毎年度、前年度の事業結果をベースにしながら1年間の事業計画を作成します。そして、法人の事業計画にそって、各事業所あるいはサービスごとに、年間計画や月間計画を作成します。

たとえば、お花見会や夏祭り、敬老会といった、日常の基本的な生活支援以外のイベントに関する計画は、法人の事業計画のなかに位置づけられ、それぞれの事業所の行事計画として具体化されます。

❸PDCAサイクル
P（Plan：計画）→D（Do：実行）→C（Check：評価）→A（Action：改善）をくり返すことによって、業務を継続的に改善する手法。

表3-12　事業計画に含まれる内容

経営に関する目標と計画策定		
おもな項目	おもな内容	おもに担当する部門(階層)
① 事業数値の目標決定	目標サービス利用者数	経営・管理部門 中間管理部門
② 現サービス内容の見直し	実施サービスの内容について全般の見直し	中間管理部門 現場部門
③ 新規事業の検討	中・長期を見すえた新たなサービスの検討	経営・管理部門
④ 契約の更新・見直し	外注化(給食サービス等)部門の見直し・リース契約の見直し	経営・管理部門
⑤ 広報活動	広報誌・HP等の計画	経営・管理部門

介護サービス目標と計画策定		
おもな項目	おもな内容	おもに担当する部門(階層)
① 介護サービスの見直し	提供している介護サービスの見直し・アメニティーの見直し	中間管理部門 現場部門
② 権利擁護、プライバシー保護、身体拘束廃止の取り組み	提供しているサービスの見直し・職員の意識改革への取り組みの検討	中間管理部門 現場部門
③ 行事計画	年間季節行事計画	現場部門
④ 家族支援	家族会計画・家族向け広報誌等の計画	現場部門
⑤ 苦情・クレーム対応	苦情・クレームへの職員意識改革への取り組み	経営・管理部門

人材確保と育成の計画策定		
おもな項目	おもな内容	おもに担当する部門(階層)
① 新卒者への取り組み	新卒を対象にした学校関係・就職フェア・ネット媒体の取り組み	経営・管理部門 中間管理部門
② 既卒者への取り組み	既卒者を対象にした求人活動の取り組み	経営・管理部門 中間管理部門
③ 福祉実習・福祉体験・福祉ボランティアへの取り組み	介護養成学校からの実習受け入れ・地域の小・中・高校生の福祉体験、ボランティアの受け入れ	中間管理部門 現場部門

④ 職員研修計画策定	施設外研修計画・施設内研修計画・研究発表大会への参加計画	経営・管理部門 中間管理部門
⑤ 職員の福利厚生・職場環境改善の計画策定	福利厚生の見直し・介護職員キャリアパスの策定や見直し・腰痛、ストレス、ハラスメント対策の検討	経営・管理部門

リスク管理に向けての計画策定

おもな項目	おもな内容	おもに担当する部門(階層)
① 医療介護事故対策	提供している医療介護サービスの見直し・職場環境の見直し・医療介護事故後の対応見直し	経営・管理部門 中間管理部門 現場部門
② 防災対策（地震、火災、水害）	防災時マニュアルの見直し・防災訓練計画	経営・管理部門
③ 感染症対策	感染症予防、発生後マニュアルの見直しや備品の見直し・感染症についての研修計画	経営・管理部門 中間管理部門 現場部門
④ 業務継続計画（BCP）策定	非常事態に遭遇した場合のサービス提供計画	経営・管理部門
⑤ 設備・備品に関する計画策定	大型設備等のメンテナンスや点検（外壁塗装、エレベーター、エアコン、厨房機器、業務用洗濯機、防災設備等）	経営・管理部門
⑥ 節電・節水対策	業務の見直し・節電、節水への取り組み計画	経営・管理部門
⑦ 交通安全対策	施設車両点検計画・交通安全教育の計画	経営・管理部門

地域貢献に関する計画策定

おもな項目	おもな内容	おもに担当する部門(階層)
① 地域連携に関する計画策定	地域共同行事計画（お祭り、防災訓練等）	経営・管理部門
② 地域貢献に関する計画策定	施設・事業所資源を地域に還元する計画（買い物支援、食事提供支援等）	経営・管理部門

事業計画に含まれる項目は、おおまかに、経営に関する項目、介護サービスに関する項目、人材の確保と育成に関する項目、リスク管理に関する項目、地域貢献に関する項目などに分けられ、おおむね**表3-12**に示すものがその内容として考えられます。

(2) 事業計画と担当部門

　また、**表3-12**をみると、各項目でも、経営・管理部門が担当し、検討すべき内容、中間管理部門が担当し、検討すべき内容、現場部門が担当し、検討すべき内容があり、部門ごとにその役割や検討内容が異なることがわかります。

　たとえば、感染症の予防対策を検討する場合、現場部門では、職員・利用者に手洗いやうがい、マスク着用の励行・徹底をはかるといったことをミーティング等で決め、意思統一をして実施します。中間管理部門では、手洗いやマスク着用の励行・徹底の実現に必要な物品（消毒剤・マスク等）の手配や、利用者の家族へ周知するための通知の準備などを行います。経営・管理部門では、感染症予防対策に対する法人全体の方針を決め、中間管理部門にそれを伝えるとともに、その対策を各現場部門が具体化できるように、物品の手配や購入等の資金面で準備を行います。場合によっては、面会制限等について判断し、決定をします。

(3) PDCAサイクルと組織管理

　このように、事業計画を作成し、その事業計画にもとづくさまざまな取り組みを1年間実践し、年度末には事業内容のふり返りを行うことになります。策定した事業計画と目標に対して、何をどこまで達成できたのか、また、なぜできなかったのかを評価し、課題を明らかにして、次年度の計画へと結びつける作業をくり返し、組織を管理していきます。

　介護サービスに関しても、年度当初の計画や目標がどれだけ達成できたかを、関連する事業全体のなかでふり返り、評価を行うことで、質の高い介護サービスを、個人単位ではなく、各サービス単位、また、各事業所・法人単位で実現していくことができるといえます。

第4節　組織の目標達成のためのチームマネジメント

2　介護サービスを支える組織の機能と役割

　ここまで、組織が3部門の階層構造になっていること、それぞれの部門に機能と役割があること、全体が指揮命令系統でつながっていることをみてきました。また、それを「見える化」したものが組織図であること、そして、3部門の機能と役割は、事業計画の策定と遂行というPDCAサイクルのなかで発揮されることを説明しました。

　ここでは、介護サービスを軸にして、それを支える組織のもつ機能と役割について考えていきます。

　まず、組織の機能と役割をピラミッド型に示しました（図3-24）。

　このピラミッドの上に位置するのは「質の高い介護サービス」で、これが組織の目標になります。この目標を実現するためには、それを実現可能にするための機能と役割が組織に求められます。そして、組織の3部門がそれぞれの立場でこの機能と役割に責任をもつことで、「質の高

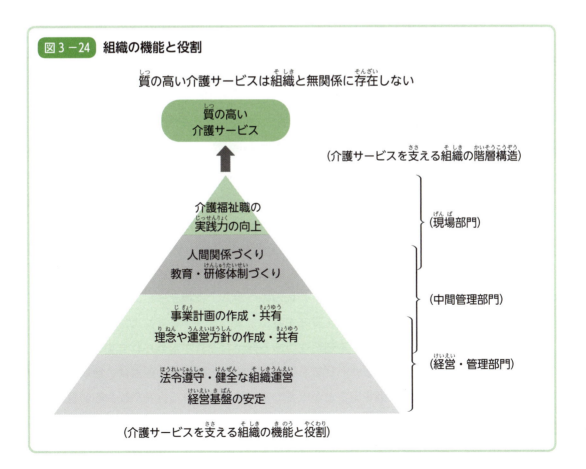

図3-24　組織の機能と役割

261

い介護サービス」が実現します。

　組織の機能と役割は、法人・事業所の規模や介護サービスの種類を問わず、質の高い介護サービスを実現するために取り組まなければならない、組織の共通基盤といえるものです。

　次に、質の高い介護サービスの提供に必要な共通基盤となる組織の機能と役割について、それぞれの内容と必要性を、ピラミッドの下から順番に、3つの部門の責任・役割と関連づけながら説明していきます。

1 経営基盤の安定と法令遵守・健全な組織運営

（1）経営基盤の安定

　組織は、財源・資金を確保し、**経営基盤**を安定させる必要があります。経営基盤が安定しなければ、介護人材は集まりません。介護保険制度では、事業を実施するために配置しなければならない人員の基準が法令で定められているため、介護人材が集まらなければ人員基準を満たすことができず、介護サービス事業の開始、あるいは継続ができないということになります。

　経営基盤を安定させる責任と役割は、経営・管理部門にあります。経営基盤の安定による組織の維持は、質の高い介護サービスを提供する土台となります。

（2）法令遵守・健全な組織運営

　介護保険制度の財源は、税金や介護保険料と利用者の負担分です。つまり、介護保険サービスは、今現在介護サービスを利用している人が支払う利用料だけでなく、多額の公費や40歳以上の国民から集めた介護保険料によって運用されている公益性の高いサービスです。また、介護サービスを利用する人は、認知症等をかかえた、いわゆる社会的弱者といわれる人たちです。これらの点から、介護サービスを運営する法人・事業所には、法令を遵守すること（**コンプライアンス**）や、第三者からみても納得できる透明性のある健全な運営が求められます。

　また、介護サービスを提供する法人・事業所の運営は、地域で社会的信用を構築することが重要です。法令にふれる行為や社会的弱者をだますような行為がみられる法人・事業所は、社会的信用を失い、サービス利用者だけでなく、介護人材も集まらないということにつながります。

このように考えると、法令遵守・健全な組織運営は、組織の存続にかかわることです。経営・管理部門には、法令を遵守し、健全な組織運営を行う役割と責任があります。また、経営・管理部門にかかわる者は、自分たちだけが法令遵守・健全な組織運営の内容について理解していればよいといった態度をとるのではなく、中間管理部門や現場部門の職員にも、その内容と重要性を伝え、理解してもらうという役割と責任があります。

2 理念や運営方針と事業計画の作成・共有

（1）理念や運営方針の作成・共有

質の高い介護サービスの提供は、法令の遵守や健全な組織運営だけでは実現できません。法令の遵守や健全な組織運営は、事業を運営するにあたってのミニマムライン（最低限）です。法人としてどのような介護サービスの提供を理想としているのか、事業所として何を目的としているのかといった、いわゆる組織の理念や運営方針をかかげ、職員がそれを共有していなければ、質の高い介護サービスの提供は実現しないでしょう。

前に示したように、そもそも「同じ目的・志をもった集団」が組織です。その目的や志をわかりやすい言葉で表現したのが理念や運営方針といえます。理念や運営方針を職員間で共有することができて、はじめて質の高い介護サービスの提供のスタートラインに立つことができるといえます。

理念や運営方針を示すのは、経営・管理部門の役割です。また、職員間で理念や運営方針を共有していくための教育・研修の企画も、経営・管理部門の役割になります。一方で、日常場面でも、ミーティングや業務を通じて理念や運営方針の共有がされています。このような日常場面での理念や運営方針の共有は、中間管理部門がその役割と責任をにないます。

理念や運営方針は、職員間で共有すると同時に、「見える化」をして、利用者やその家族、地域に対して示していくことも大切です。

理念や運営方針は、いわば、組織の目標宣言です。利用者やその家族、地域に向かって理念や運営方針を示すということは、有言実行しているかどうかを周囲から見られる環境をみずからつくることになり、組

織にとっては厳しい環境にあえて身をおくことになります。しかし、組織がみずからの理念や運営方針に真摯に向き合う態度を継続していれば、やがて大きな信頼をえることになるでしょう。そして、その理念や運営方針に共感して就職を希望してくる介護福祉職もいるはずです。

(2) 事業計画の作成・共有

組織の理念や運営方針を具体化する計画が、事業の年度目標であり年度計画です。**事業計画**は、たとえば介護サービスに関する目標・計画であれば、どのようなサービス（日々のケア、行事、家族支援、地域支援）を提供するのかを、中間管理部門が中心となって現場部門と話し合い、経営・管理部門にその内容を提出・報告し、決定されていきます。内容を吟味して事業所単位でまとめ、さらに事業所ごとの内容を吟味して法人単位でまとめます。

事業計画の作成過程には、法人・事業所の全職員がかかわるべきですが、事業計画の完成に責任をもつのは、経営・管理部門になります。

決定された事業計画の内容を全職員で共有し、理解して日々の介護サービス業務に取り組むことができるようにするのが、組織の役割です。

3 教育・研修体制づくりと人間関係づくり

(1) 教育・研修体制づくり

本来、職員の**教育・研修**は、事業計画の一部として設定されるものです。しかし、そのような人材育成に関することは、組織の基盤となるものであり、重要性が高いものであるため、事業計画とは区別して検討・計画をする必要があります。

新人研修や2年目研修、3年目研修といった決まりきった研修計画を行うだけでは、質の高い介護サービスは提供できません。介護の経験年数やキャリアに応じた教育・研修だけではなく、職員1人ひとりがかかえている課題に関する教育や研修、職員が興味のある分野の研修、あるいは今後取得したいと考えている資格に関する研修といった、職員の希望や状況を考慮した教育・研修を行う必要があります。

その教育・研修方法も、形態（外部研修、内部研修、OJT、Off-JT）を考慮しながら、計画的に行うことが求められます。人材育成には、介

護福祉職1人ひとりの個別性を尊重したきめ細やかな計画が必要となります。また、計画を作成するには、職員本人と面談をくり返すことも必要になるでしょう。

このように考えると、教育・研修計画の作成は、中間管理部門の役割となります。そのうえで、教育・研修費用の予算化や資金の確保は、経営・管理部門の役割となります。

いずれにせよ、組織のなかで人材育成のきめ細やかな計画・しくみを設けることは、新たな人材確保が厳しい現状では、介護サービスの質の向上だけでなく、介護福祉職の離職を防ぐ意味でも重要だといえます。

(2) 人間関係づくり

公益財団法人介護労働安定センターが毎年度実施している「介護労働実態調査」では、「前職の介護職を辞めた理由」の上位に「職場の人間関係に問題があったため」という項目が必ずあがっており、人間関係を理由とする離職が多いことがわかります。

いったん離職者が出ると、次に新しい介護職員が入ってきても、介護サービスのレベルはすぐには以前のレベルに戻らないのが通常です。職員の数が基準どおりにそろったとしても、しばらくは、新人職員に業務を教えるために複数勤務（教える職員と新人職員の2人でいっしょに勤務すること）の期間が発生します。新人職員が職場に慣れ、以前からの職員と連携できるようになるには時間がかかります。夜勤業務を1人で担当できるようになるには2～3か月かかるでしょう。

また、利用者やその家族との人間関係の構築も一朝一夕にできるわけではありません。新人職員が介護業務をおぼえ、一人前になるには、それなりの期間が必要になります。実際、法人・事業所で1人の職員が育つには、多くの職員の労力や時間がかかっています。つまり、離職は、今までかけた労力や時間が無駄になるということでもあります。職場の人間関係によって離職者を出してしまうことは、法人・事業所にとって大きな損失だといえます。

質の高い介護サービスを持続的に提供するために、法人・事業所は、良好な人間関係の構築を個人まかせにするのではなく、組織として計画的に行っていく必要があります。中間管理部門は、そのための企画などを検討し、そのための予算を経営・管理部門に認めてもらうという役割を果たさなければなりません。

4 介護福祉職の実践力の向上

　介護福祉職に求められる実践力の内容は多岐にわたりますが、ここでは「熟練の知識・技術」をイメージしてください。「熟練の知識・技術」を組織として確保しつづけるには、まず、法人・事業所に魅力があることが大事になります。次に、介護福祉職を育てていく志と力量が組織にあること、介護福祉職が知識・技術を高めていこう（自己研鑽しよう）と思うことができる環境・風土が現場にあることが大事です。これらの相乗作用により、介護福祉職の**実践力の向上**が実現していきます。
　介護福祉職の実践力の向上は、現場部門の役割ですが、その実現には、経営・管理部門、中間管理部門の支えが必要になります。介護福祉職の実践力の向上には、3部門それぞれが責任と役割をもっているのです。

　組織の機能と役割を示したピラミッド（図3-24（p.261）参照）が表現していることは、経営・管理部門、中間管理部門、現場部門の3部門が、それぞれ責任と役割を果たし、それぞれが結びついて機能することで、質の高い介護サービスが確立され、持続的に存在するということです。
　組織として経営基盤を安定させること、適切な方法で健全な運営を行うこと、理念や方針を共有すること、事業計画を作成・共有すること、人材の確保や人材育成の体制（しくみ）を設けること、良好な人間関係を構築することといった、組織の機能と役割が組み合わさり、「熟練の知識・技術」をもつ介護福祉職が存在するということにつながります。

3 介護サービスを支える組織の管理

　ここまで、①組織には3部門の階層構造があり、それらが指揮命令系統でつながっていること、②質の高い介護サービスの持続的な提供には、それを支える組織の機能と役割が存在していることを示してきました。
　ここでは、組織がその機能と役割を十分に果たすために、日々どのような運営・管理が行われているのか、介護福祉職にかかわりの深いものを中心にみていきましょう。

第4節 組織の目標達成のためのチームマネジメント

 1 介護業務等の管理──委員会等の管理

　介護業務等に直接かかわる管理としては、介護業務そのものの管理やユニットの管理、介護保険制度等の活用の管理、家族への支援、行事の企画などさまざまありますが、介護福祉職にかかわりが深いものの1つに、委員会等の管理があります。

　委員会とは、法人・事業所内の、関係する部門や関連する職種から委員を選出し、介護福祉職だけではなく多職種で、それぞれの立場・視点から現状の介護サービスをふり返り、問題点や課題について意見を出し合い検討する場です。現状の介護サービスの内容や提供方法について、自由な意見交換を行う場といえます。経営・管理部門や中間管理部門が主催して、トップ（理事長・施設長）の方針や考え方を現場部門に伝えるといった会議ではありません。

　質の高い介護サービスをめざして各職種が専門的な意見を出し合うことが、委員会の役割であり、機能だといえます。そして、質の高い介護サービスの共通認識を形成していくことが、組織にとって重要です。

　法人・事業所によって、委員会の取り扱う内容、また、委員会の有無も違いますが、介護業務に関係するおもな委員会を表3-13に示しました。

　大きく分けると、食事、排泄、入浴、レクリエーションといった、利用者のケアに直接かかわる内容を扱う委員会と、身体拘束廃止や感染症予防といった、利用者へのかかわりの前提や基本となる内容を扱う委員会に分けられます。扱う内容は違うものの、どの委員会も、質の高い介護サービスを実現・提供することを目的としています。

　具体的には、委員会では、日ごろのミーティングや職員会議等の限られた時間のなかでは深められない課題やテーマにしぼって検討を行います。委員会の活動を持続的に行い、そこでの検討をもとに見直しや改善をくり返すことで、質の高い介護サービスの実現につなげていきます。

　しかし、委員会で出た意見は、そのままでは法人や事業所の目標や事業計画に反映されません。委員会で検討されたことは、トップ（理事長・施設長）や組織全体で共有できるよう、報告・提案をして、運営方針や事業計画、あるいは業務マニュアルに組みこまれるようにはたらきかけていく必要があります。

表3-13 介護業務に関係するおもな委員会

委員会名	参加メンバー	検討内容・役割・機能
食事検討委員会	栄養士・調理師・介護福祉職・看護職・相談員等	・献立の見直し・器の見直し・栄養補助食品の検討 ・配膳方法や時間の見直し ・行事食の検討・残食量の検討等
排泄委員会	介護福祉職・看護職・リハビリ職・嘱託医	・排泄支援方法の検討・おむつ商品の検討 ・便秘対策等・トイレやポータブルトイレの清掃について
入浴委員会	介護福祉職・看護職・リハビリ職	・入浴支援方法の検討・入浴関連物品の検討・浴室の清掃、物品管理について
レク行事委員会	介護福祉職・看護職・相談員・栄養士・事務長	・年間の施設行事計画（お花見、お祭り等） ・レク活動機材の検討
身体拘束・事故防止委員会	施設長・介護主任・看護主任・主任相談員・施設ケアマネ・嘱託医	・身体拘束の有無 ・身体拘束廃止に向けた環境整備 ・身体拘束廃止に向けた教育研修計画
虐待防止検討委員会	施設長・介護主任・看護主任・主任相談員・施設ケアマネ	・虐待防止のための指針策定 ・虐待防止のための研修内容検討 ・虐待が発生した場合の原因の分析、再発防止策の検討
安全対策委員会	施設長・介護主任・看護主任・主任相談員・施設ケアマネ	・事故発生防止のための指針策定 ・事故分析と改善策の検討と職員への周知 ・事故発生防止のための職員研修計画
感染症対策委員会	介護主任・看護主任・主任相談員・嘱託医等	・感染別予防対策計画 ・集団感染が起きた場合の対応計画やマニュアルの見直し
災害対策委員会	施設長・介護主任・看護主任・主任相談員・栄養士・調理師	・災害対策訓練計画（地震、火災、台風、停電等） ・災害時のマニュアルの見直し ・災害グッズや食料・生活用品等備蓄の見直し

2 労務管理

　労務管理としては、勤怠管理や賃金の管理、安全衛生管理（健康管理）など、法人・事業所で職員が働くうえでの管理が行われています。
　身近な勤務表のほか、安全衛生管理やメンタルヘルスの管理にかかわるハラスメント防止についてみてみましょう。

(1) 勤務表の管理

多くの介護福祉職が毎日のように確認するのが勤務表でしょう。勤務表は、1か月単位で現場責任者（中間管理部門）が作成します。各介護福祉職は、勤務表を見て出勤日や出勤時間を確認し、勤務しているはずです。つまり、勤務表には、介護福祉職の人数を管理し、現場に人員不足が生じないようにするという役割があります。

ただし、勤務表は出勤者の数だけを管理しているわけではありません。勤務表を作成するにあたっては、ベテランと新人の比率、あるいは介護福祉職の男女比率等を考慮したり、委員会や研修会、実習生への対応等の状況を考慮したりなど、決められた人員のなかで質の高い介護サービスの提供が最大限可能となるよう、表3－14にあげたようなことを考慮します。また、公休や有給休暇が適切に取得されているかどうかを含めて管理することで、職員の健康状態（腰痛やストレス等）の管理にもつなげています。中間管理部門が考え尽くした、介護サービスを滞りなく提供するための「設計図」が勤務表だといえるでしょう。

(2) 安全衛生管理

労働安全衛生法等で、職員に対する健康診断が事業所に義務づけられています。また、深夜業務につく介護福祉職には、年2回の健康診断が必要です。さらに、「常時50名以上」を使用している事業所には、毎年1回の職員のストレスチェックが義務づけられています。事業者は、法令を遵守し、計画的な安全衛生管理に取り組むことが必要ですが、それにとどまらず、職場で休職者や離職者を出さないために、積極的に職員

表3－14 勤務表作成で考慮すること

① その日の人員の数
② その月の夜勤の数と夜勤の間隔
③ ベテランと新人の比率
④ 男女の比率（同性介護）
⑤ 委員会開催日と担当職員
⑥ 研修会開催日と参加職員
⑦ 実習生の有無と指導職員
⑧ 本人の休み希望

の健康を守る役割が求められています（『介護の基本Ⅱ』（第4巻）参照）。

たとえば、腰痛予防として、体格の大きい利用者については1人ではなく2人で介助するマニュアルを作成しておくことや、介護福祉職への腰痛予防バンドの支給、業務にストレッチ体操の時間を組みこむといったことがあげられます。

（3）職場のハラスメント防止

ハラスメントには、パワーハラスメント、セクシャルハラスメント、マタニティハラスメント、モラルハラスメントなどがありますが、ハラスメントに共通しているのは、言葉や行動による嫌がらせ行為であるということです。

ハラスメント防止対策を事業所が具体化することは、働きやすい職場環境づくりにつながり、結果として質の高い介護サービス提供に結びつきます。国も、事業所にハラスメント防止対策の明確化や、職員への周知・啓発・教育、また、ハラスメントに対する相談窓口の設置等を提言しています。介護の職場は、女性比率が高いことが多いため、法人・事業所によるハラスメント防止の積極的な取り組みがいっそう求められます。

3 人材の確保・育成

介護人材の確保は、直接介護サービスに関係する部署（現場部門）だ

表3-15　月別の人材確保対策

1月～3月	インターンシップ受け入れ
4月	来年度新卒者募集案内の送付
5月～8月	来年度新卒者募集学校関係めぐり 介護実習生受け入れ・福祉体験受け入れ
9月～11月	就職フェア参加・既卒者募集案内 介護実習受け入れ・福祉体験受け入れ
12月	既卒者募集案内・来年度募集計画作成

けではなく、法人・事業所全体で取り組まなければならない重要な課題です。人手不足は、組織の経営基盤の安定にかかわる問題だからです。また、現在だけではなく事業の将来を見すえ、後継者を育成していくためにも、法人・事業所がその役割を果たさなければいけません。

介護人材の確保に向けて、年間を通じて表3－15にあげたような取り組みが行われています。

4 設備・備品に関する管理

法人・事業所では、建物の管理や設備の管理、日々使用される備品等の管理が行われています。

介護現場で使用している設備や備品について考えてみましょう。エアコンなどの大型設備から事務用品などの消耗品まで、非常に多くのものが思いつくでしょう。夏場にエアコンが故障したら、場合によっては利用者の生命にかかわります。また、ボールペンのような事務用品も、必要なときに所定の場所になかったら、不便でストレスを感じるかもしれません。

表3－16に、介護現場に備えられている設備・備品とその管理対策をいくつか示しました。こういった設備や備品は、介護に直接関係しない物品も多いですが、管理が行きとどいていなければ、日常の業務に支障が出ます。つまり、法人・事業所の設備・備品の管理が適切になされて

表3－16　設備・備品の管理

設備・備品	管理対策	設備・備品	管理対策
エアコン	定期点検・清掃	厨房機材	定期点検・清掃
エレベーター	定期点検	機械浴槽	定期点検・清掃
火災報知器	定期点検	洗濯機	定期点検・清掃
自家発電機	定期点検	乾燥機	定期点検・清掃
施設車両	定期点検	シーツ類	定期補充
おむつ類補充	定期管理	車いす類	定期点検・清掃
洗剤類補充	定期管理	事務用品	定期管理

いるかどうかは、質の高い介護サービスの提供に大きく影響するといえます。

5 災害や感染症の発生に備えた、非常事態の管理

　地震や台風等の予期せぬ天災、あるいは感染症の発生・拡大によって、施設や事業所が非常事態に遭遇することも想定しなければなりません。災害の発生によって、電気や水道といったライフライン❹が麻痺したり、物流がストップして食料品や物品が届かなかったりすることが考えられます。また、ウイルス感染等により、複数の介護福祉職が同時に出勤できなくなることや、施設や事業所内でクラスター（集団感染）が発生し、通常業務を遂行できなくなることもありえます。

　2021（令和3）年度介護報酬改定により、災害や感染症が発生した場合であっても、利用者に必要なサービスを安定的・継続的に提供できるよう、すべての介護サービス事業者に対して、業務継続計画（BCP）の策定、研修、訓練が義務づけられました（ただし、3年間の経過措置が設けられており、完全義務化は2024（令和6）年度からとされています）。

　法人・事業所の立地や規模にもよりますが、たとえば社会福祉法人では、今まで表3－17のような、天災による災害を主とした非常時想定の訓練が実施されてきました。今後は、「業務継続計画（BCP）」の策定等の義務化により、策定計画にそって、たとえばクラスター発生時の対応訓練等が加わってくるでしょう。

❹ライフライン
都市生活に必要な水道・電気・ガスなどの供給システム。

表3－17　災害・非常時訓練

消防署立ち会い火災訓練	年1回程度
地域との合同防災訓練	年1回程度
避難・誘導訓練	年6回程度
炊き出し訓練	年1回程度
夜間想定訓練	年1回程度
停電時対応訓練	年1回程度

6 地域連携・地域貢献

　法人・事業所は、二重の意味で地域とのつながりが求められています。
　1つ目は、地域に開かれた事業運営という役割が組織に求められているという点です。介護保険制度には、税金や保険料といった地域住民から集めたお金が使われているため、財務状況を隠さずに、そのお金が適切に有効に使われていることを明示しなければなりません。また、法人・事業所のもつ人的・物的資源や機能を地域に還元していく役割、つまり地域貢献活動も求められています。たとえば、最近では、施設の福祉車両を活用した「地域の独居・要介護者の買い物支援」や、施設の厨房を活用した「独居高齢者食堂」等の活動があげられます。
　2つ目は、利用者への質の高い介護サービスの提供は、施設のなかだけでは実現しないという点です。利用者が24時間生活する施設サービスでは、施設のなかだけで介護サービスが完結しているように思われがちですが、実際は、地域の人が面会に来たり、話し相手、遊び相手として訪ねてきたりします。レクリエーション活動や施設行事でも、地域とたくさんの行き来があります。地域とのつながりがあってこそ、利用者はQOL（Quality of Life：生命・生活・人生の質）の高い生活を送ることができるのです。
　これらの取り組みは、現場部門だけで行うのは限界があるため、組織として計画的に行っていく必要があります。

　本節では、質の高い介護サービスを持続的に提供することを「組織の目標」と想定し、そのために求められているマネジメントの範囲や内容を具体的にみてきました。法人や事業所といった組織は、3つの部門（経営・管理部門、中間管理部門、現場部門）が互いに連携しながら役割や機能を果たすことで、質の高い介護サービスの提供・維持を支えているのです。

コラム　災害対策

　介護施設における災害対応は、施設運営の生命線といえるほど重要な管理内容です。災害というと震災をイメージする人が多いと思いますが、近年では台風被害や土砂災害などの自然災害もあとを絶ちません。災害時は、出勤が困難になる職員が一定数いることや、ふだんチームの中核をになっているリーダーが不在になることがあります。緊急に集めたメンバー

表3−18　災害対応の管理項目と内容の例

項目	内容
非常災害時の組織体制図	非常事態における指揮命令系統 緊急連絡体制、自動参集のマニュアル
非常災害時の行動マニュアル	初動からある程度状況が落ち着くまでの行動マニュアル（安否確認、建物状況確認、ライフライン確認等）
非常災害時の介護の考え方	ケアレベル（職員出勤状況、ライフラインの復旧状況にあわせた最低ライン） 介護記録（PCでの記録ができない場合を想定） 電動ベッド、ナースコールの代用
非常災害時の医療連携	医療レベル（職員出勤状況、ライフラインの復旧状況にあわせた最低ライン） 応急処置、トリアージ、病院搬送のマニュアル 看護記録（PCでの記録ができない場合を想定）
非常物品、非常食の管理	非常災害物品の管理台帳（どこに何が何個あるか） 非常食、水の管理台帳（賞味期限の管理） 非常食を使った献立マニュアル 救援物資リスト（何を依頼するか）
地域連携の内容と方法	地域の病院との連携、地域の事業所との連携 地域の住民との連携、ボランティアとの連携 福祉避難所としての機能 消防署、行政、社会福祉協議会等との連携
平時の防災活動 （災害対策委員会）	防災について担当する委員会の設立 職員研修（マニュアル等の周知） 非常災害時を想定した訓練（消火訓練、避難訓練、非常食の訓練） 日常の防災チェック（危険箇所確認、物品チェック）
その他	非常災害時における職員の労務管理

で新しいチームをつくって運営するなど、いつもの組織体制と異なるメンバーや動き方が必要になります。

　こうした緊急時の対応においても、チームを組織的に機能させることが、災害対応に必要な管理といえるでしょう。**表3－18**に災害対応として必要な管理内容を示しました。これらは、事業種別によらず、どのような介護事業所でも一般的に必要な内容です。

　実際の災害対応は実にさまざまで、想定できる被害にも限界があります。被害状況の具体的な想定はあくまで予測にしかすぎませんので、マニュアルは細かく定めればよいというわけではありません。「揺れた場合は中央ホールに避難する」という行動の取り決めを示すことはもちろん必要ですが、「揺れた場合は、まず利用者の安全確認を行い、落下物と転倒に備える対応を優先する」などの行動するうえでの判断の指針を示すことも重要です。職員個々が迅速に判断することで、チームとしての力が生まれるのが災害時です。職員1人ひとりが問題意識をもって、防災対応について考えることが大切です。

　なお、緊急時にも職員がバラバラになることなく、チームで行動できるようになることが大切です。そのため、非常時は、特定のリーダーだけに依存しないリーダーシップも重要です。

◆ 参考文献
- 武居敏編著『社会福祉施設経営管理論 2010』全国社会福祉協議会、2010年
- 社会福祉士養成講座編集委員会編『新・社会福祉士養成講座 福祉サービスの組織と経営 第5版』中央法規出版、2017年

演習3-7　組織の理念について考える

組織の理念の具体化について考えてみよう。

1. 介護サービスを提供している施設・事業所で、どのような理念がかかげられているか調べてみよう。

2. 1で調べた理念をあなたなりに反映させて介護を実践するとしたら、どのような取り組みができるか考えてみよう。

演習3-8　委員会について考える

どのような役割を果たす委員会があったらよいか考えてみよう。

1. 施設・事業所にどんな委員会（もしくはそれに類するもの）があるか調べてみよう。

2. どのような役割を果たす委員会があったらよいか考え、話し合ってみよう。

索引

欧文

ACP	32
Activities of Daily Living	33
ADL	33、54
…からQOLへ	33
ADL維持等加算	34
BCP	272
COS	19
ICF	6、70
ICIDH	5、70
…の障害構造モデル	5
ICT	54
IFA	27
IL運動	29
LGBT	26、94
LIFE	34
Long-term care Information system For Evidence	34
Nothing About Us Without Us	6
Off-JT	197、225、237
…とチームマネジメント	198
…の長所と短所	197
OJT	174、197、224、225、233
…とチームマネジメント	198
…の長所と短所	197
PDCAサイクル	257
PM理論	205
QOD	32
QOL	31、160
Quality of Death	32
Quality of Life	31、160
SDS	242
WHO	5、70

あ

アイコンタクト	137
あいさつ	143
愛着	100
アイデンティティ	98
アグレッシブ・コミュニケーション	149
アサーション	149
アサーティブ・コミュニケーション	149
アサーティブネス	149
アセスメント	207
遊び	100
アタッチメント	100
アッシュ, S. E.	111
…の実験	112
アドバンス・ケア・プランニング	32
アドバンス・ディレクティブ	32
アドボカシー	48
アパルトヘイト	28
アマルティア・セン	36
新たな高齢者介護システムの構築を目指して	34
安全衛生管理	269
安全対策委員会	268
委員会	267
医学モデル	28
意志	58、65、73
意思	74
意思決定支援計画	32
意思疎通	82、122
依存	45、59、68
遺伝子	85
遺伝子診断	36
糸賀一雄	36
意図的な感情の表出	158
意味づけ	125
意欲	58、65
…と行動	66
…の低下	67
イラストレーション	136
インフォームド・アセント	33
インフォームド・コンセント	32、35
運営管理	228
営利法人	254
エリクソン, E. H.	96、101
…の発達段階説	96
エリザベス救貧法	17
援助関係	153
…を形成するための7つの原則	155
エンパワメント	29、49
エンブレム	136

か

会議	170
…の進行役	224
外見的特徴	133
介護	80、195
介護過程	190
…の展開	180
介護記録	225
介護計画	186、190
介護サービス	40、178、182、184
…の特性	178、182
…の特性と求められるチームマネジメント	186
介護支援専門員	41、190、209
…の保有資格	190
介護職員処遇改善加算	229
介護職員初任者研修	189
介護人材	189
…の確保	270
…の不足	189
介護福祉士	189、190、243
…の不足	189
介護福祉士基本研修	229
介護福祉士ファーストステップ研修	229
介護福祉士養成カリキュラム	192

277

介護福祉職	189
…の実践力の向上	266
…のリーダー	191
介護報酬改定	34
介護保険施設	190
介護保険制度	40
介護保険法	15
介護予防	34
介護労働実態調査	265
外集団	113
下意上達	168
外部研修	244
科学的介護情報システム	34
科学的介護推進体制加算	35
書き言葉	129、167
拡散的思考	171
隔離収容	29
家族	81、84、100
…の形成	81
課題達成的凝集性	111
価値観	56、150
活動	70
カレン裁判	33
カレン事件	33
感覚器	87
…による他者の認識	88
環境	85
環境因子	70
関係	166
ガンジー, M.	28
患者の権利運動	35
感情	137
…の表現	137
感情労働	227
感染症	227、272
感染症対策委員会	268
完璧主義	117
管理職者	226
管理的機能	241
気質	99
…のタイプ	99
帰属意識	101
基礎集団	107
機能集団	107
基本的人権	3、8

基本的信頼の獲得	96
虐待加害者	47
虐待行為	42
虐待防止検討委員会	268
キャリア	222、228
…に応じた実践力	222
キャリア開発	229、248
キャリア支援	248
キャリアデザイン	229
キャリアパス	228、238、256
嗅覚	88、133
救貧院	17
教育	264
教育的機能	241
共感	151
教区	17
凝集性	110
強制断種	22
共同体	81
業務継続計画	272
記録	167、225
…の作成	225
キング牧師	28
勤怠管理	268
勤勉性の獲得	98
勤務表	269
空間	132
工夫的自立	69
クライエント	153
…の基本的なニーズ	154
クラスター	272
グループ	101
グループスーパービジョン	240
グループ・ダイナミクス	109、205
ケア	195
…の方針	211
ケアカンファレンス	183、195、212
ケアプラン	190、195、209
ケアマネジメント	20、187、190
ケアマネジメントシステム	41
ケアマネジャー	209
経営	228

経営・管理部門	255
経営基盤	262
経営資源	174
計画	225
…の作成	225
経済的自立	53
傾聴	151
契約	253
ケースマネジメント	20
ケースワーカー	153
ケースワーク	153
…の7つの原則	153
『ケースワークの原則——援助関係を形成する技法』	153
言語	82、84、128
…の機能	129
…の使用	82
…の特性	129
健康状態	70
健康診断	269
言語的コミュニケーション	128、167
研修	226、244、264
…（初任期）	246
…（中堅期）	247
…（ベテラン期）	247
現場部門	255
権利侵害	41
権利擁護	41、47
行為	124
公共の福祉	12
公式集団	108、164
後天的要素	85
行動	66
行動様式	117
後輩の指導	225
幸福追求	10
幸福追求権	11
公民権	26
公民権運動	28
合理的配慮	5
高齢者虐待の防止、高齢者の養護者に対する支援等に関する法律	12
高齢者虐待防止法	12

索引

高齢者憲章･････････････ 27
高齢者のための国連原則―人生を刻む年月に活力を加えるために―･･････ 27
コーチング･･････････ 175、233
コーピング･･････････････ 119
国際高齢者団体連盟･････････ 27
国際高齢者年･･････････････ 27
国際障害分類･･････････ 5、70
国際生活機能分類･･････ 6、70
国民主権･･･････････････････ 7
国民優生法･･････････････ 22
個人差･･････････････ 99、101
個人の尊厳の保持･･････････ 14
個人の尊重･･････････････ 11
言葉･･････････････････ 124
子ども食堂･････････････ 25
子どもの遊び･･･････････ 100
子どもの権利条約･････････ 25
子どもの貧困･････････････ 25
この子らを世の光に･････････ 36
個別化･･････････････････ 156
個別サービス計画･･･ 190、195
個別スーパービジョン･･････ 240
コミュニケーション
　･･･････ 122、142、145、163
…の基本構造･･･････････ 124
…の質･･････････････ 147
…をうながす環境･･････ 128
雇用の分野における男女の均等な機会及び待遇の確保等に関する法律･･････････ 26
コンサルテーション･･････ 238
コンプライアンス･･････ 262

さ

サーバントリーダーシップ･･ 216
サービス･･････････････ 179
…の購入（利用）プロセス･･ 183
…の特性と介護からの視点･･ 180
…の４つの特性･････ 179、186
…を扱う仕事･･････････ 179
サービス担当者会議･･ 209、212
災害･･････････････ 227、272
災害訓練･･････････････ 272

災害対策･･････････････ 274
災害対策委員会･･････････ 268
参加･･････････････････ 70
残存機能･････････････ 62、65
死･････････････････････ 82
…の質･･････････････ 32
ジェスチャー･･････････ 135
ジェンダー･･････････････ 26
ジェンダーエンパワメント･･ 26
ジェンダー・フリー････ 26
自我･･････････････････ 86
…の形成･･････････････ 98
…の芽生え･･････････ 97
視覚･････････････････ 87
時間･･････････････ 82、132
指揮命令系統････ 166、256
事業計画･･････････ 257、264
…に含まれる内容･･････ 258
事故･･････････････････ 227
自己開示･･････････････ 92
自己覚知･･･････････ 90、103
…を深めていく方法･･ 90
自己啓発援助制度･･････ 242
自己決定･･････････ 58、159
自己研鑽･･･ 196、226、229、238、243、248
自己効力感･･････････ 234
自己選択･････････････ 58
自己同一性･･････････ 98
自己抑制･･････････････ 117
支持的機能････････ 242
自主性の獲得･･････････ 98
自助具･･････････････ 69
姿勢･･････････････････ 135
視線･･････････････････ 135
自然環境･････････････ 133
自然権････････････････ 9
慈善組織協会･･････････ 19
自然法････････････････ 9
自尊心･･････････････ 72
実習指導･････････････ 239
実践力･････････････ 221
…の向上･････････････ 266
実務経験･････････････ 224
児童の権利に関する条約･････ 25

自分･･････････････････ 84
…と他者の違い･･････ 90
…についての理解･･････ 90
…の内面････････････ 90
…を理解する･･････ 86、89
自分らしさ･･････････ 94
社会･･････････････ 81、99
…の価値観･･････････ 94
社会改良･････････････ 20
社会規範････････････ 59
社会権･････････････ 7、10
社会サービス･････････ 41
社会参加････････････ 55
社会心理学････････ 102
社会性･･････････ 99、100
社会ダーウィニズム･･ 18
社会適応･･････････ 22
社会的自立･･････････ 55
社会的スキル･･････ 101
「社会的な援護を要する人々に対する社会福祉のあり方に関する検討会」報告書･･ 31
社会的排除･････ 31
社会的不利･････ 5
社会的包摂･････ 31
社会的包容力･････ 31
社会福祉援助･････ 19
社会福祉基礎構造改革･･ 253
社会福祉基礎構造改革について（中間まとめ）･･ 14
社会福祉士及び介護福祉士法
　････････････････ 243
社会福祉事業法･････ 253
社会福祉法･･････ 13、253
社会福祉法人･････ 254
社会防衛･･･････ 17
自由意思･････ 75
宗教改革･････ 18
自由権･････ 10、12
自由権的人権･････ 10
集合研修･････ 237
集団･･････ 100、106
集団圧力･･････ 111
集団感染･････ 272
集団規範･････ 109

集団凝集性……………… 110	触覚………………………… 87	ステレオタイプ
集団極性化……………… 171	初頭効果………………… 104	……………… 43、104、107、128
集団浅慮………………… 171	初任期…………………… 222	ストレス……………… 105、113
集団討議………………… 170	ジョハリの窓……………… 91	ストレス対処行動……… 118
…の傾向………………… 171	自立………… 14、34、52、57	ストレスチェック……… 269
集団力学…………… 109、205	…に向けた介護………… 183	ストレス反応…………… 113
自由な意思……………… 74	自律…………………… 14、59	…の分類………………… 114
周辺言語………………… 132	自立支援…………… 34、61	ストレスマネジメント……… 227
終末期医療……………… 32	自律性の獲得…………… 98	ストレッサー………… 113、116
終末期医療の決定プロセスに関す	人格………………… 72、74	スペース………………… 132
るガイドライン…………… 32	新救貧法………………… 17	性格傾向………………… 116
主体性…………………… 73	人権………………… 7、37	生活援助従事者研修…… 189
ジュネーブ宣言…………… 25	…の基本権……………… 11	生活環境………………… 42
受容………………… 150、156	…のとらえ方……………… 9	生活支援…………… 4、14、222
手話……………………… 129	人権思想…………………… 7	生活モデル……………… 28
準言語…………………… 132	人権宣言………………… 7、8	精神的自立……………… 55
上意下達………………… 168	人口論…………………… 18	生存権……… 7、10、13、25、39
障害………………………… 5	人材育成……… 196、227、264	生存権的基本権…………… 7
…のとらえ方………………… 5	人材確保対策…………… 270	生存権保障……………… 24
生涯研修………………… 226	人事異動………………… 254	性的マイノリティ……… 27
生涯研修制度…………… 229	新出生前診断………… 24、36	成年後見制度…………… 41
生涯研修体制…………… 238	心身機能・身体構造…… 70	生命の質………………… 32
障害者基本法……………… 3	人生の最終段階における医療の決	生命倫理………………… 35
障害者権利宣言………… 31	定プロセスに関するガイドライ	生理的発達……………… 95
障害者総合支援法………… 16	ン………………………… 32	世界人権宣言………… 10、24
障害者団体………………… 6	人生の質………………… 32	世界保健機関………… 5、70
障害者に対する世界行動計画	身体機能………………… 61	セクシャルハラスメント…… 270
…………………………… 31	身体拘束・事故防止委員会… 268	接遇……………………… 223
障害者の権利に関する条約…… 5	身体・生理的ストレッサー… 113	設備・備品の管理……… 271
上下関係…………… 165、167	身体接触………………… 134	セルフ・ディベロップメント・シ
小集団…………………… 163	身体的自立……………… 54	ステム…………………… 242
象徴……………………… 124	身体動作………………… 135	セン, A.………………… 36
情緒的サポート………… 120	人的資源………………… 174	潜在意識………………… 90
情動焦点型コーピング… 119	シンボル………………… 124	潜在能力………………… 37
情報共有………………… 208	親密性の獲得…………… 101	戦争神経症……………… 22
情報的サポート………… 120	心理社会的ストレスモデル… 115	選択……………………… 68
職位……………………… 256	心理・社会的ストレッサー… 114	選択肢…………………… 68
食事検討委員会………… 268	心理的発達……………… 95	先天的要素……………… 85
職種……………………… 256	水平的なコミュニケーション	専門職…………………… 244
職場の人間関係………… 265	…………………………… 168	専門性…………………… 184
女子差別撤廃条約………… 26	スーパーバイザー……… 238	相互作用………………… 166
女子に対するあらゆる形態の差別	スーパーバイジー……… 238	相続権…………………… 26
の撤廃に関する条約…… 26	スーパービジョン	相談……………… 167、170、256
女性の人権………………… 26	……………… 225、226、238	相談支援専門員………… 41、190
所属と愛情の欲求……… 169	…の機能………………… 240	ソーシャルインクルージョン

索引

…………………………………… 31	
ソーシャルエクスクルージョン	
…………………………………… 31	
『ソーシャルケースワークとは何か』 …………………………… 20	
ソーシャル・サポート ……… 119	
ソーシャルサポートネットワーク …………………………………… 29	
ソーシャルセツルメント活動 …………………………………… 20	
組織 ………… 106、163、203、253	
…におけるコミュニケーションの特徴 ……………………… 166	
…における情報の流れ ……… 167	
…における対立 ……………… 173	
…の運営方針 ………………… 263	
…の機能と役割 ……………… 261	
…の目標 ……………………… 199	
…の4つの条件 ……………… 163	
…の理念 ………… 164、199、263	
組織図 ………………………… 256	
措置 …………………………… 15、253	
尊厳 …………………… 3、72、94	

た

ダーウィン, Ch. ………………… 18	
第一印象 ………………… 93、103	
対人援助 ……………………… 153	
対人関係 ………………………… 42	
対人感情 ……………………… 104	
対人距離 ……………………… 134	
対人コミュニケーション …… 123	
対人的凝集性 ………………… 111	
対人認知 ……………………… 102	
…と対人感情の関係 ………… 105	
…の傾向 ……………………… 104	
タイプA ……………………… 117	
タイプA行動パターン ……… 117	
タイプB ……………………… 118	
タイプC ……………………… 118	
タイプC行動パターン ……… 117	
大砲とバター …………………… 24	
代理母 …………………………… 36	
他者 ……………………………… 84	
…とのかかわり ………………… 86	

…の変化 ………………………… 93	
…への依存 ……………………… 45	
…を理解する ……………… 87、89	
他者らしさ ……………………… 94	
他職種との協働 ……………… 223	
多職種連携 ……………………… 49	
惰民 ……………………………… 20	
男女共同参画社会 ……………… 26	
男女雇用機会均等法 …………… 26	
地位 …………………………… 165	
地域貢献 ………………… 227、273	
地域連携 ……………………… 273	
チーム …………………… 193、203	
…とメンバー ………………… 205	
…の取り組み ………………… 206	
チームアプローチ …………… 188	
チームケア …………………… 188	
チームマネジメント ……… 182、187、192、195、226	
…の3つの取り組み ………… 200	
チームミーティング …… 209、212	
チームメンバー ……………… 204	
チームリーダー ……………… 224	
チームワーク …………… 207、217	
知的障害者 ……………………… 29	
…の親の会 ……………………… 29	
中間管理部門 ………………… 255	
中堅期 ………………………… 224	
抽象的な思考 …………… 82、84	
聴覚 ……………………………… 87	
ティーチング …………… 175、233	
帝国主義 ………………………… 22	
テモショック, L. ……………… 118	
同一性の獲得 …………………… 98	
動機 ……………………… 58、65	
道具的サポート ……………… 120	
当事者 …………………………… 6	
同質集団 ……………………… 107	
同質性 ………………………… 108	
同情 …………………………… 151	
統制された情緒的関与 ……… 159	
同調行動 ………………… 101、110	
独立宣言 ………………………… 7、8	
トップダウン ………………… 168	
トマス, A. ……………………… 99	

ドレイア, H. ………………… 118	

な

内集団 ………………………… 112	
内集団バイアス ……………… 112	
内集団ひいき ………………… 112	
内省 …………………………… 86	
ナイチンゲール, F. …………… 21	
内的ワーキングモデル ……… 100	
内面 …………………………… 86	
ニィリエ, B. …………………… 30	
日常生活自立支援事業 ……… 41	
日常生活動作 …………… 33、54	
日本高齢者大会 ……………… 27	
日本国憲法 ……………… 7、11	
…第13条 ………………… 11、38	
…第25条 ……………… 10、13、39	
入門的研修 …………………… 189	
入浴委員会 …………………… 268	
ニュルンベルク綱領 ………… 35	
人間解放 ……………………… 10	
人間関係 ……… 3、114、142、265	
…の形成・発展 ……………… 142	
…の後退 ……………………… 145	
…の終結 ……………………… 147	
人間関係形成 ………………… 89	
人間としての尊厳 …………… 94	
人間の尊厳 ……… 3、4、7、11、72	
人間の発達 …………………… 95	
人間の理解 ……………… 2、89	
人間らしさ …………………… 94	
人間を対象とする医学研究の倫理的原則 ………………………… 35	
認知 …………………………… 102	
…のフィルター ……………… 102	
認知的評価 …………………… 115	
認定介護福祉士養成研修 …… 229	
ネガティブ・ポライトネス … 148	
ネグレクト …………………… 42	
ネットワーク ………………… 203	
ノーマライゼーション …… 29、30	
ノン・アサーティブ・コミュニケーション ……………………… 149	

は

- パーソナリティ …………… 96
  - …の基礎 ………………… 96
  - …の強化 ………………… 22
- パーソナリティ形成の基盤 … 97
- パーソナルコミュニケーション
  ………………………… 123
- バーンアウト …………… 227
- 背景因子 ………………… 70
- バイステック, F. P. …… 28、153
  - …の7原則 ………… 4、28、153
- 排泄委員会 ……………… 268
- 発達 ……………… 37、95
- 発達課題 ………………… 96
- 発達心理学 ……………… 95
- 発達段階 ………………… 95
- 発達段階説 ……………… 96
- 話し言葉 ………… 129、167
- ハラスメント …………… 270
- ハラスメント防止 ……… 270
- ハロー効果 ………… 104、107
- パワーハラスメント …… 270
- バンク-ミケルセン, N. E. … 29
- 判断 …………………… 73
- ハンドアウト …………… 173
- 反ナチズム ……………… 29
- ピアサポート …………… 29
- ピアスーパービジョン … 240
- 非営利法人 ……………… 254
- 非言語 …………………… 131
  - …の機能 ………………… 137
- 非言語的コミュニケーション
  ……………… 131、137
  - …の特徴 ………………… 137
- 非公式集団 ……………… 108
- ビジュアル・エイド …… 173
- 非常時訓練 ……………… 272
- 非審判的態度 …………… 157
- 非同質集団 ……………… 107
- 人および市民の権利宣言 … 7、8
- 独り立ち ………………… 236
- 秘密 ……………………… 160
- 秘密保持 ………………… 160
- ヒューマニズム ………… 8、11
- ヒューマンサービス … 181、184
- 表象 ……………………… 136
- 表情 ……………………… 135
- びわこ学園 ……………… 36
- 品格 ……………… 72、74
- フォルクマン, S. ……… 115
- フォロワー ……………… 214
- フォロワーシップ …… 192、214
- フォロワー的な業務 …… 217
- 部下の指導 ……………… 225
- 福祉サービスの基本的理念 … 14
- 福祉サービスの提供の原則 … 14
- 福祉職員キャリアパス対応生涯研修課程 …………… 229
- 物理・化学的ストレッサー … 113
- 物理的環境 ……………… 132
- 不妊治療 ………………… 36
- プライバシー ……… 74、160
- フランス革命 …………… 8
- フリードマン, M. ……… 117
- ふり返りの場 …………… 212
- ブレーンストーミング … 171
  - …の4原則 ……………… 172
- プレゼンテーション …… 172
- フロイト, S. …………… 22
- 文化圏 …………………… 139
- ベテラン期 ……………… 226
- ベバリッジ報告 ………… 25
- ヘルシンキ宣言 ………… 35
- ヘレン・ケラー ………… 20
- 偏見 ……………………… 128
- 報告 ……………… 167、170、256
- 報告書 …………………… 167
- 報告・連絡・相談 ……… 170
- 法人 ……………… 253、254
  - …の目標 ………………… 199
  - …の理念 ………………… 199
- 法人格 …………………… 253
- ボウルビィ, J. ………… 100
- 法令遵守 ………………… 263
- 報連相 …………………… 170
- ポジティブ・ポライトネス … 148
- 母体保護法 ……………… 23
- ボトムアップ …………… 168
- ホモ・エレクトス ……… 81
- ホモ・サピエンス ……… 82
- ホモ・ハイデルベルゲンシス
  ………………………… 82
- ポライトネス …………… 148
- ポライトネス理論 ……… 148

ま

- 埋葬 ……………………… 82
- マイナス思考 …………… 116
- マイノリティ …………… 27
- マスコミュニケーション … 123
- マズロー, A. H. …… 157、169
  - …の欲求階層説 ………… 156
- マタニティハラスメント … 270
- マナー …………………… 223
- 学びの深さ ……………… 234
- マネジメント ……… 187、207
- マルサス, T. R. ………… 18
- マンデラ, N. …………… 28
- 無意識 …………………… 138
- メッセージ ………… 124、130
  - …の意味づけ …………… 126
  - …の受け手 ……………… 125
  - …の送り手 ……………… 125
- メンバーシップ …… 169、213
- 申し送り …………… 209、212
- 目的 ……………………… 164
- 目標 ……………… 164、199
- モチベーション ………… 225
- モラルハラスメント …… 270
- 問題焦点型コーピング … 119

や

- 役割 ……………………… 165
- 友愛訪問 ………………… 20
- 優生学 …………………… 19
- 優生思想 …………… 19、22
- 優生保護法 ………… 23、43
- ヨコのコミュニケーション … 169
- 欲求 ……………………… 65

ら

- ライフイベント ………… 114
- ライフサイクル ………… 57
- ライフライン …………… 272
- らい予防法 ……………… 23

ラザルス, R. S. ……………… 115
ラポール ……………………… 93
リーダー ……………………… 213
　…的な業務 ………………… 217
リーダーシップ
　…… 174、192、213、224、226
利害集団 ……………………… 173
離職 …………………………… 265
リスクマネジメント …… 187、227
リッチモンド, M. E. ………… 20
理念 …………………………… 199
リビング・ウィル …………… 32
利用者 ……………… 42、72、153
　…の権利侵害 ……………… 42
　…の自己決定 ……………… 159
　…の自由な意思 …………… 73
　…の主体性 ………………… 73
　…の心情 …………………… 46
利用者主体 …………… 4、6、47
倫理 …………………………… 184
ルネサンス …………………… 8
例示 …………………………… 136
レク行事委員会 ……………… 268
レジスタンス運動 …………… 29
レスビアン、ゲイ、バイセクシャル、トランスジェンダーの人権についてのモントリオール宣言 ……………………………… 27
劣等処遇の原則 ……………… 17
連携 …………………………… 49
連絡 ……………… 167、170、256
労働安全衛生法 ……………… 269
労働能力 ……………………… 17
労務管理 ……………………… 268
ローゼンマン, R. H. ………… 117

わ

ワーキングプア ……………… 54
ワールドアウトゲームズ …… 27
ワイマール憲法 ……… 7、10、25
私たち抜きに私たちのことを決めないで ……………………… 6

『最新 介護福祉士養成講座』編集代表（五十音順）

秋山 昌江（あきやま まさえ）
聖カタリナ大学人間健康福祉学部教授

上原 千寿子（うえはら ちずこ）
元・広島国際大学教授

川井 太加子（かわい たかこ）
桃山学院大学社会学部教授

白井 孝子（しらい たかこ）
東京福祉専門学校副学校長

「1 人間の理解（第2版）」編集委員・執筆者一覧

編集委員（五十音順）

上原 千寿子（うえはら ちずこ）
元・広島国際大学教授

澤 宣夫（さわ のりお）
長崎純心大学人文学部教授

執筆者（五十音順）

荒木 和美（あらき かずみ） ………………………………… 第3章第1節・第2節
社会福祉法人相扶会相扶園・寿園次長

上原 千寿子（うえはら ちずこ） ………………………… 第1章第1節1～5・第2節
元・広島国際大学教授

大元 誠司（おおもと せいじ） ……………………………………… 第1章第2節
元・広島県社会福祉協議会主事

大谷 佳子（おおや よしこ） ……………………………… 第2章第1節3～5・第4節
昭和大学保健医療学部講師

黒澤 貞夫（くろさわ さだお） ………………………………… 第1章第1節1～3
浦和大学名誉教授

澤 宣夫（さわ のりお） ……………… 第1章第1節6、第2章第1節1・2・第2節・第3節
長崎純心大学人文学部教授

杉山 弘卓（すぎやま ひろたか） ……………………………………… 第3章第4節
社会福祉法人シーアンドシー福祉会地域密着型特別養護老人ホーム万寿の杜施設長

鈴木 俊文（すずき としふみ） …………………………………… 第3章第2節・第3節1〜3
静岡県立大学短期大学部准教授

曽根 允（そね まこと） ………………………………………………… 第3章第3節4
社会福祉法人静岡県社会福祉協議会福祉人材部人材課主任

森川 武彦（もりかわ たけひこ） ………………………………… 第3章第4節コラム
社会福祉法人椎の木福祉会法人本部総務部長

山内 哲也（やまうち てつや） ……………………………………… 第3章第3節3
社会福祉法人武蔵野会障害者支援施設リアン文京総合施設長

最新 介護福祉士養成講座 1

人間の理解 第2版

2019年3月31日	初 版 発 行
2022年2月1日	第 2 版 発 行
2025年2月1日	第 2 版第 4 刷発行

編　　　集	介護福祉士養成講座編集委員会
発 行 者	荘村　明彦
発 行 所	中央法規出版株式会社
	〒110-0016　東京都台東区台東3-29-1　中央法規ビル
	TEL 03-6387-3196
	https://www.chuohoki.co.jp/
印刷・製本	サンメッセ株式会社

装幀・本文デザイン	澤田かおり（トシキ・ファーブル）
カバーイラスト	のだよしこ
本文イラスト	藤田侑巳
口絵デザイン	株式会社ジャパンマテリアル

定価はカバーに表示してあります。
ISBN978-4-8058-8390-7

本書のコピー、スキャン、デジタル化等の無断複製は、著作権法上での例外を除き禁じられています。また、本書を代行業者等の第三者に依頼してコピー、スキャン、デジタル化することは、たとえ個人や家庭内での利用であっても著作権法違反です。
落丁本・乱丁本はお取り替えいたします。

本書の内容に関するご質問については、下記URLから「お問い合わせフォーム」にご入力いただきますようお願いいたします。
https://www.chuohoki.co.jp/contact/